基于多源数据融合的
突发事件决策需求管理理论与实践

徐绪堪　汪利利　著

科学出版社

北　京

内 容 简 介

本书针对突发事件决策需求存在抽象、模糊、粗放等问题，以多主体、多阶段、多决策层的突发事件决策需求为研究对象，以突发事件精准预警和高效响应为目标，借助知识组织理论和方法，通过多源数据和决策需求有效融合及对多主体、多阶段和多决策层的决策需求进行组织，有针对性地深入探讨突发事件决策需求宏观架构和微观组织过程，并提供突发事件应用案例，以充实和完善突发事件应急管理理论和方法，为各级政府高效响应突发事件提供实践指导，并最大限度地降低突发事件导致的影响和损失，提升政府的应急响应能力。

本书可供从事突发事件、知识组织等方面研究的科技和管理人员参考，也可以为高等院校相关专业师生和相关专业科研工作人员提供参考。

图书在版编目(CIP)数据

基于多源数据融合的突发事件决策需求管理理论与实践/徐绪堪，汪利利著.
—北京：科学出版社，2022.6
   ISBN 978-7-03-072285-0

   Ⅰ.①基… Ⅱ.①徐… ②汪… Ⅲ.①突发事件-多目标决策-需求管理-研究 Ⅳ.①D035.29

中国版本图书馆 CIP 数据核字（2022）第 083249 号

责任编辑：惠 雪 沈 旭／责任校对：杨聪敏
责任印制：张 伟／封面设计：许 瑞

科学出版社 出版
北京东黄城根北街 16 号
邮政编码：100717
http://www.sciencep.com
北京捷迅佳彩印刷有限公司 印刷
科学出版社发行 各地新华书店经销
*
2022 年 6 月第 一 版 开本：720×1000 1/16
2022 年 6 月第一次印刷 印张：15
字数：300 000
定价：149.00 元
（如有印装质量问题，我社负责调换）

前　言

自 2018 年中华人民共和国应急管理部成立以来，我国应急管理工作进入新的时代，各类突发事件响应能力明显提升。当今世界，信息技术创新日新月异，在数字化、网络化、智能化深入发展的同时，国内外环境、全球气候、经济活动等方面存在诸多不确定性因素，导致各类突发事件频发，从 2019 年年底席卷全球的新型冠状病毒肺炎疫情、福建泉州欣佳酒店 "3·7" 重大坍塌事故、江苏响水 "3·21" 特大爆炸事故、甘肃白银景泰 "5·22" 山地越野赛事故及融媒体环境下舆情事件等各类突发事件的应对过程中，国内外学者对突发事件快速响应的成果得到充分应用，对突发事件的响应能力得到明显提升，但仔细分析后发现存在突发事件各阶段的处理效率不高、响应的效果有待提高、应对的成本偏高等特征，在突发事件应对过程中对现场需求缺乏详细了解，不同应对组织机构的参与者没有完全聚焦在突发事件高效和精准应对上，导致突发事件应对效果没有达到最优，整个响应的成本比较高。我和我的团队在突发事件应急响应研究的基础上，同时聚焦到突发事件决策需求上，对突发事件决策需求进行深入研究，从情报学视角探讨突发事件决策需求，以服务我国突发事件精准预防和高效应对，在推动经济社会发展、促进国家治理体系和治理能力现代化、满足人民日益增长的美好生活需要方面发挥越来越重要的作用。

为了更好解决精准预防，高效应对突发事件，我和我的团队充分利用水利行业业务基础和突发事件应急响应前期研究成果，以水灾害突发事件为切入点，以水灾害突发事件响应效果为衡量标准，充分挖掘和透彻分析水利部门面临的防汛应急响应问题，结合团队长期从事水利信息化方面的研究经历和成果，积极与江苏省水利厅、宁夏回族自治区水利厅、常州市水利局、常州市应急管理局等水利和应急管理部门紧密沟通，深入水利工程管理、防汛防旱、水资源管理等工作一线，尤其是在每年汛期，与常州市水利局及其下属单位一起参与防汛工作，不仅对防汛现状和过程有了非常明确的认识，而且对防汛不同层级组织结构的要求了如指掌，收集到大量有价值的水灾害突发事件各级组织机构的要求，这些不同层级的要求对事件发展影响显著。例如，一个水库临近警戒水位时，对于水库管理员，从水库管理角度聚焦自身水库管理，认为事态非常正常，可能不用向上级汇报；对于乡镇水利站，从区县水利局功能职责角度思考，可能会对该事件进行关注；对于市水利局，考虑水库超警戒水位后对上下游的影响和上游后续来水对下游泄洪的影响等，可能要求水库提前开闸放水，以腾出库容。每个层级决策者对同一个事件的思考视角和处理方式完全不一样，决策者对事件的处理直接影响事件的预防和应对。正是基于此，我的团队萌发对水灾害突发事件需求的深入探讨，试图为突发事件精准预警和高效响应提供有价值的支撑。

传统粗放和经验式突发事件决策需求存在定位不准、组织无序、应对不力等问题，缺乏融合多源数据的决策需求精准组织，导致模糊粗放的决策需求难以被有效满足，严重影响突发事件快速响应的效率，引发不必要的伤亡和损失，直接威胁社会稳定及和谐发展。

针对突发事件决策需求存在抽象、模糊、粗放等问题，以多主体、多阶段、多决策层的突发事件决策需求为研究对象，以提高突发事件快速响应效率为目标，借助知识组织理论和方法，侧重多源数据和决策需求的有效融合，对突发事件决策需求进行采集和组织后形成有序的决策需求信息，通过关联分析提炼多主体、多阶段和多决策层明晰的决策需求，促进不同阶段、不同主体和不同决策层快速获取高度匹配决策需求的信息或者数据，为突发事件的高效快速响应提供强有力的保障。

本书紧扣突发事件精准预警和高效应对的目标，按照分析现状、构建体系、设计过程、案例应用等内容展开撰写。通过突发事件决策需求总体架构来凸显突发事件应急响应的靶向性，为突发事件预警和快速响应提供明确思路。突发事件决策需求总体架构围绕突发事件高效快速响应的目标，从组织机构、业务流程和信息流程三个层次系统角度设计突发事件应急响应总体框架、业务流程框架和信息流程框架，明确突发事件应急决策过程、突发事件业务流程和突发事件信息处理及加工流程。最终，针对多主体、多阶段、多决策层的突发事件决策需求，基于知识服务体系的架构构建规则，围绕突发事件决策需求组织和利用，宏观上从组织机构、业务流程和信息流程来建立突发事件决策需求管理体系，微观上紧扣突发事件事前预警、事中响应和事后反馈来设计突发事件决策需求组织过程，透彻分析突发事件决策需求分类、甄别、精细化组织、跟踪和应对过程，借助多源数据融合方法促进突发事件决策需求有序化、优质化和知识化，达到提高突发事件快速响应效率的目标。

通过借鉴和参考大量国内外学者成果，同时在提炼我们团队主持和参与项目成果，尤其是国家社会科学基金项目"基于多源数据融合的突发事件决策需求研究"的 19 篇公开发表的 CSSCI 检索论文的基础上，初步形成以下四个方面的成果。

(1) 基于情报视角组织和管理突发事件决策需求。以突发事件决策需求为研究对象，考虑从多决策层、多阶段、多主体等方面来组织和管理突发事件决策需求，以此形成多决策层、多阶段、多主体的突发事件决策需求管理体系。以突发事件决策需求信息流为主线，围绕突发事件高效快速响应的目标，从组织机构、业务流程和信息流程三个层次系统角度设计突发事件决策需求数据、信息和情报组织过程，从宏观上架构突发事件信息采集、决策需求识别、关联、跟踪和应对等组织过程，形成突发事件决策需求数据、信息、情报及服务全过程，为更好满足突发事件预警和快速响应提供明确思路和保障。

(2) 基于多源数据形式融合的决策需求识别。将突发事件多源数据分为决策主体行为数据、多传感器数据、业务数据、舆情数据、领域知识等，通过去重、除噪、互补、容错等方式获取可靠的优质数据，针对突发事件特征和应急决策要求，基于 Dempster-Shafer 理论构造多源数据的信任函数，量化数据的信任度，根据设定阈值提取多源数据核心关键词，形成基于关键词的多源数据与决策需求的初步关联，建立突发事件有序化的多源数据和决策需求资源库，促进决策需求优质化。

(3) 突发事件决策需求的流程化管理。在突发事件决策需求的获取、处理、分析和变更的全过程中，以突发事件决策需求有序化和知识化管理为目的，按照软件需求流程化管理模式对突发事件决策需求采集、变更、审核、跟踪进行流程化管理。对于突发事件决策需求变更需要明确需求变更的原因，对战略决策高层制定的目标、战役指挥中层对工作流程的调整、战术执行时基层遇到无法解决的实际问题等多种情况要细化和定位，动态更新突发事件决策需求的变化，提高突发事件决策需求响应效率。

(4) 突发事件决策需求组织管理的典型案例应用分析。在总体国家安全观指导下，最大限度降低突发事件所导致的伤亡和损失，融合情报学、管理科学与工程、公共管理等学科理论基础，系统架构突发事件决策需求；实践上通过日常监测预警、突发事件识别、组织、关联、再生和服务等过程实现突发事件预警和快速响应。为了进一步验证和优化突发事件决策需求组织和管理，从四大类 (自然灾害、事故灾难、公共卫生和社会安全) 突发事件分别解析已经发生的突发事件决策需求组织和管理，为突发事件决策需求实际应用提供借鉴和参考。

本书为国家社会科学基金项目"基于多源数据融合的突发事件决策需求研究" (项目编号：17BTQ055) 的研究成果，是我们团队智慧的结晶。为了探索多源数据融合的突发事件决策需求，我们团队进行了大量现场调研、访谈、交流讨论，搜集了有关突发事件决策的第一手资料，明确了不同阶段突发事件决策的需求，更加清晰地理解了突发事件决策需求组织和管理思路，形成了突发事件决策需求相关系列成果，并在《情报学报》《情报理论与实践》《图书情报工作》《情报杂志》等期刊发表了 CSSCI 检索论文 19 篇。我们团队将知识组织理论和多源数据融合方法应用到决策需求的有序化、优质化和知识化过程中，形成了完善的突发事件决策需求组织管理过程，提高了突发事件快速响应的靶向性和高效性，完成了突发事件决策需求系列论文，充实和完善了突发事件应急管理理论和方法。相关成果在江苏省常州市武进区、新北区和江苏省淮安市盱眙县等地得到应用，为各级政府高效响应突发事件提供了实践指导，最大限度降低了突发事件所导致的影响和损失，提升了政府的应急响应能力。本书具体分工如下：徐绪堪构建了本书的框架，撰写了第 1 章、第 3 章、第 5 章 ～ 第 7 章；汪利利撰写了第 2 章、第 4 章、第 8 章，并统一了全书格式和排版；徐绪堪最终对全书进行了认真的审阅和修改。参加本书讨论的学者有李一铭、刘思琪、谭丹、杜莹、王舒旻、韩尚霖、蓝姚瑶、王晓娇、陈壮壮、王誉颖、李昭君等。

在本书的研究和撰写过程中得到河海大学社会科学处、河海大学统计与数据科学研究所、常州市工业大数据挖掘与知识管理重点实验室及河海大学商学院等单位的大力支持，在写作过程中，得到多位专家和同仁的帮助和指导，在此表示衷心的感谢。同时，感谢所有作者和参与者对本书付出的努力；感谢所有作者的家人，感谢你们给予的后方支持。

受写作时间及作者水平之限，书中不足之处在所难免，恳请读者批评指正，使本书能够逐步改进和完善。

徐绪堪

2021 年 6 月于龙城常州

目　　录

第 1 章 绪 论

近年来，随着经济的飞速发展和自然条件的不断变化，人和环境、能源的矛盾越来越尖锐复杂，各种突发事件在全球范围内频繁出现。2018 年，印度尼西亚龙目岛"8·5"地震造成 515 人死亡、超强台风"山竹"致我国 300 万人受灾、山东寿光洪灾造成 13 人死亡、安徽六安碧桂园工地坍塌致 6 人死亡、福建泉港"11·4"碳九泄漏感染 52 人、河北张家口"11·28"重大爆燃事故致 24 人死亡。2019 年 2 月 12 日，秘鲁南部由于山体滑坡和洪灾导致 10 人死亡、1800 人受伤，桥梁、道路、医疗中心和警察局等基础设施也遭到破坏。2019 年 3 月 30 日，四川省凉山州木里县发生森林火灾，着火点在海拔 3800m 左右，地形复杂，交通、通信不便，造成 31 人遇难。2019 年，美国亚拉巴马州"3·4"龙卷风造成 22 人死亡。突发事件给社会造成了严重的财产损失与人员伤亡。

随着社会经济不断发展，突发事件发生频率日益增加，对人民生命与财产安全造成巨大威胁。而目前在对突发事件的应对工作中，存在着预警难度大、应对效果不显著等诸多问题，导致相关部门在应对突发事件时处置得不及时，甚至使用错误的处置方法造成更大的生命财产损失。因此，快速有效的应急决策是高效应对突发事件的重要支撑。突发事件的应急决策直接影响突发事件的态势发展和演变，及时、科学的应急措施能够有效地控制突发事件事态恶化的趋势；反之，低效、盲目的应急措施无法有效预警和应对突发事件，甚至引发其他次生灾害发生，最终导致更大的破坏和损失。利用突发事件的各类数据进行科学决策，可以将潜在突发事件扼杀在摇篮中，并对已经发生的突发事件高效、快速响应，从而最大限度地减少人员伤亡与财产损失。

突发事件具有复杂性、灾难性与突发性，面对决策时复杂的现实条件，如果事件发生后公共管理者与应急救援人员没有做好相应的准备，易因被动应急而导致决策失误，造成更大的人员伤亡和财产损失，这些问题也是当前突发事件管理中亟待解决的关键问题。

如今突发事件的各类数据呈现复杂度高、质量差和可信度低的特征。而这些多源数据利用不足，使其复杂性日益增加、快速响应效率低下。究其原因，突发事件预警和响应侧重研究突发事件相关的数据和信息单一维度，传统的突发事件决策需求存在应对不力、定位不准和组织无序的问题，缺乏融合多源数据的决策需求，导致产生的模糊决策需求很难得到有效满足，进而对突发事件快速响应效率产生严重影响，容易造成不必要的损失与伤亡，直接威胁社会稳定与和谐发展。所以在应用突发事件预警和响应成果的基础上，讨论如何组织突发事件决策需求引导突发事件响应效率的提升、如何促进产生精准的突发事件决策需求、如何融合突发事件的多源数据助推其高效快速响应的实现，这些问题的解决尤为迫切，已成为社会关注的热点问题。亟待解决的问题是构建基于多源数据融合的突发事件决策需求，形成一个以多源数据融合为力、决策需求流控制为策、高效快速响应为标的突发事件决策需求组织管理过程，促进突发事件决策需求优质化、知识化、情景化、有序化和实践化，为突发事件的高效快速响应提供一个新的思路和实践参考。

通过探讨突发事件预警和响应现状，以突发事件决策需求为研究对象，以精准预警、高效响应为目标，从多主体角度获取对突发事件针对性的要求，形成突发事件决策需求组织体系，为有效应对突发事件提供保障。

在学术价值层面：将知识组织理论和多源数据融合方法应用到决策需求中，以形成完善的突发事件决策需求组织过程，提高突发事件快速响应的靶向性和高效性，充实和完善突发事件应急管理的理论和方法。

在应用价值层面：针对性地深入探讨突发事件决策需求多层次微观组织过程，基于自然灾害突发事件案例探讨决策需求获取、跟踪和应对实现过程，利用实践应用反馈引导突发事件决策需求管理不断优化和完善，为各级政府高效响应突发事件提供实践指导，最大限度降低突发事件的影响和损失，提升政府的应急响应能力。

1.1   突发事件管理体系相关研究

国内外学者主要从突发事件应急管理体系、应急预案管理两个方面进行探讨，对突发事件的阶段划分、突发事件主体、突发事件风险及突发事件公众参与等多个方面进行研究。

1.1.1   突发事件应急管理体系研究现状

范维澄院士等[1]从应急系统构建的角度对我国应急平台建设进行了总体构思，分析了我国突发事件应急平台建设现状，针对我国突发事件应急管理给出建议，明确提出复杂条件下的应急决策问题，同时明确城市安全的重要性，其是城市可持续发展战略的重要组成部分，探讨城市安全和应急管理的关系[2]。崔维和刘士竹[3]明确了我国政府、企业风险管理的任务，建立了风险沟通和协调机制，梳理了事故灾难风险管理的流程，构建了我国事故灾难类突发事件风险管理体系。吴浩云和金科[4]以太湖流域为研究对象，针对太湖流域的特点，提出了预防水灾害的对策。邵荃等[5]针对突发事件的模型库，提出了一种模型层次网络表示法。Georgiadou 等[6]针对突发事件中的应急管理问题，提出了多目标优化模型。Akter 和

Simonovic[7]基于模糊集理论多语言决策系统给出了针对突发事件的一种应急响应与管理体系。

1.1.2 突发事件应急预案管理研究现状

袁莉和杨巧云[8]从系统的观点出发，基于重特大灾害中各种情报资源、技术和人力资源，充分协同决策体系、保障体系、指挥体系和控制体系，结合应急决策目标和内容，构建了情报体系的协同联动框架，对突发事件应急响应四个阶段进行了全面优化。李红艳[9]利用博弈论理论，构建了同等级政府职能部门之间、企业之间的囚徒困境博弈关系模型及不同等级的中央政府、地方政府和公众之间的委托–代理博弈关系模型。张乐等[10]研究了水灾害系统宏观强互惠和多 Agent 协同演化，刻画和描述了水灾害事件的应急合作机制。Chiou 和 Lai[11]构建了多目标模型，并将其用于复杂环境下救援最优路径选择与灾难救援交通管理。Sheu[12]针对大规模自然灾难应急物流管理的问题提出了动态救援的需求管理模型，通过数据对受灾地的救援需求进行了预测。Liu 等[13]针对突发事件的应急预案管理问题，给出了一个风险决策方法。

国内外学者对非常规水灾害、爆炸等领域的突发事件进行了针对性管理体系研究，这些研究侧重从宏观角度对广义的重大突发事件的管理体系入手，为基于多源数据融合的突发事件决策的需求研究提供了一定的参考。

1.2 突发事件决策需求相关研究

情报体系是突发事件应急决策的基础，在突发事件应急决策中发挥情报职能[14]，应急决策是应急管理的重点与核心环节。宫宏光和汤珊红[15]针对突发事件需求决策，构建了基于过程的情报知识支持系统总体框架。刘细文和马费成[16]构建了五层的技术竞争情报服务理论框架。叶光辉和李纲[17]分析了突发事件各阶段的情报需求特征，构建了多阶段多决策主体的应急情报需求分析框架。陈峰[18]对高端用户决策需求进行研究，从情报学视角将情报服务分为信息服务、情报服务、决策咨询服务和思想智慧服务四个层次。黄辉等[19]基于系统动力学，对地震事件救援药品的需求进行了探讨。刘咏梅和吴宏伟[20]从信息用户理论视角对政府决策信息需求特征和内容进行了研究。王曰芬[21]针对政府的决策需求，构建了基于本体的舆情信息语义框架。魏扣等[22]针对政府的决策过程、决策范围和决策类型，提取了档案知识库的需求。姚乐野和范炜[23]从系统方法论的角度，提出人与情报资源为情报体系中互动核心双主体。同样，袁莉和杨巧云[8]从"物理—事理—人理"出发，提出了情报工作系统。李纲和李阳[24]从城市应急决策情报体系中的"智慧"特征出发，将突发事件中的人、组织与计算机系统等多个资源要素合并为一个有机整体，并从要素识别、体系层次、流程构建方面来考虑，为应急决策理论与实践服务[25]。杨乙丹[26]也认为信息作用形式具有多种类别，必须将"智慧"理念融入应急情报体系建设中。Bayrak[27]从技术、人、系统和组织等多个方面对灾害监测和响应系统的需求进行了识别与鉴定。Hofinger 等[28]从心理学的视角来探讨突发事件应急响应中心理需求的重要性。对现有的应急工作总结发现，在应急决策制定、救援资源优化和防灾减灾等应急管理过程中，应急管理者需要高质量的情报和通畅的情报流通渠道[29]。

应急响应是一个动态循环并需要与多个部门协同联动的过程，情报贯穿其中，发挥着重要的决策支撑作用。应急响应情报理论的核心要素是情报，科学处理和分析情报，才能确保突发事件的信息准确性、完整性与可实施性，实现多部门快速、协同应对。

1.3　数据融合与情报服务相关研究

数据融合及情报服务在自动化领域、商业部门和家庭中都有极其广阔的应用前景，也同样可以应用在城市规划、资源管理、污染监测和分析及气候、作物与地质分析中，有助于部门之间实现有效的信息共享。

多源数据融合具有优化组合多源数据、提供有效可靠数据的优势，可以广泛应用于多个领域。袁文玉[30]针对两轮自平衡车姿态调整过程中出现的噪声干扰及单一传感器的测量误差较大等问题，提出了一种基于卡尔曼滤波的自平衡车数据融合方法并应用到 Freescale K60 单片机自平衡车系统。田鸽等[31]将多源数据融合的实景三维建模技术引入土地整治中，提出了相关解决方案和技术流程。初洪龙和马玉强[32]提出了一种基于信任度的多传感器数据融合方法分析温室大棚温度，从而能够更好地指导农业生产，提高产量。任娟[33]提出了一种融合聚类分析方法，并对该方法是否能解决面板数据有序聚类的问题进行了验证，以弥补单一分析的片面与局限。曹树金和马翠嫦[34]探讨了情景聚合、语义聚合、引用聚合、社会网络聚合及粒度聚合五种聚合模式。辛越峰等[35]提出了融合粒化和合成思想问题的解决方法，并用铁轨除冰问题进行了验证。张家年和卓翔芝[36]将智库管理流程与情报流程进行融合，形成了一种智库组织结构与运行机制。张义等[37]针对城市数据的特点，构建了一种城市多模式数据融合模型。Sorber 等 [38]针对不完整数据集，利用机构化数据融合法构建了一种知识发现快速原型框架。Farasat 等[39]利用数据融合，从社会网络复杂的个人数据中识别出高价值信息。Balazs 和 Velásquez[40]将多源信息转换成统一的表现形式后，形成了一种基于信息融合的信息意见挖掘过程。

国内外学者对数据融合与情报服务进行探讨，将数据融合应用在自动化制造与农业等多个领域中，对数据融合与情报服务的有机融合进行研究，为基于多源数据融合的突发事件决策需求研究提供了参考。

面对大量复杂、质量低、可信度低的多源数据，多源数据融合技术不仅可以获取有效的突发事件多源数据，还能提升突发事件决策需求的识别、关联、再生、跟踪、应对等组织过程的效率。在研究突发事件决策需求时，可以将多源数据融合贯穿到突发事件决策需求的组织过程，获取明确的突发事件决策需求，以提高政府部门对突发事件的快速响应效率。

1.4　政府对突发事件的关注

突发事件是媒体和公众关注的热点，也是当前国内外政府关注的重难点，政府对突发事件的科学管理为维护社会的和谐稳定提供了有力的支持。随着我国经济社会发展进入矛盾凸显期，对突发事件的引导与管理更加考验相关部门的智慧。

1.4.1　国外政府做法

美国在"9·11"恐怖袭击事件后建立了安全预警体系，该体系在深入分析各种因素的基础上，对潜在的恐怖威胁和可能发生的冲突进行预警，并对保护措施、应对行动与准备工作进行指导[41]。美国国土安全部同时制定了国家应急框架草案，总结了关键应急原则、作用和结构[42]。

针对灾害预防和灾害应对的问题，世界卫生组织 (WHO) 和欧盟共同发起了灾害准备计划，主要包括以下内容：统计被影响人群及需求、保证灾害地区的公共卫生安全、灾区医疗体系的重建等[43]。欧盟的全球环境及安全监测体系[44]对地面与卫星的信息进行数据分析，提供相关的环境信息与应急事件预测和管理服务。

1.4.2　国内政府做法

20 世纪 80 年代至今，国内相关的突发事件应急研究有了很大进展。陆学艺等[45]提出了社会综合报警指标体系，包含四十多种指标。中华人民共和国国务院发布了《国家突发公共事件总体应急预案》，以最大限度地减少公共突发事件造成的损害[46]。我国各省、区、市已基本制定省级总体预案，逐渐形成"一案三制"的中国特色应急管理体系。在各类应急预案的指导下，各部门分别建立应急信息平台，以服务应急管理中的信息支持工作。

《中华人民共和国突发事件应对法》规定：为了加强跨部门、跨地区的交流，县级以上地方各级人民政府应当建立或者确定本地区统一的突发事件信息系统。《国家综合防灾减灾规划 (2016—2020 年)》将加强防灾减灾救灾科技支撑能力建设作为"十三五"期间的主要任务[47]。如何在复杂的信息环境中提炼出准确的应急情报信息并组织突发事件决策需求，如何指导应急管理工作有序开展，已成为影响我国突发事件应急管理水平的关键因素。

1.5 突发事件预警和响应实践应用

近年来，突发事件预警与应急响应问题引起了学者们的广泛关注，成为当今的研究热点之一，关于预警与应急响应的研究已经初具成果。国内学者将突发事件预警流程分为四个或五个阶段，运用多种方法，健全联动机制和响应流程，提升突发事件预警和处置能力。

预警方面，吴建华[48]将突发事件预警流程分为四个阶段，分别为监测、识别、分析与预报。而近年来许多学者提出了突发事件预警的五个阶段模式，张维平[49]认为预警的流程应该分为监测事件、识别事件、分析事件、评估事件和发布警报。辛立艳[50]认为信息预警在突发事件中的作用不仅体现在监测风险、预测威胁上，还包括及时提供有效信息辅助决策，增加应急响应准备的时间。这种五阶段预警模式得到了多数研究者的支持。

突发事件预警的实际应用方面，范维澄和刘奕[51]从管理学的视角，提出了一种突发事件应急管理平台的建设框架与预警分级模型。宋英华和王容天[52]将危机周期理论引入突发事件应急管理中，对突发事件潜伏期、爆发期、善后期及解决期全过程进行综合管理，构建了突发事件的全面应急管理机制。李纲和叶光辉[53]构建了以情报为核心的突发事件监测与识别框架。钟开斌[54]从使命定位、主体设计和过程管理三个层次构建了突发事件"战略–结构–运作"框架。佘廉和黄超[55]提出了基于模糊集的突发事件的案例库评价模型。Nieland 和 Mushtaq[56]针对澳大利亚暴雨灾害突发事件提出了一个预警系统以验证其效果。Liu 等[57]针对台风灾害突发事件防御问题，提出了基于多目标概率的预警模型，以预测台风特征联合概率和台风所引起的灾害。

突发事件响应的实际应用方面，程卫帅等[58]对中国与美国的水利应急管理与响应机制进行了比较分析，指出我国水利应急管理存在制度可操作性弱、部门之间联动不够、风险评估能力有待提高等问题。张效武和施宏江[59]认为存在防汛抗旱体制与政府应急体制的关系界定还不够清晰和防汛抗旱责任制落实处理应对问题，需要不断完善和提高。卢文刚[60]以广州市为例，分析了我国城市内涝的现状、问题及原因，提出了加强广州城市内涝防灾减灾工作的几点建议。佟金萍等[61]运用博弈分析视角研究了水灾害应急管理中的府际合作模式，给出了博弈模型。吴倩等[62]构建了航空运输重大突发事件情景演化模型。张锦等[63]运用贝叶斯理论建立了基于划分应急子区域的优化模型。陈媛等[64]针对江苏省突发环境污染事故，以Web 方式提供信息查询服务，实现重大风险源周边的地理信息系统 (GIS) 显示，预测了事故影响及其后果，提供了最佳路径及求援方案。关于群决策方法，靖可等[65]针对突发事件应急决策的复杂性与多元性，提出了一种专家基于领域知识对应急方案集合进行局部评价的群决策模型。Bayrak[27]提出了集成长期和短期于一体的洪水突发事件管理战略框架。Almeida 等[66]以葡萄牙的一个城市火灾撤离工作为例，提出了多目标方法，并将该方法应用于基于 GIS 的突发事件决策支持系统中。

综上所述，国内外学者侧重对突发事件管理体系、数据融合与情报服务、预警与相应实际应用的研究，很少有学者围绕突发事件的决策需求进行较为深入的研究，借助数据融合方法探讨突发事件决策需求组织过程的研究成果甚少。因此，我们团队提出借助多源数据融合方法深入研究突发事件决策需求宏观架构和微观组织过程，为突发事件高效响应提供理论支撑。

1.6　本书主要研究价值

本书基于国家社会科学基金项目，以多决策层、多阶段和多主体决策需求为研究对象，针对不同的决策层，形成不同的决策需求。针对执行基层，以决策需求有序化为目标，借助知识组织理论和方法探讨决策需求界定和分类，形成突发事件的简单决策需求；针对指挥中层，以决策需求优质化为目标，借助多源数据融合的方法探讨决策需求的识别，形成突发事件的一般决策需求；针对决策高层，以决策需求知识化为目标，借助粒度原理和语义网探讨决策需求的关联和再生，形成突发事件的复杂决策需求。针对多阶段特征，以决策需求情景化为目标，借助多源数据融合方法探讨决策需求跟踪和应对，形成融合情景的突发事件决策需求。针对多主体特征，以决策需求实践化为目标，借助云模型探讨决策需求的应用反馈，形成实践应用的突发事件决策需求。本书紧扣突发事件响应效率提升这一目标，构建多决策层、多阶段、多主体的突发事件决策需求管理体系，提炼形成突发事件决策需求组织过程有效可行的实施路径。将提高突发事件响应效率目标分解为决策需求有序化、优质化、知识化、情景化和实践化，宏观上针对五个研究子目标，明确其研究对象、研究方法和研究成果；微观上按照突发事件决策需求的架构，形成决策需求界定、分类、识别、关联、再生、跟踪、应对及应用反馈的完整过程。

本书的价值体现在学术价值和应用价值两方面。首先在学术价值层面：将知识组织理论和多源数据融合方法应用到决策需求的有序化、优质化和知识化过程中，形成完善的突发事件决策需求组织管理过程，提高突发事件快速响应的靶向性和高效性，充实和完善突发事件应急管理理论和方法。其次在应用价值层面：针对性地深入探讨突发事件决策需求多层次微观组织过程，基于自然灾害突发事件案例探讨决策需求获取、跟踪和应对实现过程，利用实践的应用反馈引导突发事件决策需求组织过程不断优化和完善，为各级政府高效响应突发事件提供实践指导，提升政府的应急响应能力，最大限度降低突发事件所导致的影响和损失。最终具体的贡献主要体现在以下三个方面。

1. 构建突发事件决策需求总体架构

针对突发事件决策需求存在的抽象、模糊、粗放等问题，以提高突发事件快速响应效率为目标，借助多源数据融合方法促进突发事件决策需求的有序化、优质化、知识化、情景化和实践化。

2. 构建突发事件决策需求组织过程

重点研究突发事件决策需求界定、分类、关联、再生、跟踪和应对等微观过程。

界定与分类突发事件决策需求，明确决策需求的对象、特征、边界、类型和内容。按照事件阶段分为事前、事中及事后决策需求；按照决策层分为简单、一般和复杂决策需求，借助数据融合来规范决策需求，基于设定的粒度阈值形成简单的突发事件决策需求，促进决策需求有序化。

基于多源数据形式融合的决策需求识别，将突发事件多源数据分为决策主体行为数据、多传感器数据、业务数据、舆情数据、领域知识等，通过去重、除噪、互补、容错等方式获取可靠的优质数据，针对突发事件的特征与应急决策的要求，基于 Dempster-Shafer 理论构造多源数据的信任函数，量化数据的信任度，根据设定阈值提取多源数据核心关键词，形成基于关键词的多源数据和决策需求的初步关联，建立突发事件多源数据与决策需求的资源库，形成一般的突发事件决策需求，促进决策需求优质化。

基于数据特征融合的决策需求关联和再生，利用粒度原理实现归一化和粒度化，通过距离熵来量化多源数据之间的关联度，分析和量化多源数据的冲突，构建多源信息和决策需求的映射，融合决策主体行为，设定相关关联阈值，挖掘隐性决策需求，构造突发事件决策需求和多源数据的语义关联网，形成复杂的突发事件决策需求，促进决策需求知识化。

基于情景融合的决策需求跟踪和应对，对获取突发事件情景进行量化和规范化，跟踪获取多源数据更新动态和决策需求动态，融入和更新突发事件决策需求和多源数据语义关联网，形成融合情景的突发事件决策需求，完善形成适应情景变化的突发事件决策需求，促进决策需求情景化。

3. 构建突发事件决策需求组织的应用反馈机制

通过自然灾害突发事件实例验证突发事件多源数据融合和决策需求应用效果，建立应用效果评价和反馈机制，不断完善和优化决策需求组织过程，形成突发事件决策需求组织的应用反馈过程，促进决策需求实践化。

1.7　本 章 小 结

本章梳理了突发事件的应急管理体系、预案管理的研究现状，对近年来国内外学者对突发事件决策需求、情报服务的研究进行了总结，在综合分析突发事件响应实践应用现状的基础上，总结了本书的主要研究价值。

第 2 章　突发事件决策需求现状分析

为了快速高效应对突发事件，每个环节的决策都起着至关重要的作用，尤其是突发事件的决策需求分析，因此有必要梳理突发事件的决策需求现状，为不同层次决策者提供针对性的参考信息。所以本章梳理不同类型突发事件响应过程中的决策需求现状，重点探讨突发事件在事前、事中、事后三个阶段中的决策需求现状。针对每一个阶段中不同决策层、不同主体对突发事件决策需求的不同，分析并总结每个阶段突发事件决策需求的特点，为突发事件决策需求管理体系设计做好充分的前期准备。

通过查阅国家、地方政府及应急管理局公开的重大事故调查报告、灾害公报、应急工作流程规范，从情报学的视角，分析战略决策高层、战役指挥中层、战术执行基层三个不同决策层对事件预警和响应处置的要求，针对所涉及的多个个体或者组织机构、突发事件决策过程中的实际情报行为、突发事件预警信息及响应事件的决策等多源信息，明确界定突发事件各个阶段中的决策需求，以有效提高突发事件的响应能力。

2.1　突发事件决策需求界定

突发事件决策需求是一种特定的需求，具有难以量化的特征，但突发事件预警和响应又要求对决策需求有明晰且精准的描述和管理，因此将软件需求管理方法[67]应用到突发事件决策需求管理中。突发事件决策需求是各类用户在突发事件预警和响应过程中决策所需条件或能力的文档说明，包括组织机构职责要求，突发事件管理标准、规范或其他正式规定文档所需具有的条件或权能。一般包括功能性需求和非功能性需求，非功能性需求通过设计和实现两个方面提出相应的要求。明晰且精准的突发事件决策需求可以支撑突发事件高效快速响应。通过界定突发事件的功能性需求、非功能性需求，可以明确决策需求的对象、类型和内容，以更快速有效地应对突发事件。

2.1.1　突发事件功能性需求

1. 突发事件决策需求要素分析

从系统的视角出发，将突发事件的决策需求分析看作一个有机系统，从情报提供、处理、分析和应用等环节出发，分析相关的组织要素，为城市突发事件的快速高效响应提供科学决策支撑。

结合目前国内外相关研究文献，城市突发事件分析系统包含情报提供方、情报接收方、情报分析和处理、专家知识资源、协作机制和情报分析情景五大类[68]。图 2-1 为城市突发事件决策需求分析要素的组成图。其中，情报提供方主要包括水利局、建设局、气象局、水文局、应急管理局等政府部门和市民大众等社会力量，为各类突发事件提供不同层面、时间、地点的信息；情报接收方主要包括城市应急中心、应急领导小组等政府部门，同时向城市大众公布突发事件的实时状态信息；情报分析和处理主要是运用情报服务的理论和方法，结合各类突发事件应急响应需求和已采集的基础信息，分析突发事件的处理方案和对策；专家知识资源主要包括积累的突发事件基础知识和该领域专家的历史应对经验，可为突发事件快速响应提供决策支撑；协作机制和情报分析情景主要是信息提供和信息共享规则，以及各类突发事件决策需求信息标准化规则，同时包括多主体、多部门对信息的需求，形成情报接收方、情报提供方、相关专家等典型情景。

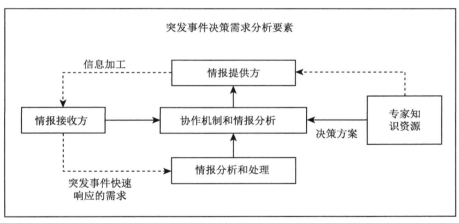

图 2-1　城市突发事件决策需求分析要素的组成图

2. 组织机构职责要求

应急决策主体既是突发事件应急情报的接收方，也是提供方，需要在高压力下、短时间内做出科学有效的决策。按不同决策层次划分，突发事件的决策主体可分为战略决策高层、战役指挥中层和战术执行基层。不同的应急决策主体、不同的应急决策层级对情报的需求不同，需要的情报服务存在较大的差异。突发事件在事前、事中、事后三个阶段涉及多个不同部门的人员，国内城市大多已经成立应急指挥组织机构，这些组织机构主要集成了民政局、医院、经济和信息化委员会、财政局、建设局、气象局等不同业务部门。

战术执行基层的决策需求对象是最底层的决策者，通常是突发事件响应过程中的一线工作人员，需要针对相关的实时信息进行监测和采集。战役指挥中层的决策需求对象是中层决策主体，主要涉及各级政府管理部门在响应过程中的决策信息传达，将高层决策者的总计划方案转化为具体的命令措施，以及将底层决策者的反馈情报信息实时上传[69]。突发事件发生后，所在地的政府部门应在最短时间内组织应急指挥人员赶赴现场组织救援。若事件的态势朝着恶化的方向演化，需要准确研判，及时寻求上一层级的救援力量。战略决策高层的决策需求对象是高层决策者，在我国的应急管理部门设置中一般指的是中华人民共和国国务院、总理。

明确各级应急部门的职责，可促进决策需求的清晰界定，应急管理组织机构一般设有应急办公室、安全生产综合协调科、火灾防治管理科、安全生产监督管理科、防汛抗旱和减灾救灾科。

应急办公室的主要职责为：负责统筹指导各部门应对各类突发事件和综合防灾减灾救灾工作；负责规范突发事件的情报传输途径，建立监测预警和灾情报告的法规制度，依据数据获取和共享机制，实时统一共享灾情信息；协调应急专业人员，建立协同联动机制；组织开展各应急管理部门的交流与合作；完成市委、市政府交办的其他任务。

安全生产综合协调科的主要职责为：负责应急预案体系的建设，组织编制应急预案，组织预案演练，推动建设应急设施；统筹指导安全生产类、自然灾害类等突发事件的应急响应，综合预判突发事件的演化态势并提出应对方案，协助相关部门进行应急处置工作；负责应急宣传教育，组织指导应急管理等的科学技术研究、推广智能城市应急管理的现代化信息建设工作；负责组织指导协调和监督全市安全生产行政执法工作。

火灾防治管理科的主要职责为：负责消防、扑救森林和草原的火灾、抗洪抢险、地震和地质灾害救援、生产安全事故救援等；组织协调、指导消防监督、火灾预防、火灾扑救等。

安全生产监督管理科的主要职责为：制订并规范应急体系建设、安全生产规划及安全生产准入制度，组织制定突发事件响应的地方标准；统一指导、监督检查安全生产工作，定期组织开展安全生产的检查、考核工作；负责管理工矿商贸行业的安全生产工作；负责危险化学品、烟花爆竹安全生产管理工作。

防汛抗旱和减灾救灾科的主要职责为：统筹指导森林、草原火灾，水旱灾害，地质灾害等防治工作，指导突发事件响应过程中的损失评估、救灾捐赠工作，监督救灾物资的分配；指导全市各类建筑的抗震救灾工作；统一规划本行政区域内地震台(站)网建设；监督管理本行政区域内建设工程抗震设防要求和地震安全性评价工作，审定建设工程的地震安全性评价报告。

3. 突发事件管理标准和规范

突发事件决策需求按照事件阶段可分为事前、事中及事后决策需求。在事前阶段，需要对突发事件进行预防、应急准备、监测和预警，决策者需要搜集相关的基础信息、业务数据、应急物资的准备信息等；在事中阶段，需要进行应急处置和救援，相关部门实时组织应急领导小组，快速准确地预判突发事件的风险级别，启动应急响应预案；在事后阶段，需要进行事后恢复重建、响应评估等工作，对突发事件进行总结，作为今后应对突发事件的历史经验。

突发事件决策需求按照决策层可分为简单、一般和复杂决策需求。基层决策主体的需求主要侧重具体详细的措施、方案及指标，具有现场一手的信息来源；中层决策主体的需求是准则、策略的制定，针对的是全方位的信息资源支持、共享；而高层决策主体属于宏观层面的决策管理[69]。

应急决策的情报需求内容是不同决策主体在事件的各个阶段中，信息形式、获取来源、情报质量和内容的具体表现[25]，主要包括五大部分：一是决策者的类别；二是时间，如事件发生的时间、决策任务开始的时间、决策任务结束的时间；三是环境状况，可具体表现为突发事件的事件类别、事件严重的程度、具体的位置信息；四是响应措施，具体为响应的级别、执行响应任务的位置、响应的优先级等；五是决策的目标，决策的目标不同，突发事件响应过程中所需要的情报服务不同。

2.1.2 突发事件非功能性需求

依据软件需求管理方法，非功能性需求是指除功能性需求外，为满足用户业务需求对软件系统提供的质量约束和功能约束，质量约束包括可靠性、安全性、移植性等，功能约束包括必须遵守的限制性条件。将软件需求管理方法应用到突发事件的需求管理中，在编写突发事件预警和响应中决策所需要条件或能力的文档说明时，需要考虑满足可执行性、可靠性的要求，限定需求分析的遵守条件。

突发事件的非功能性需求分析影响着能否持续稳定高效地应对突发事件。首先，突发事件的非功能性需求分析应考虑质量约束，优质的需求现状分析才是应对突发事件的重要基础。在事前、事中、事后三个演化阶段，不同决策层次的主体需要的决策支撑不同，决策需求的重点也不同。除了快速、有效、准确、全面地分析突发事件的功能性需求之外，不应忽视突发事件的非功能性需求。突发事件还要求了应清晰界定多决策层、多阶段、多主体的突发事件决策需求，精细化组织、跟踪和应对，借助多源数据融合方法促进突发事件决策需求有序化、优质化和知识化，达到提高突发事件快速响应效率的目的[70]。其次是性能需求，包括突发事件响应时间、决策方案制定、资源利用率等，以最小的经济、人力成本响应突发事件。突发事件发生后，从确定响应级别到应急处置，不断反馈优化决策方案，在这一系列过程中，需要考虑成本和时间。最后是安全性，机器自动保存决策用户控制和操作数据的纪录，以保证数据在采集、传输、处理过程中不被篡改。实时追踪突发事件的应对过程，以便发生错误研判可紧急处理。在进行突发事件的需求分析过程中，还应遵守相关管理部门的规定，比如安全规章。

2.2　四大突发事件决策需求现状

《中华人民共和国突发事件应对法》把突发事件分为自然灾害、事故灾难、公共卫生、社会安全四类，通过文献资料、部门统计数据、业务数据等多源数据的采集和整理，按照社会危害程度、影响范围等因素，自然灾害、事故灾难、公共卫生、社会安全等事件分为特别重大、重大、较大和一般四级，分析这些突发事件的现状，提炼出突发事件现状特征和决策过程。

2.2.1　自然灾害事件过程分析

2015~2017 年国家防汛抗旱总指挥部、各流域防汛抗旱总指挥部、各省级防汛抗旱指挥部应急响应启动情况如表 2-1 所示。全国水旱灾害总体偏轻，局部较重。2017 年，根据汛情、旱情、险情和灾情，国家防总先后启动防汛防台风应急响应 19 次，其中 III 级应急响应共 7 次，IV 级应急响应达 12 次。提早进入 24 小时应急值守状态，实时监测全国的旱、汛灾害，及时与有关流域防总和省级防指视频连线会商，针对暴雨预警、台风防御等发出通知 140 多个，派出工作组 300 多个。各级财政部门安排特大防汛抗旱补助费 38.38 亿元，紧急调运中央防汛抗旱物资价值 2633.00 万元。各流域防总和地方各级防指加强预测预报，强化应急值守，及时启动应急响应，开展江河洪水、山洪泥石流、台风灾害和城市内防御工作。据 2017 年统计数据显示，流域防总共启动应急响应 45 次、省级防指共启动应急响应 117 次。

以 2016 年 "7·19" 邢台特大暴雨灾害为例，具体分析自然灾害突发事件的决策过程。

2016 年 7 月 18 日到 21 日，海河流域自西南向东北出现强降雨过程，流域平均降雨量达 140mm，河南、河北、山西、北京、天津 5 省 (直辖市) 累计降雨量大于 250mm、100mm、50mm 的笼罩面积分别为 2 万 km^2、22 万 km^2、28 万 km^2，累计过程最大雨量为河北省磁县陶泉乡站 783mm。受强降雨影响，海河南系漳卫河、子牙河发生 1996 年以来最大洪水，北系北运河发生较大洪水，河南卫河支流安阳河、河北滏阳河支流牤牛河等 6 条中小河流发生超历史记录或超保证水位洪水。北京、天津、河北、山西、河南 5 省 (直辖市) 283 县 (市、区) 受灾，受灾人口 1186.21 万人，转移人口 83.37 万人，因灾死亡 186 人、失踪 117

表 2-1　应急响应启动情况表

年份	项目	防汛				抗旱	累计
		I 级	II 级	III 级	IV 级	IV 级	
2015	合计	10	16	25	36	2	89
	国家防总	—	2	4	3	—	9
	流域防总	1	3	9	5	—	18
	省级防指	9	11	12	28	2	62
2016	合计	6	29	82	69	2	188
	国家防总	—	5	8	6	—	19
	流域防总	1	5	12	15	—	33
	省级防指	5	19	62	48	2	136
2017	合计	—	17	59	104	1	181
	国家防总	—	—	7	12	—	19
	流域防总	—	3	15	27	—	45
	省级防指	—	14	37	65	1	117

人，农作物受灾面积 979.11 千 hm²，倒塌房屋 15.47 万间，直接经济损失 617.77 亿元。其中河北 140 县 (市、区) 受灾，受灾人口 887.82 万人，转移人口 58.4 万人，因灾死亡 167 人、失踪 108 人，农作物受灾面积 733.64 千 hm²，倒塌房屋 10.60 万间，直接经济损失 502.17 亿元。

邢台市遭遇了 1996 年 8 月之后的最大洪水，受灾人口达百万。结合雨情动态变化情况，河北省防指连续 6 次印发紧急通知。根据灾害的演变态势，7 月 19 日 20 时，河北省气象台发布暴雨红色预警；19 日 21 时省防指启动 III 级防汛应急响应；省减灾委员会启动了自然灾害救助 IV 级响应，交通、电力、通信等部门也分别启动了相应级别的应急响应。在突发事件的响应过程中，虽然政府和相关组织部门投入了大量的人力和物力对抗洪水，多次调整应急措施，但是对暴雨灾害事件严重性预判不足，未能及时预警，盲目应对，而且还存在诸如信息报送方式单一、信息格式不统一、多部门之间协作沟通滞后、信息采集缺乏持续性和实时性等问题，导致应对事件的各类信息杂乱无序，有效支撑决策的信息严重匮乏，形成严重的负面社会舆论。

2.2.2　事故灾难事件过程分析

以天津港"8·12"瑞海公司危险品仓库特别重大火灾爆炸事故为例，具体分析事故灾难突发事件的决策过程。

2015 年 8 月 12 日 22 时 51 分 46 秒，天津市滨海新区吉运二道 95 号的瑞海国际物流有限公司危险品仓库运抵区突发起火，23 时 34 分 06 秒发生第一次爆炸，23 时 34 分 37 秒发生第二次更剧烈的爆炸。事故现场形成 6 处大火点及数十个小火点，8 月 14 日 16 时 40 分，现场明火被扑灭。

事故造成 165 人遇难，798 人受伤住院治疗，伤情重及较重的伤员 58 人、轻伤员 740 人；304 幢建筑物 (办公楼宇、厂房及仓库等单位建筑 73 幢，居民 1 类住宅 91 幢、2 类住宅 129 幢、居民公寓 11 幢)、12428 辆商品汽车、7533 个集装箱受损。截至 2015 年 12 月 10 日，已核定直接经济损失 68.66 亿元人民币，其他损失尚需最终核定。通过分析事发时瑞海公司储存的 111 种危险货物的化学组分，确定至少有 129 种化学物质发生爆炸燃烧或泄漏扩散，其中，氢氧化钠、硝酸钾、硝酸铵等物质的重量占到总重量的 50%[71]。同时，爆炸还引燃了周边建筑物以及大量汽车、焦炭等普通货物。本次事故残留的化学品与产生的二次污染物逾百种，对局部区域的大气环境、水环境和土壤环境造成了不同程度的污染。

接警后，仅一路之隔的消防四大队和开发区公安消防支队三大街中队接到命令后赶赴增援。指挥员侦查发现瑞海公司运抵区南侧一垛集装箱火势猛烈，且通道被集装箱堵塞，消防车无法靠近灭火。指挥员向瑞海公司现场工作人员询问具体起火物质，但现场工作人员均不知情。天津市委、市政府迅速成立事故救援处置总指挥部，以"确保安全、先易后难、分区推进、科学处置、注重实效"为原则，把全力搜救人员作为首要任务，以灭火、防爆、防化、防疫、防污染为重点。

爆炸后救援过程中，需要统筹协调解放军、武警、公安以及安监、卫生、环保、气象等部门，推进救援处置工作。共动员现场救援处置的人员达 1.6 万多人，动用装备、车辆 2000 多台，其中解放军 2207 人，装备 339 台；武警部队 2368 人，装备 181 台；公安消防部队 1728 人，消防车 195 部；公安其他警种 2307 人；安全监管部门危险化学品处置专业人员 243 人；天津市和其他省区市防爆、防化、防疫、灭火、医疗、环保等方面专家 938 人。公安部先后调集河北、北京、辽宁、山东、山西、江苏、湖北、上海 8 省市公安消防部队的化工抢险、核生化侦检等专业人员和特种设备参与救援处置。

此次事故中，需要统筹组织卫生、公安、环保等部门，推进救援工作。天津港爆炸事故涉及的数据多源繁杂，如仓库危险化学品种类及数量，大气环境、水环境、土壤环境等污染物监测数据，事故中心区地理位置信息，媒体舆情数据，而这些多源数据缺乏融合，难以精准组织决策需求。交通部、天津市政府对港区的管理交叉重复、责任不明晰，责任界定模糊；天津港公安局消防支队对危险化学品事故响应速度较慢，处置重大危险化学品事故的应急装备也较为缺乏。在突发事件的整个响应过程中，天津市政府需要进一步明确各相关部门的职责及相关的处置、指挥的程序。

2.2.3   公共卫生事件过程分析

以长春长生问题疫苗事件为例，具体分析公共卫生突发事件的决策过程。

2018 年 7 月 11 日，长春长生生物科技有限责任公司被举报疫苗造假。事情发酵，国家组织调查组进驻企业全面展开调查，发现该企业冻干人用狂犬病疫苗生产记录存在造假问题，责令其停止狂犬病疫苗的生产。长春长生问题疫苗事件演化的关键节点在 7 月 21 日，一篇名为《疫苗之王》的文章迅速火爆微信朋友圈，网络负面言论迅速增长，舆论爆发。问题疫苗事件受到国家的高度重视，习近平总书记针对疫苗事件做出重要指示，要求立即查清事实真相，严肃问责，依法从严处理。疫苗造假事件引发公众对疫苗安全、疫苗监管等话题的讨论，相关舆情量在 7 月 22 日达到顶点。

7 月 25 日，事件涉及的 30 个省份集体发声，对事件涉及的问题疫苗流向做出回应。疫苗造假事件给整个国产疫苗行业带来信誉危机，负面舆论累积、激化。处于战略决策高层、战役指挥中层、战术执行基层三个层次的组织无法协调联动，使得横向部门之间缺乏沟通，政府也无法起到良好的主导作用。为了有效地控制类似重大公共卫生事件的不良演化，应不断完善和优化决策需求组织过程，引导决策需求精准跟踪和高效应对实现，形成突发事件决策需求组织的应用反馈过程，促进决策需求实践化。

2.2.4 社会安全事件过程分析

以"12·31"上海外滩陈毅广场拥挤踩踏事件为例，具体分析社会安全突发事件的决策过程。

2014 年 12 月 31 日 23 时 35 分，上海市黄浦区外滩陈毅广场人行通道楼梯处多人摔倒、叠压，发生极为严重的拥挤踩踏事件，造成 36 人死亡、49 人受伤。这是一起造成重大伤亡的公共安全责任事件。

事发当晚 20 时起，外滩风景区的观赏人员进多出少，并且大量的市民游客聚集在该区域，态势危急。事后，根据相关数据综合分析，事发当晚外滩风景区的人员流量，每一小时约增加 4 万人次，22 时至 23 时约 24 万人，23 时至事件发生时约 31 万人。

事发后，上海市迅速成立了市政府联合调查组，组织协调市应急办、市监察局、市安全监管局、市公安局纪委等部门。对受伤群众、值勤民警、附近地铁工作人员等进行了走访调查，尽最大可能复原事件现场的真实情况。查看了外滩区域 36 个监控探头、累计时长约 70 个小时的视频录像，对市级 10 个部门 (单位) 和黄浦区政府以及区有关部门领导共 51 人进行了谈话询问。

对于当晚外滩事件的群众聚集情况，黄浦区政府部门对突发事件的预判不足，严重缺乏对重大社会安全事件的风险防范意识，事发当晚又预警不力、措施应对不当。各决策层用户的需求未能有序组织，多部门之间协作沟通滞后，是这起拥挤踩踏事件发生的主要原因。事件发生时，外滩风景区人员流量不断快速上升，黄浦公安分局没有落实工作要求，每半小时上报人员流量的实时监测数据，也没有及时预警，使事态朝着恶化方向发展。而上海市公安局对黄浦公安分局的监督指导也未达到监督要求，黄浦区政府也没有立即向上报送事件信息。

这起事件表明，条块和条线机构各自为政、数据孤岛、垂直部门缺乏有效沟通依然是城市运行管理亟须破解的难题。需要进一步规范上海市应急联动体制机制和响应程序，强化指挥协同，解决部门之间的"信息孤岛"问题，有效组织各层次用户的决策需求，提升应急联动处置效能。

2.3　突发事件决策需求特征分析

通过上面突发事件的现状总结可发现，突发事件的各类数据多源繁杂、质量低和可信度低，并且对这些多源数据利用不足，使其复杂性日益增加、快速响应效率低下。究其原因，传统粗放和经验式突发事件决策需求存在定位不准、组织无序、应对不力等问题。这些因素严重影响突发事件快速响应的效率，引发不必要的伤亡和损失，直接威胁社会稳定和谐发展。

2.3.1　突发事件决策需求定位不准

城市突发事件在事前、事中、事后环节中涉及多个部门不同的人员，目前国内城市大多已经成立应急指挥方面的组织机构，重点集成应急管理局、建设局、财政局、经信委、民政局、水利局、气象局、医院、电视台等不同业务部门，侧重部门之间的横向沟通和协同。突发事件的决策需求是动态变化的，不同决策响应机构及部门的需求各不相同，多决策层包括战略决策高层复杂决策需求、战役指挥中层一般决策需求和战术执行基层简单决策需求三个层次。但是传统的突发事件决策需求往往是抽象的、模糊的，不能清晰地进行界定和分类。突发事件涉及的多元主体，既是情报提供方，也是决策需求方，需要明确不同层次主体的特定需求。

例如，天津港"8·12"特别重大火灾爆炸事故中，各相关职能部门没有准确地把握突发事件的整体需求，消防的决策需求不明确，存在盲目性，且不应用水来扑灭火。传统的、经验式的决策，未能精准地界定不同层次的用户，如战略决策高层、战役指挥中层、战术执行基层，导致在爆炸事件中涉及的个体或者组织仅仅按照传统情报流程，根据各自的需求独立开展工作，突发事件的态势演化迅速，无法做到快速响应，造成了重大的人员伤亡和财产损失。

在常州水灾害突发事件的事前预测、事中处理及事后总结环节中，应充分考虑多元主体的决策需求，水库管理站的实时水位只要超过预警值，就要请示上一级区水利局，区水利局根据警戒水位情况，同时根据区水利局的决策需求，结合态势演化的分析，需要做出下一步的响应部署。每一级的管理机构中决策者的需求都是不一样的，所以，需要按照一定的标准规范，有效解决不同决策者的不同响应要求，对不同层次的决策用户的需求进行清晰的界定和分类。

2.3.2 突发事件决策需求组织无序

城市突发事件预警和处理过程中存在信息报送方式单一、信息格式不统一、多部门之间协作沟通滞后、信息采集缺乏持续性和实时性等问题,导致应对事件的各类信息杂乱无序,有效支撑决策的信息严重匮乏[72]。各类城市突发事件信息的采集、传播、处理和分析等环节之间相对孤立,没有形成一个有机整体,各类信息混杂和组织无序,难以为突发事件的快速响应和决策提供支撑。

突发事件的情报来源渠道有以下三个方面。

(1) 物理传感器。物理传感数据由传感器实时自动记录和处理,并支持应急预警和应急响应[72]。但这类数据存在预测范围大、精度不高等特点,虽然已明确突发事件各级组织机构及其职责,但专门的突发事件信息采集部门尚未建立,相应的情报分析人才匮乏。

(2) 互联网。该渠道包括政府网站和机构官网等网络媒体发布的相关灾害公告,微博、知乎等社交媒体上突发事件的舆情数据。这些情报数据具有很强的实时性,数据源多且数据量庞大。以城市洪涝灾害突发事件为例,我国的水利信息化建设发展迅速,长期的监测数据及技术的创新积累了大量的相关数据。从数据源看,城市内涝灾害数据可分为六类:气象数据、水文数据、空间地理数据、排水设施数据、内涝监测数据、水灾害相关互联网数据。数据来源丰富且庞大,如仅气象数据就有 4~5PB,年增量约 1PB。除传统途径产生的数据外,与城市内涝突发事件相关的大量信息会在灾害发生的第一时间涌现在微信、微博等网络社交平台上。据统计,中国网民每天发布和转发的微博信息达 2.5 亿条。

(3) 知识库。突发事件决策方案的生成需要历史案例数据。政府、相关应急部门的历史应急案例可支撑突发事件的情景推演分析。国外如日本的灾害应变系统、联合国国际减灾办公室研发的国际灾害信息资源网络;国内吴先华等将雨量、水深数据、经济数据、历史措施数据集成到数据库中,采用 RBR (rule-based reasoning) 技术自动生成应对暴雨内涝事件的决策报告。

以常州市为例,水灾害突发事件相关的信息源包括业务信息源、政府信息源、主流新闻媒体信息源和社交媒体类信息源、个体信息源。

业务信息有常州市气象局的降雨数据,常州市水利局的河流、水库、水利枢纽、灌排站等水资源调度单位的基本信息及水情信息,应急管理部门的水灾害案例信息、防灾减灾资源调度信息。水灾害突发事件相关的政府信息源和业务信息源存在交集,但又不完全相同,主要是政府行政部门在政府网站发布的公开信息。政府行政部门主要包括应急指挥部门、各级卫生行政主管部门、各类医疗卫生机构、疾病预防控制中心等和国家相关部门机构 (国家环境保护总局、国家药品监督管理局、国家市场监督管理总局、国家卫生健康委员会、交通运输部、教育部、科学技术部、公安部) 等。在水灾害突发事件发生到结束的过程中，会出现许多与突发事件直接相关的新闻、采访等，大量用户在社交网络上分享、转载事件相关的信息，并表达个人的态度、情感。位于突发事件发生现场的信息采集人员，通过现场调查采集的方式，可以获得第一手信息。

专业研究机构是指专门设立的用来咨询和获取信息的研究机构。此类信息中包含管理突发事件的先进方法和宝贵经验，能够辅助应急预案、应急决策的制定，对快速有效地应对突发事件，减少因灾损失，避免发生次生灾害有重要作用。专业机构和现场参与人员的信息应同步、共享，否则也会影响突发事件应急响应的效率，有时甚至会造成无法挽回的损失。例如，天津港"8·12"火灾爆炸事故救援过程中，由于现场人员不能提供准确信息，尤其是没有告知现场还存有大量的硝酸铵，使消防人员无法采取有针对性的救援措施，最后导致在毫无征兆的情况下，在极短的时间间隔内连续发生两次大爆炸，造成专业救援人员的重大伤亡。

这些不同的情报资源的开发利用大多在部门内部，没有全国突发事件情报资源体系的统一标准框架可参考，大多形成"数据孤岛"，因此，利用率和共享程度受到严重的限制。需要有效组织突发事件的决策需求，通过去重、除噪、互补、容错等方式获取可靠的优质数据，建立突发事件有序化多源数据和决策需求资源库，形成一般的突发事件决策需求，促进决策需求优质化。

2.3.3　突发事件决策需求应对不力

模糊粗放的决策需求难以有效支撑突发事件的应急响应，相关的数据存在信息偏差和冗余、数据敏感、角色复杂、社会图景交织等问题。而突发事件的应急决策呈现出高度复杂性与不确定性，传统的应急管理模式无法精细化组织突发事件的决策需求，严重影响突发事件快速响应的效率。天津港"8·12"火灾爆炸事件中，在精简和提炼突发事件特征信息上存在问题，决策过程中，参考的历史案例无法提供正确的借鉴，没有考虑突发事件的事件类别和影响程度等多维度因子，导致了事件的恶化，未能给应急决策提供有效的信息保障，造成了严重的生命财产损失，对由此引发的一系列社会问题，政府及相关职能部门应对无力。

为了解城市级别下，政府及相关应急管理机构在响应突发事件过程中存在的实际问题，梳理在决策阶段多元主体的具体需求情况，作者选取了江苏省常州市武进区作为调研区域，调查基本单元为行政村 (或自然村)，共计 265 个。分别针对外洪 (流域以外的降水导致的洪水) 威胁村落和低洼易涝村落开展调查工作。调查遵循内、外业相结合，全面调查与重点调查相结合的方式进行，内业充分利用洪涝灾害防治的已有成果，收集站点信息、防汛责任人名单，统计洪涝灾害调查的对象名录清单，先行填报内业需要的内容；外业则利用统一配置的现场数据采集终端，开展实地调查，结合内业调查成果，补充和完善洪涝灾害调查对象信息。

针对受外洪影响、低洼易涝的村落，基于现场调查，深入分析洪涝灾害地点的暴雨洪水特性和社会经济情况，研究历史案例，总结应对的经验教训，综合分析评价调查对象应对洪涝灾害突发事件的现状。武进区近江临湖，有区级河道22条、镇级河道291条、村级河道540条，总长1658km。武进区内有湖泊2个，其中滆湖水面积117km²，环湖岸线43.1km；太湖水面积40km²，环湖岸线6.1km。全区可调蓄水面积占总面积的6.5%，历史上洪涝灾害频繁。目前主要灾害形式为内涝，调查中90个村落属低洼易涝性质，55个村落属外洪威胁性质。1949年后武进区发生较大洪水的年份主要有1954年、1969年、1970年、1983年、1987年、1991年、1999年、2015年、2016年等。1991年洪灾损失最为惨重，常州站最高水位为5.52m，市区受淹面积44.2km²，直接经济损失4.17亿元，间接经济损失8~37亿元。

通过此次调查，了解到经济社会的发展对洪涝灾害防治工作提出了新的要求，急需加强应急决策体系的建设。在极端性气候条件下，需采取必要的工程措施进行保护，工程措施与非工程措施相结合，才能有效发挥防灾减灾作用。针对执行基层决策需求，应以决策需求明确化为目标，形成突发事件简单的决策需求；针对指挥中层的决策需求，以决策需求优质化为目标，形成突发事件一般的决策需求；针对决策高层的决策需求，以决策需求知识化为目标，形成突发事件复杂的决策需求。科学构建多决策层、多阶段、多主体的突发事件决策需求管理体系，提炼形成突发事件决策需求组织过程有效可行的实施路径，以提升响应突发事件的效率，降低灾害损失。

突发事件演化迅速，而如今的应急决策大多是直觉和经验式的。在事前或者事件刚发生时，缺少支撑决策的信息且时间紧迫，除了要实时搜集有价值的应急情报，还应针对应急响应问题对其进行滤波、相关和集成的情报融合，以支持各级用户的决策行动。若没有在多源数据和决策需求资源的基础上进行粒度化和归一化，各个层次的组织将无法协调联动，横向部门之间将难以建立沟通，政府也无法起到良好的主导作用。

因此，在对突发事件决策需求现状分析的基础上，通过获取精准的突发事件决策需求促进应对的情报产生，借助自然灾害突发事件案例不断优化和完善突发事件决策需求组织过程，形成突发事件响应效率驱动的决策需求组织应用过程，有效避免数据驱动的突发事件响应的盲目性，为突发事件高效快速响应实践提供借鉴和参考。

2.4　突发事件决策需求管理

突发事件的需求管理应该流程化，从获取需求到需求分析再到实行，包括实时跟踪、需求变更都应该经过严格的审核，记录数据并归入历史库。图 2-2 是需求管理的流程图。

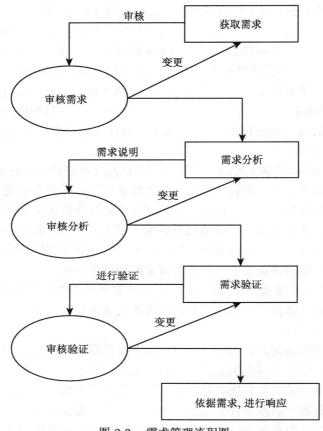

图 2-2　需求管理流程图

需求审核程序非常重要，因为需求涉及的过程都是人处理的，人处理的正确与否会直接影响突发事件需求的实现。获取需求方式、需求挖掘分析及需求执行这三个环节，只要有一个环节执行不到位，突发事件的决策需求分析结果都无法支撑突发事件的有效响应，需求管理需要审核反馈，一般情况下每一个过程都需要一次审核，审核失败就重新来过。

需求管理的变更是不可缺少的一个环节。首先需要明确需求变更的原因，如是战略决策高层制定的目标，战役指挥中层对工作流程的调整，还是战术执行基层遇到无法解决的实际问题，或是外部环境的变化等。再划分需求变更的优先级，需要参考时间、预算、风险、规范和政策、紧急程度等，成立实时跟踪小组，动态更新突发事件决策需求的变化，跟踪和记录尽可能多的数据，从而能真实展现现在、分析过去和预测未来。

(1) 编写需求说明书。突发事件的决策需求在界定、采集和特征分析之后，需要用统一的标准格式编写成可视文档，以支撑战略决策高层、战役指挥中层、战术执行基层三个不同决策层次的有效应对。应为每项需求标注标号，随着突发事件的演化，及时跟踪每项需求，记录需求的变更状态和变更原因。记录业务规范，业务规范是关于突发事件的应对原则，业务规范可对应功能需求，而需求也可以追溯相应的业务规范。

(2) 需求验证。为了保证需求说明准确、完整的表达，应进行需求验证。成立突发事件的决策主体需求分析、跟踪小组，在突发事件的事前、事中、事后具体实际的决策过程中，确认突发事件的决策需求是否定位精准、组织有序、应对有效，从实际决策过程追溯回功能需求，以确保没有需求被疏忽。

(3) 需求变更。突发事件的决策不是一成不变的，是动态变化的，需要不断优化调整，同样地，突发事件的决策需求也应不断地反馈调整，确定一个选择、分析和决策需求变更的标准，则所有的需求变更都应依据此标准进行变更调整，并评估每项选择的需求变更对突发事件响应的影响程度。若要变更，需明确完成这些任务需要的工作量，通过这些分析帮助用户做出科学的决策，记录突发事件决策的实时变更动态，并归档入库，作为应对突发事件的历史经验。

2.5　本　章　小　结

本章旨在总结突发事件的决策需求和现状规律。首先，通过明确决策需求的对象、类型和内容，对突发事件的决策需求进行了清晰的界定，从系统的视角，将突发事件的决策需求要素分为五大类。然后，以邢台特大暴雨灾害事件、天津港特别重大火灾爆炸事故、长春长生问题疫苗事件、上海外滩陈毅广场拥挤踩踏事故四类典型的、影响较大的突发事件为例，具体分析了突发事件的决策过程，提炼了自然灾害、事故灾难、公共卫生、社会安全四大类突发事件的需求特征。最后，得出结论，即在目前突发事件响应过程中，决策需求存在定位不准、组织无序、应对不力等方面的问题。

第 3 章 突发事件决策需求总体架构

针对突发事件决策需求存在的抽象、模糊、粗放等问题，界定多决策层、多阶段、多主体的突发事件决策需求便很有必要，以此形成多决策层、多阶段、多主体的突发事件决策需求管理体系。为了提高突发事件响应的效率，通过突发事件决策需求总体架构来凸显突发事件应急响应的及时性和靶向性，为突发事件预警和快速响应提供科学有效的创新思路。突发事件决策需求总体架构围绕突发事件高效快速响应的目标，从组织机构、业务流程和信息流程三个层次系统角度设计突发事件应急响应总体框架、业务流程框架和信息流程框架，明确突发事件应急决策过程、突发事件业务流程和突发事件数据处理以及加工流程。最终针对多决策层、多阶段、多主体的突发事件决策需求，构建突发事件决策需求总体结构，从宏观上架构突发事件信息采集、决策需求识别、跟踪和应对等组织过程，为更好地满足突发事件决策需求提供明确思路和保障。

3.1 突发事件决策需求管理体系

突发事件决策需求是多决策层、多阶段、多主体的。多决策层包括战略决策高层复杂决策需求、战役指挥中层一般决策需求、战术执行基层简单决策需求三个层次；多阶段包括突发事件事前、事中及事后三个阶段；多主体包括突发事件所涉及的所有个体或组织。接下来对多决策层、多阶段、多主体的决策需求进行具体分析。

3.1.1 多决策层的突发事件决策需求

突发事件具有一系列突发性、动态性及破坏严重性等明显特征，其一旦发生就将面临各种问题。就城市水灾害突发事件而言，其涉及范围广，救助力量需求众多，灾害现场主要方面分散等，这些因素将直接导致灾害现场指挥层级复杂、指挥方式多样、任务目标分散等问题。另外，城市水灾害应急决策涉及的主体相对较多，往往需要多个组织、多个部门协同配合实施救援任务，形成了多个决策层的问题。因而，针对灾害现场不同层级的决策主体，分析其应急决策需求是非常有必要的。

在城市水灾害突发事件应急决策活动中，根据决策主体的决策需求及决策功能上的差异，将其分为三个层级，即战略决策高层、战役指挥中层和战术执行基层，相应的决策需求是复杂决策需求、一般决策需求及简单决策需求。决策主体层级划分如图 3-1 所示。

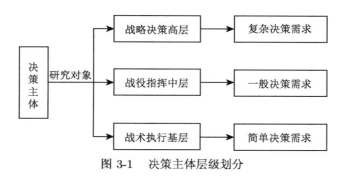

图 3-1　决策主体层级划分

第一层战略决策高层的应急决策主体大部分情况下是应急指挥部总指挥，其主要任务是掌控城市水灾害应急现场的具体情况，判断灾害现场存在的主要危险因素，并据此确立应急总体目标、划分应急区域、协同调配所有应急力量及调遣相应应急物资等。第二层战役指挥中层的应急决策工作大多由城市水灾害现场应急处置指挥员承担，主要任务是根据现场灾情的发展趋势、存在抑或是可能出现的险情及应急力量等相关状况，确定现场应急响应的主要方面、紧急任务分工、应急措施和组织实施。第三层战术执行基层的应急决策主体一般为灾害现场应急行动小组，主要根据上级决策意图和现场灾情的具体情况，完成现场应急任务，如部署相关应急力量、组织疏散和救援、抢救有价值的物资、排水等[73]。

图 3-2 为三个层级决策需求的具体分析。

3.1.2　多阶段的突发事件决策需求

通常，为了更好地预警突发事件，将突发事件分为事前预警、事中响应和事后总结三个阶段。同时结合突发事件的类型和特点，将突发事件的决策需求分析也划分为三个阶段：事前的突发事件决策需求、事中的突发事件决策需求、事后的突发事件决策需求。

1. 事前的突发事件决策需求

事前阶段，突发事件还未形成，可以说是位于潜伏阶段的突发事件，但并非不可预测其事态发展。以突发事件的应急管理为例，针对城市层面的研究范围，由于城市是一个整体的有机系统，每天都有概率会发生一些轻微或者严重的突发事件，所传递出来的信息容易淹没在整个城市系统纷繁复杂的信息中，稍不注意就会被各个决策主体所忽视。因此，城市应急管理者在事前阶段要时刻保持警惕状态，将突发事件的识别和预警作为工作中的重中之重，确保能够从众多且复杂的

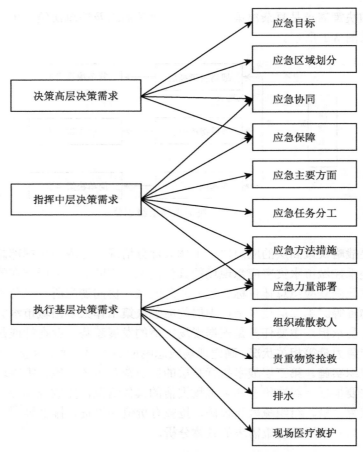

图 3-2　三个层级的应急决策需求

信息中识别出有用的信息。对城市系统来讲，突发事件应急管理应注重事前的预警，尽量避免事件出现"质的转变"，以尽快适应"智慧城市"发展的需求[17]。

对于事前阶段的突发事件决策需求，因目的性不强，应急管理者不会在某一特定方面进行信息的采集，但是此阶段会出现信息源多且面广的情况，即内容会非常多且是杂乱无章的。在此阶段，一定要注意加强突发事件前的预警监测，备有一定数量的专家和技术人员、相关的装备器材，利用先进的科学和互联网技术广泛收集一些征兆信息，以便能够在第一时间发现可能存在的事件隐患，实时跟踪相关事态的发展走向，如此便可在突发事件发生后采取迅速的应急措施。应急指挥人员对城市系统要有足够的了解，以便在突发事件发生后能够立刻知道准确的地点、现场的环境状况与资源情况、实时交通情况、人口分布状况和可供分配的物资等。

2. 事中的突发事件决策需求

随着时间的推移，突发事件由事前阶段转变为事中阶段。突发事件已经形成，其波及的范围在不断扩大，突发事件造成的损害程度也在不断地增加。在事中阶段，相关的城市应急指挥机构在突发事件发生第一时间应迅速协调各职能部门，制定应急预案，立即展开应急救援，时刻以保证人民生命财产安全为第一要务。此时各个决策主体的决策形式以临机决策为主，临机决策需要大量的数据和信息作为支撑，但是在突发事件事中紧急情况下信息不完全，这种对信息的急需和信息不完全的内在矛盾无法从根本上得到解决。因此，突发事件的决策存在一定的社会风险，恰当及时的临时决策能够缓解突发事件危机，而不当的临机决策会加剧突发事件的危害，甚至形成次生危机。

事中阶段，突发事件决策为群体性决策。突发事件发生后，同一信息会在第一时间传达到城市管理系统中的多个部门单位，此时群体中的各个部门单位之间的沟通和协调就很重要了。同时，应急救援现场应广泛应用遥感、监控、信息传输等先进工具和技术，配备专家和工作人员实行远距离监视分析，为现场应急救援提供精准指挥和有效资源调度。在突发事件事中应急救援时，城市应急管理者应重视对民众紧张情绪的安抚，借助广播、电视和新媒体 (如抖音、微博) 等工具及时披露突发事件相关信息，并引导公众正确参与救援。

3. 事后的突发事件决策需求

在突发事件的事后阶段，应急响应中的需求主要有两点：一是采取科学且必要的决策方案防止次生灾害的发生；二是需要在最短的时间对事件造成的经济损失、人员伤亡、舆情影响进行评估，把历史案例数据和总结分析的响应经验归入数据库，通过具体的实际工作来补偿受灾人员的物质及精神损失，并且要特别留意突发事件给受灾人员带来的心理问题，抚慰受灾人员的心理伤痛。各职能部门要在第一时间修复公共设施，如交通运输、供电供水等，恢复城市正常生活秩序，降低社会影响。

相比事中阶段，突发事件事后阶段的信息更加完整，城市管理部门和媒体已经完整还原了突发事件原貌，包括突发事件起因、造成损失及社会影响等。对于公众来说，更多在意的是自身的信息需求能否得到满足及相关部门的重视，因此，城市管理部门应通过各种网络社交平台 (比如政务微博、知乎、短视频平台等) 加强与社会公众之间的沟通联系，全面向公众解释和共享更多的信息。这是能够帮助人们应对突发事件带来的严重影响的有效方法。每次突发事件发生后的应急处置应把关注点着重放在灾害损失评估、经验教训总结等工作上，城市管理者应评估突发事件应急指挥的工作效率，推广突发事件处置过程中的成功经验，分析处置失误的原因，以期再出现类似的突发事件时救援效率能够提升，并形成一份完备的总结报告，呈交各级政府组织，同时公布给公众。

3.1.3   多主体的突发事件决策需求

突发事件的应急决策往往涉及多个主体。不同的应急决策主体 (包括不同决策层的决策主体)，其决策需求存在较大区别。应急决策通常会涉及多个部门单位，在突发事件发生后同一信息会同时传递到多个联动部门，突发事件的决策需求因此呈现出一种群体性的特点。在应急决策过程中，各个决策主体所处的层级及其重要性是存在差异的，所以决策主体对需求的形式等要求就有所不同。一般来说，决策高层的决策主体 (核心决策主体) 需要的是高序列化的、高度浓缩化的情报信息产品，而指挥中层和执行基层的决策主体 (相关职能部门等) 对情报信息的需求相对比较细化。

以煤矿瓦斯爆炸突发事件举例，突发事件应急决策主体是对爆炸事故进行应急救援的各个单位和部门，这些单位和部门承担着不同的应急救援职责，在煤矿瓦斯爆炸事故应急救援的不同阶段发挥着重要作用，共同承担着预防瓦斯爆炸突发事件的发生及应急救援的职责，有着相同的降低事故后果、控制救援成本的应急决策目标[74]，如图 3-3 所示。

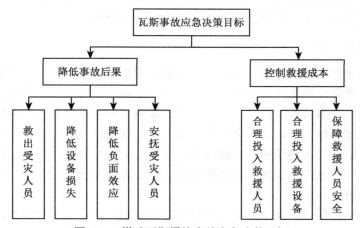

图 3-3   煤矿瓦斯爆炸事故应急决策目标

煤矿瓦斯爆炸突发事件事前阶段的应急决策主体主要包括防突科、地测科、救护队等，此阶段决策主体的应急需求是使用防治手段消除爆炸事故发生的危险因素，预防突发事件的发生。事中阶段的应急决策主体主要包括应急决策部门、救护队、医院等，应重点关注该阶段，因其是煤矿瓦斯爆炸突发事件应急救援的重要阶段。事后阶段的应急决策主体主要包括生产系统恢复部门、事故总结部门、伤亡职工家属抚恤部门等，该阶段的应急救援主体决策需求相对简单，但是对于煤矿瓦斯爆炸突发事件的防治水平及应急救援水平的提高具有重要意义。

3.2 突发事件应急决策体系

从组织机构、业务流程和信息流程三个层次系统角度设计突发事件的信息采集、规范化表示、处理、组织和分析流程，构建突发事件应急响应总体框架、业务流程框架和信息流程框架。

3.2.1 突发事件应急响应总体框架

突发事件应急响应要求城市多部门共同协作[75]，打破原有领导体系和工作秩序的非常态下的紧急应对，采取有效措施控制事件进一步恶化发展，在应急状态下，充分融合各类突发事件的采集信息、预警信息、事件情景等，以数据分析技术和方法为手段，以事件信息分析和挖掘为核心，促进有价值应对信息的快速生成，同时及时反馈和完善应急响应策略，形成突发事件应急响应报告。

图 3-4 为突发事件应急响应总体框架，在突发事件应急响应信息利用和共享机制下，按照应急响应输入、应急信息分析及应急响应输出三个部分来展开。在应急响应之前，需要构建完善应急组织管理，同时需要利用积累的相关突发事件应急响应案例、灾害领域知识、数据分析方法和模型等，为应急响应提供数据和方法保障；当接收到预警信息并确认启动突发事件应急响应时，进入突发事件事中处理阶段，首先需要采集应急任务、各类应急信息、应急情景等多源事件信息，重点包括突发事件业务信息和社会信息，经过清洗和规范化后进入应急分析过程，借助数据分析方法和模型对突发事件相关信息进行关联分析、研判分析和跟踪分析，挖掘突发事件的潜在关联和演化规律，生成应对响应任务的应急响应输出，包括应急反馈、应急预案和应急措施，为突发事件应急响应提供可靠和科学的决策。

应急响应由事前预警阶段进入事中处理阶段，涉及事件处理各相关部门和人员，受灾群体及公众等多方都将参与到事件应急响应中，参与方多、涉及信息量大、分析处理时间紧、应急响应要求快等是应急响应过程的突出特点。整个应急响应过程中城市相关部门、当地驻军、人民武装部等形成一个应急响应小组，充分采集、利用、共享传感器信息和业务信息[76]，通过积极响应、明确分工、部门协调、有效处置来应对突发事件。为了更好地说明在突发事件处理过程中各相关组织机构的职责分工及应急响应流程，下面以常州市水旱灾害突发事件为例进行剖析。

为做好常州市洪涝灾害突发事件应对与处置工作，提高防汛防旱应急处理能力，常州市制定了《常州市防汛防旱应急预案》以应对水旱灾害突发事件的发生。

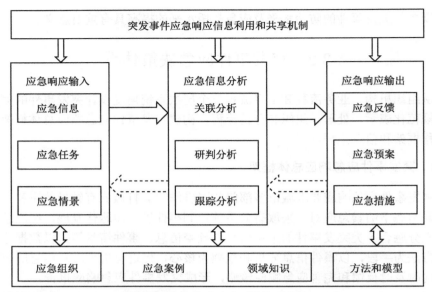

图 3-4　突发事件应急响应总体框架

全市的防汛防旱组织体系由市防汛防旱指挥机构、市防指办事机构、辖市(区)指挥机构及其办事机构、其他防汛防旱组织等组成。当突发事件发生时,各级组织机构按照常州市防汛防旱应急响应流程实施救援行动。常州市防汛防旱应急指挥组织体系见图 3-5,常州市防汛防旱应急响应流程见图 3-6。

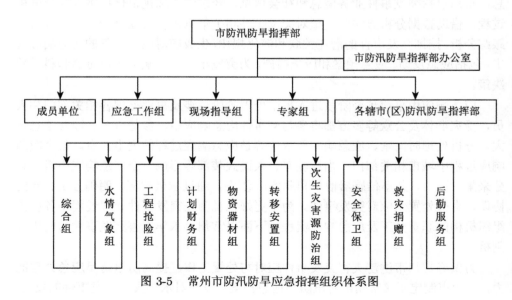

图 3-5　常州市防汛防旱应急指挥组织体系图

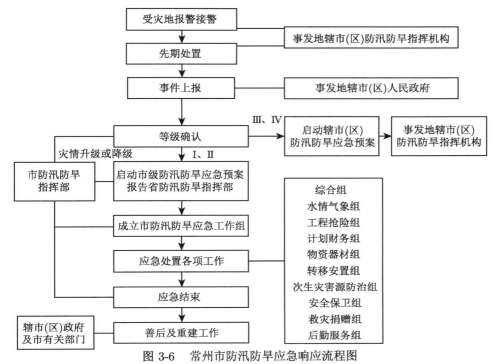

图 3-6 常州市防汛防旱应急响应流程图
I 级应急响应表明突发事件最为严重，II、III 和 IV 级应急响应事件严重程度依次减弱

1. 市防汛防旱指挥部主要职责

成员主要包含市应急管理局、市水利局、市气象局、市公安局和市教育局等部门单位。负责指导和监管全市范围内的防汛防旱工作，包括组织制订、完善相关的应急预案，完善全市防汛防旱有关的政策、工作规范制度等，组织制订防御洪水的水情调度方案，及时掌握全市汛情、旱情、灾情、工情，组织实施防洪抢险及防旱减灾措施，统一调度全市重要水利工程的运行，做好洪水管理、统筹灾后处置等工作。

2. 应急工作组主要职责

在应对水旱灾害突发事件时，以市防指为领导，迅速成立多个应急工作小组，其组成及职责如下。

综合组：部署抢险救灾工作；负责各组的综合协调、监察工作；保证应急响应过程中的信息流通，评估灾情经济损失。

水情气象组：汇总分析实时气象、水文、水质信息及雨水情，并形成预测报告和防范方案，负责汛情数据的发布与共享。

工程抢险组：负责统筹指导水利工程安全度汛，定时检查工程的安全运行情况，定时监督工程的抢险工作，负责维护在灾害事件中受到损害的水利、电力、交通等城市设施，保障城市的正常供气、供水、供电等。

计划财务组：主要由市财政局领导组织，负责救灾经费的分配调度。

物资器材组：主要负责供应调度相关抢险物资及群众必需生活生产物资。

转移安置组：由市民政局牵头，住房保障和房产管理局、教育局、农委、民防局等部门组成。负责受灾群众的生命财产安全，及时抢救转移，尽快帮灾区群众恢复生产生活。

次生灾害源防治组：负责实时跟踪事态的演化动态，负责次生灾害的防治。

安全保卫组：负责受灾地区安全管理与保卫工作，维护交通秩序、社会治安，预防和打击违法犯罪活动等。

救灾捐赠组：由市民政局、常州市红十字会等部门组成。依据国家相关捐赠规定做好资金及物资捐赠的接收和后续工作安排。

后勤服务组：负责抢险救援人员、伤员、救灾物资的运输和受灾区域的生活保障，保障通信线路畅通，组织医疗防疫队伍进入灾区，提供药品、器械和医疗救护服务。

3. 现场指导组主要职责

落实上一决策层的指令，实时汇报现场的情况，现场指导各小组在接到市防指解除应急响应的指令后方可结束响应工作。

4. 专家组主要职责

统筹各级的防汛应急指挥机构，成立专家智囊团，完善应急机制，为制定水旱灾害的决策方案提供技术和经验支撑。

3.2.2　突发事件应急响应业务流程框架

突发事件原有业务流程以组织机构为节点，而这种组织机构大多挂靠在其他组织下，只有在突发事件发生时才启动工作，充当一个应急组织的角色。再者，各个组织机构之间缺乏有效沟通，缺少对突发事件信息的监测和收集，原有的业务流程基本无法对突发事件进行事前预警，对突发事件的事中控制也显得有些乏力。因此，需要以突发事件信息为主线，结合突发事件组织机构设置，优化突发事件业务流程。首先对采集的突发事件情报进行清洗，然后利用知识组织理论和方法对突发事件情报进行归类和聚类处理，接着通过情报分析方法对突发事件情报进行深度挖掘和加工，形成突发事件初步的情报分析报告，最后通过领域专家完善情报分析报告。突发事件业务优化后的流程如图 3-7 所示，该流程实现了对突发事件实时信息的监测和采集,可为突发事件事前预警和事中响应提供必要的数据支撑[77]。

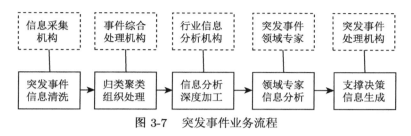

图 3-7　突发事件业务流程

3.2.3　突发事件应急响应信息流程框架

突发事件信息流程是在其业务流程要求下实现信息传播和处理分析的过程。以城市型水灾害突发事件为例,在大数据中采集疑似城市型水灾害突发事件信息,这些信息不仅包括城市水雨情信息、气象信息等,还包括城市土地规划、排水系统等城市建设信息。对于多源异构的水灾害突发事件信息,需要去除其中噪音和杂乱信息后得到相对规范的水灾害突发事件信息,然后对预警和应急响应要求进行信息的整序后形成可供分析的数据仓库和知识库,基于情报分析方法形成科学合理的事件预警报告和响应预案,最后城市水灾害领域专家对分析成果进行论证和优化后形成最终的城市型水灾害预警和应急决策报告。突发事件信息处理和加工流程如图 3-8 所示。

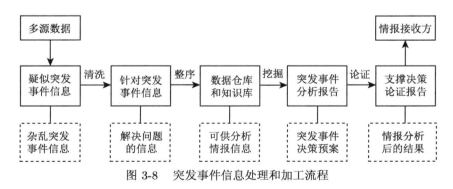

图 3-8　突发事件信息处理和加工流程

3.3　突发事件决策需求总体结构

针对突发事件决策需求存在抽象、模糊、粗放等问题,界定多决策层、多阶段、多主体的突发事件决策需求,以提高快速响应效率为目标,借助知识组织理论和方法,通过多源数据和决策需求的有效融合,从组织机构、业务流程和信息流程三个层次系统角度设计突发事件应急响应总体框架、业务流程框架和信息流程框架，明确突发事件应急决策过程、突发事件业务流程和突发事件信息处理及加工流程。最终针对多决策层、多阶段、多主体的突发事件决策需求，基于知识服务体系和应用反馈体系的架构构建规则，构建突发事件决策需求总体结构，从宏观上架构突发事件信息采集、决策需求识别、关联、跟踪和应对等组织过程，为更好满足突发事件决策需求提供明确思路和保障。突发事件决策需求总体架构见图 3-9。

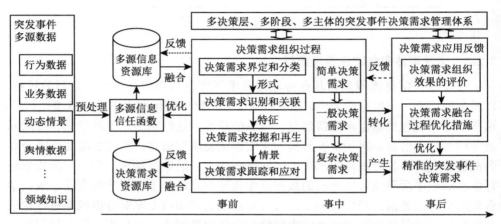

图 3-9　突发事件决策需求总体架构

在突发事件决策需求总体架构中，侧重突发事件事前预警、事中处理和事后总结各个阶段的信息采集、分析处理及共享应用，探讨突发事件中信息管理和信息服务内容。首先，获取突发事件决策主体、业务数据、动态数据、舆情数据及领域知识等多源数据，利用多源信息信任函数对多源数据进行预处理，剔除冗余和冲突数据，以此形成多源信息资源库和决策需求资源库；其次，借助多粒度模糊集来规范化决策需求，根据分类算法对决策需求进行分类；再次，借助 Dempster-Shafer 理论构建信息信任度量化函数，从形式融合建立突发事件有序化的多源数据和决策需求资源库关联，从特征级融合精细化组织决策需求，挖掘潜在隐性决策需求，从情景融合对决策需求进行跟踪和应对；最后，通过评价反馈完善和优化决策需求的组织过程，促进清晰和精细化决策需求的产生，有利于针对性决策需求应对的情报产生，有效提高突发事件响应效率[70]。

3.4　本章小结

本章为解决突发事件决策需求存在抽象、模糊、粗放等问题，首先提出了多决策层、多阶段、多主体的突发事件决策需求管理体系，然后从组织机构、业务流程和信息流程三个层次系统角度设计了突发事件的应急响应总体框架、业务流程框架和信息流程框架，从宏观上架构突发事件信息采集、决策需求识别、跟踪和应对等组织过程，系统地构建了突发事件决策需求总体结构，促进了清晰和精细化决策需求产生。

第 4 章　突发事件数据采集

　　突发事件数据采集应以有效支撑突发事件快速响应为目标，以明确突发事件数据采集的需求为出发点，借助现代化的采集方法和技术，设计突发事件数据采集过程，从突发事件所涉及的公开数据源和业务数据源采集突发事件数据，并按照一定的规范输入突发事件数据库中。突发事件数据采集需要架构总体采集框架，重点包括突发事件数据源获取、采集方法选择及采集过程等部分。本章不仅重点分析突发事件数据源，而且注重突发事件采集数据的可靠性，以尽可能采集高质量的突发事件数据；同时通过设定突发事件多源数据可信度属性来提升突发事件采集数据的质量，为突发事件决策需求组织、分析和跟踪做好铺垫；最后针对具体突发事件采集案例，结合八爪鱼采集软件给出突发事件数据采集的实例，为突发事件决策需求识别提供数据来源。

　　突发事件数据采集主要包括三个阶段：准备阶段、实施阶段和反馈阶段。准备阶段的主要任务就是通过分析获取用户的目标和任务，细化数据需求，从而制订针对性较强的突发事件数据采集策略，包括数据源的选择、采集方法及采集工具的确定。实施阶段则在突发事件数据采集准备阶段的基础上，制订针对性较强的突发事件数据采集策略，借助各类数据采集技术和方法，面向突发事件数据采集需求，形成突发事件数据采集过程。反馈阶段是对数据采集的效果进行评估，分析采集工作执行过程中的不足，并不断反馈来完善突发事件数据采集过程，确保采集到高质量的突发事件相关数据，为突发事件数据的组织、处理及分析提供数据支撑。

　　突发事件所涉及的数据存在面广、量大、质量参差不齐等特征。从突发事件决策需求的角度来看，可分为事前、事中和事后三个阶段，每个阶段都涉及多种多源异构的数据信息，而这些数据涉及多个主体或多个部门，并且分散在各级相关部门系统中，有限的信息共享难以发挥出其支撑突发事件快速响应的价值。因此，有必要对突发事件数据采集进行规范化，不仅要规范文本、图片、视频等多源异构突发事件数据，还需针对突发事件数据采集的需求，选择合适的数据采集工具或者方法，在分析各类不同时期的多源数据的基础上，制定切实可行的突发事件采集过程，为突发事件组织和分析提供数据准备。数据采集就是为了回答"5W2H"问题，即"为什么采集数据 (why)"，"采集什么样的数据 (what)"，"谁来采集数据又给谁使用 (who)"，"到哪里采集数据以及采集的范围是什么 (where)"，"要采集实时数据、历史数据还是两者兼有 (when)"，"用什么方法来采集数据 (how)"

和"采集多少数据 (how much)"。数据采集工作就是围绕这七个问题层层深入展开的，突发事件数据采集框架如图 4-1 所示。

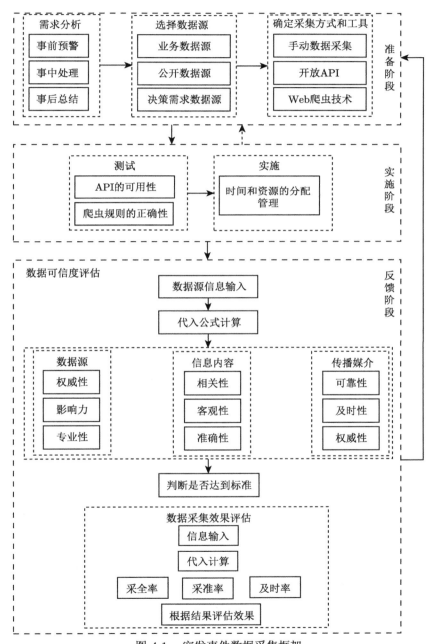

图 4-1　突发事件数据采集框架
API(application programming interface) 指应用程序编程接口

4.1　数据采集准备阶段

准备阶段的主要任务就是通过分析、细化数据需求从而采取有针对性的采集策略，包括数据采集需求分析和数据源分析。

4.1.1　数据采集需求分析

突发事件数据采集的需求主要是指对突发事件各个阶段所产生的数据来源、数据格式、获取方法等方面的需求，明确数据采集的需求是实现最终决策的关键。但不可避免的是，突发事件是动态变化的，每个阶段所需要的数据各不相同，而对于不同的决策者来说，其需要的数据也存在差别，对不同类型的突发事件所需要采集的数据也不尽相同。从时间维度出发，突发事件数据采集需求可以分为事前、事中、事后三个阶段。从突发事件的类型出发，突发事件可以分为四大类：自然灾害、事故灾难、公共卫生和社会安全。具体的数据采集总体需求分析如图 4-2 所示。

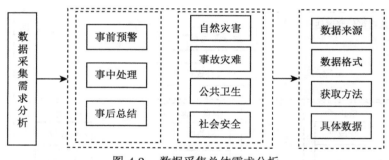

图 4-2　数据采集总体需求分析

事前阶段，侧重于数据的采集和处理，此阶段的采集工作强调广泛性和持续性，对数据的处理要做到规范化，以从数据中获取危机信号，察觉危机征兆；事中阶段，侧重于数据整合与分析，此阶段的采集工作强调实时性，并做到数据信息的有效整合和辅助决策分析，帮助决策者快速应对突发事件，化险为夷；事后阶段，侧重于数据的重新梳理、更新和完善，以提高决策的效率。在自然灾害突发事件发生前，数据采集的主要目标是突发事件的预警，此时强调广泛关注突然增加的热门话题、气候自然环境因素、重要事件等，因此采集源主要定位在一些社交网站 (如微博) 和有关天气、海洋、地貌等自然环境的专业网站；在事件发生时为正确制定应急方案，引导突发事件的良性发展，除继续关注社交网站的信息外，关注重点需扩大到新闻媒体网站、具有突发事件相关知识的专业网站等，为政府做决策提供可靠情报；在突发事件进入尾声时，为妥善处理突发事件产生的影响及评估在突发事件处理过程中所发挥的作用，此时的采集重点为论坛、新闻网站等，以帮助评估者了解群众对事件的反应，还要采集政府网站信息，以帮助评估者对事件的处理过程和相关事实数据有一个全面的把握。下面分别对不同类型突发事件三个阶段的数据采集需求分析进行介绍。

1. 自然灾害

自然灾害类突发事件主要是一些由自然因素所导致的事件，包括气象灾害、森林火灾灾害、海洋灾害等。例如暴雪、台风、地震等自然灾害在事件发生前中后三个阶段所需要的数据采集需求如表 4-1 所示。

表 4-1 自然灾害事件的数据采集需求

阶段	数据来源	获取方式	具体数据
事前	社交网站和有关天气、海洋、地貌等自然环境的专业网站	网络数据采集技术，如 Web 爬虫技术	气象信息、森林信息、水资源储存与利用信息等
事中	新闻媒体网站、具有突发事件相关知识的专业网站	网络数据采集、申请数据、实地调研、专家访谈	事件发生地点、周边自然和社会环境、受灾程度、可以调用的资源情况等信息
事后	论坛、新闻网站、政府网站	网络数据采集技术或实地调研	人民生命和财产损失情况，包括伤亡信息，受损的房屋、农田、公共设施信息等

2. 事故灾难

事故灾难类突发事件主要是指交通事故、设备事故、环境污染等由于人类不遵守法律、法规所导致的事故。以民航坠机事件为例，其在事件发生前中后三个阶段所需要的数据采集需求如表 4-2 所示。

表 4-2 民航坠机事故灾难事件的数据采集需求

阶段	数据来源	获取方式	具体数据
事前	社交网站、相关的信息网站	网络数据采集技术，如 Web 爬虫技术	飞机状况与维护信息、气候信息
事中	新闻媒体网站、具有突发事件相关知识的专业网站	网络数据采集、申请数据、实地调研、专家访谈	民航航空管理信息、旅客资料信息、发生地点和交通状况、当前可调度的人力、交通工具及周围医院情况、机上人员受伤情况等
事后	论坛、新闻网站、政府网站	网络数据采集技术或实地调研	旅客受害受伤信息及旅客姓名、地址、亲属信息等

3. 公共卫生

公共卫生类突发事件由自然因素和人为因素共同导致，主要包括传染病疫情、食品安全问题、动物疫情等一些严重危害人民生活和生命安全的事件。例如新型

冠状病毒肺炎 (Corona Virus Disease 2019，COVID-19，简称新冠肺炎) 疫情，在事件发生前中后三个阶段所需要的数据采集需求如表 4-3 所示。

表 4-3　新型冠状病毒肺炎疫情公共卫生事件的数据采集需求

阶段	数据来源	获取方式	具体数据
事前	社交网站、医院管理系统	网络数据采集技术、申请数据	热门话题、医院诊疗患者的基本信息和患者的病情信息
事中	新闻媒体网站、具有突发事件相关知识的专业网站及管理系统数据	网络数据采集、申请数据、实地调研、专家访谈	医院患者的基本信息及相关的病情信息，公共交通、场所信息及旅客的流动信息，疑似及确诊患者的基本信息和目前的病情信息、活动路径及与其接触过的人员信息，进行救治和隔离的相关人员信息如军队、医务人员、公共管理人员和警察,公共交通与公共环境信息,各种救援物资信息等
事后	论坛、新闻网站、政府网站及相关的管理系统数据	网络数据采集技术、实地调研、申请数据、专家访谈	已故和治愈患者的全部信息，包括基本个人信息、抢救所在的医院信息、相关的医务工作者及相关工作人员信息、受影响区域信息等

4. 社会安全

社会安全类突发事件由一定的社会问题诱发导致，主要包括恐怖袭击事件、经济安全事故、民族宗教事件等。例如恐怖袭击在事件发生前中后三个阶段所需要的数据采集需求如表 4-4 所示。

表 4-4　恐怖袭击社会安全事件的数据采集需求

阶段	数据来源	获取方式	具体数据
事前	社交网站、相关专业网站	网络数据采集技术、申请数据	恐怖分子或者可疑人员的基本个人信息和最近的活动信息
事中	新闻媒体网站、具有突发事件相关知识的专业网站	网络数据采集、申请数据、专家访谈	恐怖分子或可疑人员及其活动信息,公共场所与公共交通信息及旅客信息,遭受袭击的区域基本情况，建筑物的结构和受损情况及受损后建筑物的现状,受伤及被困的人员信息,可调度的救援人力、物力、财力信息等
事后	论坛、新闻网站、政府网站	网络数据采集技术、实地调研	受害人员的伤亡信息、受害地区的建筑物、公共设施等损失信息等

4.1.2　数据源分析

1. 业务数据源分析

业务数据源是指各级部门包括政府部门和企事业单位在日常运作过程中产生的各类业务信息。以常州市水灾害突发事件为例，相关的业务信息有常州市气象局的降雨数据，常州市水利局的河流、水库、水利枢纽、灌排站等水资源调度单位的基本信息及其水情信息，以及应急管理部门的水灾害案例信息和防灾减灾资源调度信息。

业务信息储存在各级部门的数据库中，提供的信息全面、真实而客观，数据结构化程度较好，是突发事件数据的重要来源之一。在突发事件尚未发生时，此类信息源的良好采集和利用可预报自然环境变化，降低突发事件的损失，甚至杜绝自然灾害类突发事件的发生；在突发事件发生后的应急响应阶段，此类信息可用于把握自然灾害类突发事件带来的损失、预估发生次生灾害的可能性，指导应急决策的制定。但这些数据往往是非公开的甚至是保密的，需要通过一系列的申请及审批流程来获取非涉密的数据，采集过程比较困难也比较费时。

2. 公开数据源分析

公开数据主要是指政府、媒体、个人等所发布的公开信息。这类数据源可以分为政府信息源、主流新闻媒体信息源、社交媒体类信息源和个体信息源四类。具体内容如下。

1) 政府信息源

政府信息源是一个非常广泛的概念，它涉及面广、表现形式多样，从政策、法规、政府公告到事件调查、民意反馈等。突发事件相关的政府信息源具有非常高的权威性，对相关的预警、应急等决策具有重要价值。政府信息源和业务信息源存在交集，但又不完全相同，这里主要是指政府行政部门在政府网站发布的公开信息，而在业务信息里主要是指政府部门的内部业务信息。政府行政部门主要是指突发事件的应急组织系统 (应急处置指挥部、各类医疗卫生机构、各级卫生行政主管部门、疾病预防控制中心等) 和国家相关部门机构 (卫生健康委员会、教育部、交通运输部、科学技术部、国家质量监督检验检疫总局、生态环境部、公安部、国家药品监督管理局) 等，这些部门发布的公开信息是应急决策信息采集的重要对象。

政府信息源的可信度仅次于业务信息源，但获取难度却大大降低，是突发事件信息采集的重要一环。

2) 主流新闻媒体信息源

主流新闻媒体是一个较为广泛的概念。高昊[78]认为主流新闻媒体包括公信力高或者影响力大的新闻媒体，以及这两类媒体在各社交平台上设立的官方账号，如央视新闻、网易新闻、凤凰新闻、QQ 新闻等。

此类信息源具备着深度加工、组织规范、更新速度较快的特点，因而此类信息源通常不作为突发事件识别及预警阶段的重点采集对象。另外，主流新闻媒体的公信力和专业性较社交媒体更高，在突发事件发生及尾声过程中，此类信息源包含着大量与突发事件直接相关的新闻、采访等，通过此类信息源可直观感受突发事件造成的影响和人民群众的态度。因此，此类信息有助于决策者掌握深度加工的事件信息和舆论的发展方向，制定应急决策，积极引导各大媒体争相报道与突发事件有关的正向信息，引导舆论的正向发展。

3) 社交媒体类信息源

随着网络自媒体时代的到来，社交媒体在新闻传播过程中的价值不断获得大众的关注和认可，开始与主流媒体"平分秋色"。突发事件具有难以预测、发生迅速、发展不可控的特点，因此，相较主流的新闻媒体，在突发事件的传播中，社交媒体往往更能够掌握先机。

社交媒体是互联网上基于用户关系的内容产生与交换平台，人们在这个平台上分享、交换意见和经验，其中的信息包含了网民对于社会中事件的认知、态度、情感和行为倾向，多以文本、图像、音视频等多种方式展现。当水灾害突发事件发生时，大量用户在社交网络上分享、转载事件的相关信息，并表达个人的态度、情感。此时，基于社交媒体的信息，可以把握舆论风向，了解公众对突发事件应急响应的评价情况，从而及时给出相应的对策。

社交媒体打破了生产、消费和传播的界限，转变了用户仅仅是内容消费者的传统观念，使得用户在社交媒体上既可以充当消费者，又可以充当内容生产者，同时积极扮演传播者的角色。这也使得社交媒体类信息具备格式复杂多样、冗余度高、质量参差不齐、难以组织等特点。但社交媒体的使用者众多，此类信息在突发事件发生发展的过程中，往往蕴含着热点话题，决定着舆论发展的方向，因此社交媒体类信息源是突发事件数据采集不可或缺的一种数据源。

4) 个体信息源

就突发事件相关信息采集而言，个体信息源主要是指那些事件的直接参与人员或者专业研究机构。

突发事件现场的参与人员所掌握的信息具有动态性、实时性。位于突发事件发生现场的信息采集人员，采用现场调查的方式，可以获取第一时间的信息。这种方式直观而形象，真实而生动，再配以自媒体的各种技术，使得情报更具有说服力。要特别指出的是，专业机构和现场参与人员的信息要同步、要共享，否则会影响突发事件应急响应的效率，有时甚至会造成无法挽回的损失。例如，天津港"8·12"特别重大火灾爆炸事故救援过程中，由于传递信息的不精确，现场人员未告知消防人员现场存有大量的硝酸铵，使消防人员无法采取有针对性的措施展开救援，导致在毫无征兆的情况下，在极短的时间间隔内连续发生两次大爆炸，造成了专业救援人员的重大伤亡。

专业研究机构是指政府组织设立的各种用来咨询和获取信息的研究机构，如政策研究机构、决策咨询机构等。此类信息中包含着管理突发事件的经验和先进方法，能够辅助应急预案、应急决策的制定，对于快速有效地应对突发事件，减少或避免次生灾害发生及因灾损失，有着重要作用。

3. 决策需求数据源分析

信息是决策的基础和关键部分。突发事件本身的信息及与管理相关的信息对政府进行突发事件的预警、预防、控制、恢复重建和学习具有重要意义。在整个突发事件管理的过程中，所需要的信息分析如下。

1) 预警信息源分析

突发事件的预警与辨识需要及时监测和获取可能引起突发事件的相关信息及因素。对于自然灾害类突发事件中的气象灾害和水旱灾害的预警，需要当地的气象、水和森林等与之相关的自然资源信息；对于事故灾难类突发事件的预警，如民航坠机事件，就需要飞机的维修情况及现状信息，而对于核泄漏和矿难等事件，则需要核电站和矿产的位置信息、维护信息及安全生产的监测信息等；对于公共卫生类突发事件，如新冠肺炎疫情，则需要医院患者的个人信息及相关病情的信息等；对于社会安全类突发事件，如战争和恐怖袭击等事件，需要领土安全监测信息、恐怖分子或可疑人员的相关信息及其活动信息等。

2) 预防信息源分析

通过对突发事件的预警与辨识，初步预测出可能会发生的突发事件后，对其采取预防措施极为重要。预防突发事件需要用到的信息包括可能遭受突发事件的地区和人员的情况信息，预防其发生的相关资料信息，以及可能遭受破坏的程度、以往的案例信息等。自然灾害类突发事件往往是不可阻挡的，对于此类突发事件要通过长期的预防来降低其发生率，合理利用自然资源是预防其发生的基础，对于可能发生的自然灾害事件，需要提前制定正确的决策，尽最大努力减少损失。事故灾难类突发事件，如民航坠机事件，就需要飞机的飞行情况、维修情况及路线中的天气信息等，一旦预测出可能发生的情况，应采取延迟航班、紧急迫降等方式阻止突发事件的发生。公共卫生类的突发事件，如新冠肺炎疫情的预防，一旦预警出来，就要及时对疑似患者采取隔离观察等措施，对其可能接触的人员进行排查，加强公共场所的健康检查，必要时暂停疫情严重地区的公共交通，减少人员流动；需要的信息包括患者的基本信息和病情信息、所涉及的公共场所和交通环境信息及其活动轨迹和接触人员信息等。社会安全类突发事件，如恐怖袭击的预防，需要的信息包括可疑人员的基本信息和活动信息，相关地区的路况、人员、建筑等信息，从而加强地区的安全防备工作和人员的安全检查工作。

3) 控制信息源分析

对于未预警到或者通过预防未能阻止突发事件的发生，事件发生后的首要工作就是防止其向更恶劣的情况演化，这时就需要政府进行相关的控制工作，通过应急管理进行紧急救援。这个阶段所需要的信息主要是涉及控制突发事件所需要的信息，主要包括三大类，首先是突发事件发生的时间、地点、程度等基本信息，其次是受灾地区的人员、财产信息，最后是所能紧急调动的人力和物资信息。自然灾害类突发事件，如台风，所需要的信息包括台风的种类信息、受台风袭击的人员信息，以及目前可以紧急调动的救灾人员和物资信息等。事故灾难类突发事件，如民航坠机事件，在其发生后，要进行第一时间的紧急救援工作，所需要的信息包括坠机的时间和地点、周围环境和交通情况、民航信息、旅客个人信息和受伤情况及可调动的救援人员信息和周边医院信息。公共卫生类突发事件，如新冠肺炎疫情，对于此类事件最有效的控制方法就是隔离救治和控制人员流动，需要的信息包括确诊及疑似患者的基本信息和病情信息、其活动轨迹和接触的人员信息、公共环境及交通信息、能够进行救助的相关人员信息和所需物资信息。社会安全类突发事件，如恐怖袭击，一旦发生，要及时进行人员疏散和救援工作，所需要的信息包括受袭击地点的环境信息、周围建筑物的结构和材料信息、受伤人员情况信息、紧急救援可调用的人力、物力和财力信息及受损情况信息等。

4) 恢复重建信息源分析

突发事件发生后，要进行恢复重建工作，以恢复社会秩序，帮助受害人员及时走出困境。要做好恢复重建工作首先需要获取各种损失信息，并对此次突发事件的损失和影响进行评估。自然灾害类突发事件，如台风的恢复重建工作，需要的信息包括受伤和死亡人员信息、遭到破坏的公共设施、房屋、庄稼等信息及恢复重建可以调用的人力、物力、财力信息。灾难事故类突发事件，如民航坠机过后的恢复重建，需要对受害人员及时进行赔偿，对其亲属进行安抚等工作，所涉及的信息包括受伤和死亡人员的个人基本信息和其家属信息等。公共卫生类突发事件，如新冠肺炎疫情后的恢复重建工作，需要因新型冠状病毒死亡的人员信息和已经痊愈的人员信息、救助人员和相关工作人员的基本信息、受疫情影响的区域信息等。社会安全类突发事件，如恐怖袭击的恢复重建工作，政府所需要获取的信息包括受袭击人员的伤亡信息、公共设施和建筑物等的损失信息等。

5) 学习信息源分析

突发事件学习是对发生过的突发事件从管理与技术层面进行深入分析与研究，找出事件的起因、解析事件发生的过程、了解突发事件导致的损害，为提高对此类突发事件的预警、预防、控制、灾后恢复方面的能力积累经验。对于自然灾害类突发事件，如水旱灾害，专业技术能力在其中发挥着重要的作用，通过学习来提高技术水平能起到更好的预警作用。而对于社会安全类突发事件，可通过对管理决策角度的学习改进或提高常态的管理水平，预防类似事件的发生。突发事件学习需要用到全面、详尽的突发事件本身信息及突发事件管理过程中预警、预防、控制、灾后恢复的管理信息。

突发事件造成的危害涉及所有公民的利益，突发事件管理需要大家的重视与参与，所以广义上的突发事件学习包括向全民普及危机常识和安全防护知识，包括突发事件管理过程中公民的义务、责任等。通过教育使全民具有安全意识，在发现突发事件的前兆信息时能及时向相关部门和政府报告，在突发事件发生时注意保护自己的安全，在突发事件控制过程中积极配合政府部门的决策指挥。突发事件的学习需要用到以前的各种突发事件的信息、安全保护知识、相关的政策和法律法规等。

6) 其他信息源分析

其他相关信息包括相关的法律法规、安全知识、突发事件历史案例。突发事件管理过程中使用的模型方法也归入这一类信息资源。这些信息会贯穿突发事件管理的整个过程。

预警过程中找出突发事件的起因，获取前兆信息，利用其他相关信息如知识、模型方法、事例等预测出突发事件发生的时间、地点、强度等。在控制过程中应对已经发生突发事件的各种信息进行实时收集和监控，获取因灾害所造成损耗的信息，从而能够及时掌控突发事件的所有信息。同时需要获取受灾地区可以调动的人、财、物等信息。在恢复过程中需要收集的是受灾对象的信息、突发事件带来的损失信息、可以用于救灾的资源信息等，进而评估突发事件所带来的所有损害，并利用所能调动的资源进行灾后重建。学习过程中需要收集在这次突发事件中所有管理过程中的信息，对所获取的信息进行总结和反思，查漏补缺，不断完善突发事件的管理工作。

4.2　数据采集方式和工具分析

突发事件的数据源主要包括三大类：业务数据源、公开数据源和决策需求数据源。其中公开数据源包括政府信息源、主流新闻媒体信息源、社交媒体类信息源及个体信息源四类，政府网站公开信息源、新闻媒体信息源及社交媒体类信息源的表现形式以网络信息资源为主，需要借助网络数据采集技术和工具来提高数据获取的效率和质量，如 Web 爬虫技术、基于平台提供商 API 的数据采集技术等；业务信息源通常不会在网络上公开传播，此类信息源需要通过申请数据、实地调研、专家访谈等方式获取。网络数据的获取方法主要有 Web 爬虫技术、通过开放 API 获取和手动采集三种方式，以下对这三种方式进行具体分析。

4.2.1　Web 爬虫技术

Web 爬虫又叫 Web 蜘蛛或网络机器人，是指按照一定的规则，自动地抓取万维网信息的程序或脚本。Web 爬虫主要包括两种方式：集中式爬虫和分布式爬虫。前者较适用于小规模数据的抓取，如 "Fish search" 系统就是最早的主题集中式爬虫之一 [79]；而后者可视为多个集中式爬虫经过系统组合，将总的信息采集任务分割为多个子任务，配给多个计算机节点，再通过调用大型的分布式计算集群实现对信息的抓取[80]。

突发事件应急响应情报采集系统对情报采集的深度及广度均提出了较高的要求，在风险识别及预警阶段需要以网络信息资源为主要的信息采集对象，以及时发现社交媒体类信息资源中潜在的与突发事件高度相关的情报源。此类信息资源具有碎片化程度高、分布范围广的特点，可同时对 BBS、微博、博客开展信息采集，分析汇总后可识别短时间内热度上升较快的话题。

在面向突发事件的情报采集系统中，分布式爬虫可实现对同一个情报采集任务的多个信息源进行同时采集，具备较高的信息采集广度及速度，因此被广泛使用，而集中式爬虫在信息采集的广度及速度上难以满足面向突发事件的情报采集系统对信息采集的及时甚至是实时要求，因此利用较少。表 4-5 对现有的多数开源网络爬虫的开发语言、简介进行了总结，依据表 4-5 中的爬虫技术可实现对大部分网络信息资源的获取。需要特别说明的是：在选择网络爬虫时，要依据突发事件的类型、突发事件所处阶段、爬虫性能、采集需求、情报采集人员的信息采集能力等指标综合选取合适的网络爬虫软件开展网络信息采集，当开源爬虫方式不能满足情报采集的需求时，应及时更换信息采集方式，借助于商业网络爬虫或其他信息采集策略开展情报采集工作，保证信息采集的实时性、准确性。

按照信息采集的对象可将网络爬虫划分为三种类型：面向全网 Web 的信息采集爬虫、面向主题的信息采集爬虫及面向用户个性化需求的信息采集爬虫。其中面向全网 Web 的信息采集爬虫对爬虫稳定程度、抓取速度及质量要求非常高，因此可以用于突发事件案例库、知识库的完善工作；后两者的采集技术针对性更强，更加灵活，对爬虫的稳定性要求相对较低，可用于突发事件发生的早期和发展过程中。

1. 面向全网 Web 的信息采集

面向全网 Web 的信息采集爬虫首先采集一些目标网页的链接地址，再按照深度优先或广度优先的策略由目标网页逐渐扩散至全网，因此具备采集范围广泛的优点。在建立索引后，能更快速地采集信息。比较著名的有康柏系统研究中心 (Compaq System Research Center) 研发的 Mercator 网络爬虫，其采用多线程的方式实现，具备良好的扩展性和伸缩性[83]。

表 4-5 开源爬虫工具列表及其简介[81,82]

开发语言	软件名称	软件介绍
Java	Arachnid	微型爬虫框架，含有一个小型 HTML 解析器
	Crawlzilla	安装简易，拥有中文分词功能
	Crawler4j	可以用来构建多线程的 Web 爬虫
	Ex-Crawler	由守护进程执行，使用数据库存储网页信息
	Heritri	严格遵照 robots 文件的排除指示
	HeyDr	轻量级开源多线程垂直检索爬虫框架
	ItSucks	提供 swing GUI 操作界面
	Jcrawl	轻量、性能优良，可以从网页抓取各种类型的文件
	JSpider	功能强大，扩展性强
	Leopdo	包括全文和分类垂直搜索及分词系统
	Playfish	通过 XML 配置文件实现高度可定制性与扩展性
	Spiderman	微内核 + 插件式架构，扩展性强，开发量小
	Webmagic	功能全面，使用 Xpath 和正则表达式提取链接和内容
	Web-Harvest	可对 Text 或 XML 进行操作，具有可视化的界面
	WebCollector	无须配置、便于二次开发的 Java 爬虫框架
	WebSPHINX	由爬虫工作平台和 WebSPHINX 包两部分组成
	YaCy	基于 P2P 的分布式 Web 搜索引擎
Python	PyRailgun	简洁、轻量、高效的网页抓取框架
	Scrapy	基于 Twisted 的异步处理框架，文档齐全
	PySpider	分布式架构的爬虫
C++	HiSpider	支持多机分布式下载和网站定向下载
	Larbin	高性能的爬虫软件，只负责抓取，不负责解析
C#	Sinawler	国内第一个针对微博数据的爬虫，功能强大
	Spidernet	以递归树为模型的多线程 Web 爬虫
	网络矿工	功能丰富，毫不逊色于商业软件
PHP	Snoopy	具有采集网页功能和提交表单功能
	ThinkUp	采集 Facebook 等社交网络的数据并将结果可视化展现
	微购	可采集淘宝、京东、当当等三百多家电子商务网站数据
Erlang	Ebot	可伸缩的分布式爬虫
Ruby	Spidr	可将一个或多个网站、某个链接完全抓至本地
Go	Pholcus	高并发、分布式、重量级爬虫软件

突发事件的识别及预警是面向突发事件的应急响应情报采集的重要功能之一，在此阶段对信息来源的广度提出了较高的要求，因此该阶段可利用面向全网 Web 的网络爬虫在多个信息源中快速寻找出突发事件预警信息。此外，该类爬虫可基于已经发生过的突发事件信息、专家提供的突发事件基本信息等数据源，在网络中开展信息采集，最大限度地丰富突发事件的案例库、知识库，以帮助突发事件的事前预警及风险识别。

2. 面向主题的信息采集

面向主题的信息采集以"爬行策略"及主体相关度过滤算法为核心，考虑具体行业的专有词汇、特定的实际需求建立主题模型，常用于行业竞争情报的采集。

主题爬虫的概念最早由 Chakrabarti 等[84]提出，随着该技术的深入发展，已成为面向领域的开源信息分析和垂直搜索引擎信息采集的核心技术[85]。

突发事件发生时，其发展过程的主题相关性较强,由于面向主题的信息采集技术在信息采集的早期已经对采集内容是否与突发事件相关进行了判断，因此此类采集技术能够在突发事件发生时更加快速地采集到与突发事件密切关联的情报，进而更快地实时跟踪突发事件的动态演化过程，有助于应急响应决策制定者针对突发事件不同的发展阶段制定相应的应急响应决策，引导突发事件向良性的方向发展。

3. 面向用户个性化需求的信息采集

面向用户个性化需求的信息采集技术需要用户根据自己的信息需求自定义采集策略，并使用现有的采集工具或者自行开发采集工具开展信息采集。具体的工具有美国的卡耐基梅隆大学开发的 WebSPHINX[86]和佐治亚理工学院的采集系统 Krakatoa Chronicle[87]等。

在突发事件发生的早期，突发事件主题尚未明确，无法构建面向主题的突发事件情报采集爬虫，而面向全网 Web 的信息采集技术采集范围较广，难以满足用户的特定需求，因而面向用户个性化需求的信息采集爬虫可运用于突发事件发生的早期，有助于在异构的、高度相关信息量较少的网络信息资源中发现潜伏的突发事件。

4.2.2　基于平台提供商 API 的数据采集技术

网络信息资源的获取除了通过爬虫外，一些大型的网站会提供数据获取的 API 进行数据资源的共享。例如我国的新浪微博、腾讯微博、淘宝、豆瓣等，国外的 Twitter、Facebook、Flickr 等大型社交媒体网站都提供了专用的 API，以进行数据的共享。目前，针对新浪微博 API 的数据采集工具较多，"weibo4j-oauth2" 是其中一个基于新浪微博开放平台 API(V2) 接口的支持 oauth2 授权认证方式的 Java SDK。针对国外著名的社交媒体网站 Twitter，目前 GitHub 上已经有很多链接提供的 API 进行数据采集的源代码，代码的书写语言几乎覆盖当前常用的所有编程语言。在抓取 Twitter 网站数据的过程中，用户可以使用 Selenium 技术模拟用户的操作，包括打开 Twitter 的搜索页面，输入搜索关键词，选择要搜索数据的日期，然后点击搜索按钮进行搜索，采集的界面如图 4-3 所示，详细代码见附录二 "利用 Python 采集信息方法"。

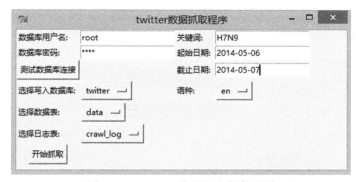

图 4-3 Twitter 数据抓取程序界面

4.2.3 手动采集

手动数据采集是比较原始的数据采集方法。采集者把符合需求的数据从相关网站上手动复制下来再粘贴到目标载体上。

优点：手动采集不需要编写代码、设置复杂的爬虫规则等，因此不需要采集者具备相应的代码编写等专业能力；另外，手动采集可以实时将找到的数据与需求进行对比，采准率更高，也能挖掘到更深层次的数据。对于少量复杂的采集需求而言，手动采集更迅速有效。

缺点：手动采集会耗费很多时间和精力，难以完成采集量较大或者采集面较广的批量采集需求。

4.2.4 采集工具

1. 八爪鱼采集器

八爪鱼采集器是深圳视界信息技术有限公司研发的一款数据采集、分析软件，以分布式云计算平台为核心，可以快速地从不同种类的网站或者网页获取海量庞大的规范化数据，以提高效率。

1) 采集流程

八爪鱼是模拟人浏览网页的行为进行数据采集的，比如打开网页、点击某个按钮等。在八爪鱼采集器客户端中，可以自行配置这些流程。八爪鱼数据采集一般有以下几个基本流程，如图 4-4 所示。其中打开网页、提取列表数据是不可或缺的，其他流程可根据自身需求进行增删。

(1) 打开网页。网页采集流程的第一个步骤一般为打开指定的网站或者网页。如果有多个类似的网址需要分别执行同样的采集流程，则应该放置在循环的内部，并作为第一个子步骤，即使用 URL 循环打开网页，如图 4-5 所示。

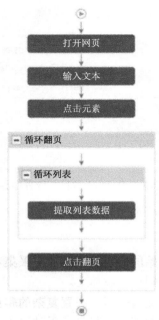

图 4-4 采集流程

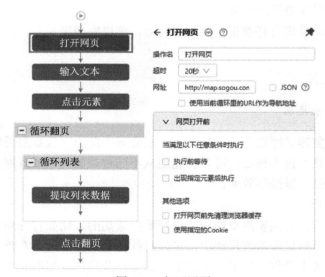

图 4-5 打开网页

(2) 输入文本。本步骤在输入框中输入指定的文本，如输入搜索关键词、账号等。在网页的输入框中输入特定的文本信息，如使用搜索引擎时输入关键字，如

图 4-6 所示。

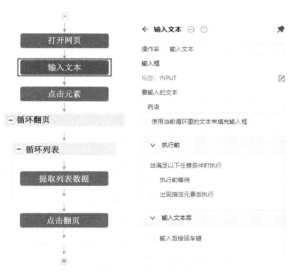

图 4-6　输入文本

(3) 点击元素。本步骤是在指定的网页上执行鼠标左键单击动作，如点击按钮、点击翻页、点击跳转到其他页面等，如图 4-7 所示。

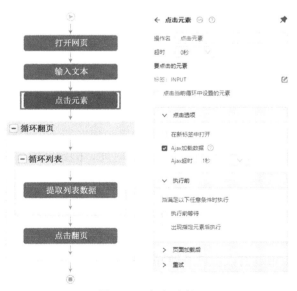

图 4-7　点击元素

(4) 循环。本步骤用来重复执行一系列步骤，根据配置不同，支持多种循环方式。① 循环单个元素：循环点击页面中的某个按钮；② 循环固定元素列表：循环处理网页中固定数目的元素；③ 循环不固定元素列表：循环处理网页中不固定数目的元素；④ 循环 URL 列表：循环打开一批指定网址的网页，然后执行同样的处理步骤；⑤ 循环文本列表：循环输入一批指定文字，然后执行同样的处理步骤，如图 4-8 所示。

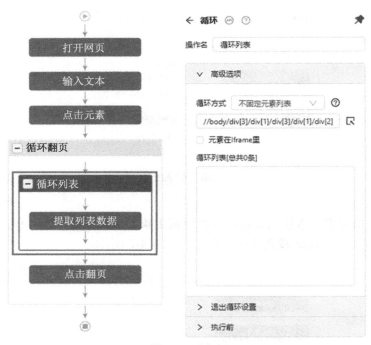

图 4-8 循环

(5) 提取数据。本步骤可以根据不同的需求提取网页中实际需要的数据字段。除了可以从网页中提取数据，还可添加当前时间、固定字段、空字段、当前网页网址等，如图 4-9 所示。

一个完整的采集任务必须包含"提取数据"，并且至少要有一个字段。若没有，当启动采集时程序会自动提示"没有配置采集字段"。

2) 采集模板

八爪鱼的模板市场有很多已经做好的模板，可直接下载后导入八爪鱼采集器使用。

(1) 下载采集模板。八爪鱼采集器内置了模板组，由用户分享配置好的采集模

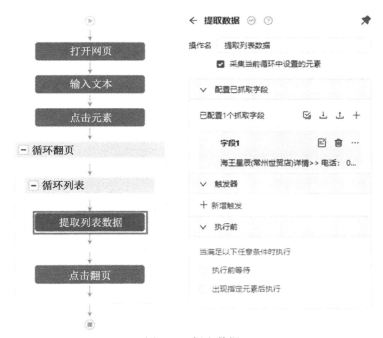

图 4-9 提取数据

板，互帮互助。通过采集模板市场下载采集模板，可以不用花费大量时间研究和配置采集流程。很多网站的采集模板都可以在模板组中搜索到，下载运行即可采集数据，如图 4-10 所示。

图 4-10 下载采集模板

下载模板的方式：打开八爪鱼采集器客户端 —→ 新建 —→ 模板任务。

(2) 使用模板。从模板组中，选择相应的模板，打开并点击立即使用，即可直接套用模板进行数据采集。以前的版本中需要手动导入下载的规则文件，即 otd 文件，然后打开八爪鱼客户端 —→ 新建 —→ 导入任务，如图 4-11 所示。从邮件、QQ 或者微信接收到的规则同理。

欢迎使用导入任务向导　　　　　　　　　　　　　　　　　　×

选择任务　　　　　　　　　　　　　　　　　　　　　选择...

选择任务组　　　我的任务　　　　　　∨　　　　　新建任务组

保存　　　取消

图 4-11　使用模板

2. GooSeeker 采集器

GooSeeker 不仅仅是行业领先的网页抓取软件，还是一个大数据采集平台。GooSeeker 平台提供了服务于数据采集的各个模块，包括爬虫产品、规则资源、使用教程、交流社区、会员中心管理等，除了能得到爬虫软件外，还可以获得一系列支持服务，比如在首页就有在线咨询、定制资源、交流群三大支持。

GooSeeker 网页数据采集一般包括四个步骤，如图 4-12 所示。

第一步	第二步	第三步	第四步
打开网页	标注信息	存规则，抓数据	查看数据
输入网址 点击"定义规则" 输入主题名	双击想采的信息 输入标签名 打勾确认	测试 保存规则 爬数据	DataScraperWorks 文件夹中查看数据

图 4-12　操作步骤

4.3　数据采集实施阶段

实施阶段就是将准备阶段的设想付诸实践，这一阶段主要包括测试、实施和入库三个阶段，其中实施的主要任务是做好时间和资源的分配与管理。

4.3.1 测试阶段

为了尽可能地提高采集的效率,对于一些复杂的采集任务,有必要在正式的实施工作开展之前进行测试。

尽管在需求分析及采集方法和采集工具的选择方面需要考虑采集的效果,但仍无法避免有所差错。对于一些采集量比较小、采集范围比较窄的数据采集需求而言,整个采集工作所涉及的人力、物力和时间都比较少,因此可以省略测试这一阶段。但是对于比较复杂或者工作量比较大的采集任务,如果不提前测试就直接开始数据采集工作,可能会造成时间、物力、人力等资源的浪费,甚至难以达到采集的需求,事后改正的代价会更高。突发事件相关数据的体量庞大,因此在正式的采集工作实施之前有必要对采集方法和工具进行测试,以免造成不必要的资源浪费。对于水灾害突发事件数据采集的网络信息系统资源采集而言,重点需要测试的是编写的爬虫规则或者获取的网站 API 是否正确。测试的时候可以考虑仅采用目标数据源的一小部分的方式来节省时间和资源。

4.3.2 实施阶段

实施阶段要先对研究区域的情况进行详细的了解,明确采集目标及需求分析,进而选择相应的数据源和采集工具对各个数据源分别进行采集。该阶段的主要目的是获取突发事件的相关数据,为决策需求提供依据。

例如,对官方网站的数据进行采集时,根据需求和网站构造可以选用八爪鱼数据采集器。八爪鱼数据采集客户端是采用 C# 语言开发的网页数据采集工具。首先进入八爪鱼客户端,选择需要的服务后设置好规律,然后启用所选择的八爪鱼功能开始采集,最终将结果导出为需要的格式。

4.3.3 入库阶段

入库阶段是指将采集到的所有数据进行整理,并根据决策需要进行分类汇总。该阶段在数据可信度评估后进行,旨在集中所有的可用数据,从而用于接下来的数据分析。数据入库可采用专业的数据库软件,如 SQL 等。

4.4 数据采集评估及反馈阶段

数据源的选择对整个工作的完成至关重要,所以对数据源要进行可信度评估。将采集到的数据入库并不意味着整个采集工作的结束,还需要对采集效果进行评估,并记录在采集工作执行过程中的不足、失误与不合理的地方及解决方案,从而为以后的采集工作积累经验。

4.4.1 方法选择

高斯过程是基于贝叶斯原理和统计学的机器学习方法，具有容易实现、泛化能力强、超参数自适应获取、可输出具有概率意义的结果等优点，多用于遥感和工业领域[88]。针对突发事件涉及的数据非线性、高维多源、难以预估的特点，高斯过程分类模型具有较强的适应性。输入数据、数据源特征的各类指标，应用基于高斯过程原理的分类算法，即 GPC(Gaussian process classification) 算法，可有效识别可信度低的数据，输出概率值衡量数据的可信度。

高斯过程分类的思想是从函数空间角度出发，定义高斯过程用以描述函数分布，并进行贝叶斯推理。根据输入的训练数据集，通过映射函数，将自变量映射到高维函数空间，最后输出自变量属于某类标签的概率值。

4.4.2 基于高斯过程分类的数据可信度评估模型

考虑关键节点的突发事件可信度评估模型的构建步骤共分为七步：① 确定突发事件的热度话题，通过网络爬虫，获取目标数据；② 引入差分自回归移动平均(ARIMA) 模型，模拟事件的演化曲线，识别关键节点，增加时间敏感参数；③ 提取数据特征，包括主题词、数据的影响力，再提取数据源特征，即数据源的可信度衡量指标；④ 对数据进行标准化处理，划分训练集、测试集；⑤ 设置初始参数、核函数，建立高斯过程分类模型进行评估；⑥ 计算测试数据的可信度概率值，识别谣言数据；⑦ 输出数据的全局可信度衡量值。

1. 模拟事件演化曲线

模拟事件演化过程，可预测事态的发展趋势，监测关键节点。关键节点在突发事件网络舆情演化中起着重要的作用，若在事件的关键节点出现大量的不实数据，会使突发事件发展失控。将观察序列进行差分平稳性检验，判断残差序列是否为白噪声序列，通过检验后，拟合 ARIMA 模型进行态势预测。ARIMA(p,d,q) 模型的数学形式如式 (4-1) 所示，其中，$\hat{y}_t$ 为当前值，t 表示时刻，μ 表示常数项，ϕ 表示自回归 (AR) 的系数，θ 表示移动平均 (MA) 的系数，p 为自回归项数，q 为移动平均项数，d 为时间序列成为平稳时所做的差分次数，ε 为误差项。

$$\hat{y}_t = \mu + \phi_1 \times y_{t-1} + \cdots + \phi_p \times y_{t-p} + \theta_0 + \theta_1 \times \varepsilon_{t-1} + \cdots + \theta_q \times \varepsilon_{t-q} \quad (4\text{-}1)$$

考虑到关键节点，引入时间敏感参数，越是接近事件演化的关键节点，应越严格地检测舆情数据的可信度，以便剔除谣言数据和不当言论。

时间敏感参数 μs(t) 是衡量 t 时刻的数据 A 距离 t_0 时刻关键节点的远近程度，如式 (4-2) 所示。

$$\mu s(t) = 1 - \ln|t - t_0|, 0 \leqslant \mu s(t) \leqslant 1 \quad (4\text{-}2)$$

2. 提取特征向量

1) 构建数据、数据源特征指标

基于数据源的信息可信度评价主要从数据源、信息内容及传播媒介三个方面展开。在已有研究的基础上，结合水灾害突发事件数据源及数据采集过程的特点，建立了城市突发事件数据可信度评估指标体系，如表 4-6 所示。

表 4-6 数据可信度评价指标内涵

维度	指标	指标内涵
数据源	权威性	有威望和口碑，使人信服
	影响力	在本领域具有很强的影响力，被引用次数多
	专业性	具有专业知识背景
信息内容	相关性	信息的内容、深度、广度与用户需求相关
	客观性	立场中立，不掺杂个人偏见；结论有理论、事实依据作为支撑
	准确性	文字意思表达清晰，观点、理论正确；表格、图片等辅助内容描述适当、准确
传播媒介	权威性	传播渠道具有权威性
	可靠性	传播渠道安全可靠
	及时性	传播速度快

2) 处理数据，提取特征向量

将爬取的突发事件数据进行预处理，删除重复、无关数据，去除停用词，并进行文本分词。对于从微博中提取的数据可以使用 LDA(latent Dirichlet allocation) 文档主题模型，将微博文本数据中出现频率最高的关键词作为该文本的主题。微博数据的转发数、评论数、点赞数，微博数据源是否认证、微博总数、关注数、粉丝数由网络爬虫直接爬取获得。

3. 计算全局可信度

计算全局可信度的主要方法为：设数据和数据源的特征指标 x 和可信度 y 之间的潜在函数 $f(x)$ 的先验分布为高斯分布，则可得

$$p(f|x) : N(f|m, k) \tag{4-3}$$

式中，k 表示对称且正定的 m 阶协方差矩阵。

训练样本条件概率的对数似然函数为 $L(\theta) = \ln p(y|x, \theta)$，使用极大似然法可估计正定协方差函数的超参数。

训练样本集为 $\text{DataTrain} = \{(x_m, y_m)|m = 1, 2, \cdots, n\}$，输入数据集为 $x = [x_1, x_2, \cdots, x_\mu]^T$，输出集合为 $y = [y_1, y_2, \cdots, y_\mu]^T$，潜在函数值 $f_m = f(x_m)$。类标签 y 为独立分布，基于高斯过程原理的二分类，样本数据 x 属于类标签 y 的概率值表示为

$$p(y_m|f_m) = \text{sig}(y_m f_m) \tag{4-4}$$

式中，sig(·) 为高斯过程分类的响应函数，将输出值转换为属于某类标签的概率值，可得似然函数：

$$p(y|f) = \prod_{m=1}^{n} p(y_m|f_m) = \prod_{m=1}^{n} \text{sig}(y_m f_m) \tag{4-5}$$

由贝叶斯原理可得预测值的后验概率：

$$p(f|x, y) = \frac{p(y|f)p(f|x)}{p(y|x)} \tag{4-6}$$

则测试数据 DataPred 对应的预测值的后验概率值为

$$p(f_{\text{pred}}|x, y, x_{\text{pred}}) = \int p(f_{\text{pred}}|f, x, x_{\text{pred}})p(f|x, y)\mathrm{d}f \tag{4-7}$$

预测值 f^* 所对应的分类预测概率值为

$$p(y_{\text{pred}}|x, x_{\text{pred}}, y) = \int \text{sig}(y_{\text{pred}} f_{\text{pred}})p(f_{\text{pred}}|x, y, x_{\text{pred}})\mathrm{d}f_{\text{pred}} \tag{4-8}$$

4.5　突发事件数据采集应用

本节主要通过属于自然灾害类和公共卫生类突发事件的两个例子来说明突发事件数据采集的应用，事故灾难类和社会安全类突发事件的采集可参照这两个例子来进行。首先确定采集需求，其次选择数据源及采集工具，本节的采集工具为八爪鱼采集器，再次利用采集工具对数据进行采集，最后对采集的数据进行可信度评估。

4.5.1　自然灾害类突发事件数据采集

1. 研究区域的基本情况

以常州市水灾害突发事件为例。研究区域水情基本情况具体如下。常州市位于太湖流域西部，北临长江，东与无锡相邻，西接茅山，南接天目山余脉，腹部有长荡湖和滆湖。辖区地形复杂，山圩相连，湖圩相依，河网密布。圩区主要分布在滆湖和长荡湖周围及丘陵山脚，占常州市总面积的 29%；圩区外的河湖面积有 525km^2，占全市总面积的 12%。常州市共有 21 条主要河道，河底底宽一般在 10m 以上，平均水面宽 30m 以上，是常州市主要的引排调蓄河道。全市地势高低相间，由于复杂的地形，常州市历年来的治水和防洪任务都很困难。江苏省 (常州市) 规定每年公历 5 月 1 日入汛，至 9 月 30 日汛期结束。该数据的采集是为常州市城市型水灾害突发事件的预警提供数据支撑。

2. 数据采集需求分析

数据采集的背景是常州市城市型水灾害突发事件的预警决策工作,主要对突发事件发生前的数据进行采集。数据的需求方是相关的研究人员,其目的是为水灾害的预警决策提供依据。所需要的数据主要分为四类:第一类为水库河道等的水情信息,包括 2018～2019 年水库站测报的水库水情信息、河道水文 (水位) 站测报的河道水情信息和河道上堰闸站测报的水情信息;第二类为天气信息,主要包括 2018～2019 年的时段降水量和日降水量;第三类为水灾害事件信息,主要为常州市历年的水灾害事件信息,包括灾害类型、灾害等级、伤亡情况及经济损失情况;第四类为网络舆情信息,主要为常州市水灾害突发事件的网络舆情信息。其中,第一类和第二类信息主要来源为相关专业网站,第三类和第四类信息主要来源为新闻媒体网站和社交网站。对各类数据进行整理总结,如表 4-7 所示。

表 4-7 水灾害突发事件数据采集需求

数据类型	数据来源	具体数据
水情信息	常州市水利局数据库	2018～2019 年水库站测报的水库水情信息、河道水文 (水位) 站测报的河道水情信息和河道上堰闸站测报的水情信息
天气信息	气象局	2018～2019 年的时段降水量和日降水量
水灾害事件信息	新闻媒体网站和社交网站	灾害类型、灾害等级、伤亡情况及经济损失情况
网络舆情信息	新闻媒体网站和社交网站	常州市水灾害突发事件的网络舆情信息

3. 数据源及采集工具的选择

根据之前对所需数据的分析,其中实时的河道水位数据来源于常州市水利局数据库,实时的降水数据来源于气象局。这两者都属于业务数据源信息,主要为一些非公开的数据,但本书所需要采集的常州市 2018～2019 年水库河道的水情信息并非都为涉密数据,所以可以按程序向相关部门申请数据使用权限。

常州市历年汛期的水灾害事件数据信息和网络舆情信息分布在常州市水利局防汛抗旱简报及新闻媒体报道中。这些数据具有分布广泛、内容复杂的特点,而 Web 爬虫技术能够在多种信息源中采集信息,具备较高的信息采集广度,所以选择通过 Web 爬虫技术获取此类信息,并使用面向主题的信息采集方式,根据关键词等建立相应的爬虫主题模型。考虑到目标数据的量较小,且为规则的分页列表详情数据,因此选择了八爪鱼数据采集器作为采集工具。

4. 数据采集实施阶段

1) 预先制定水利业务数据采集规范

针对目前常州市水利局的实际业务要求,预先指定相关数据共享和利用规范,在业务系统建设前后可以通过指定的业务数据采集规范进行数据自动采集。为了集成各个枢纽、江河监测点视频信息,对各个监测点的视频信息进行规范,主要包括接入协议、支持模式和标准、对接协议格式要求等部分。例如,对自然灾害类突发事件非常重要的水雨情数据上报制定详细的格式规范,详见附录一"常州市水雨情数据交换规范"。

2) 特定水利业务数据采集

常州市气象局开放了信息申请公开系统,可以通过该系统申请获取非涉密的气象信息,最终获取到常州市 2018 年 1 月至 2019 年 3 月的历史降水信息。通过常州市水利局的"局长信箱"功能获取了河道、水库水位等水文信息的来源,并最终通过电话方式向江苏省水文水资源勘测局常州分局获取到了常州市水文数据。获取到的源数据为 SQL server 数据库备份文件。执行还原操作后即可查看数据内容。数据的时间跨度为 2014 年 8 月至 2019 年 3 月,其中降水数据共 8286088 条,河道水位数据 6310102 条,部分数据截图如图 4-13 所示。

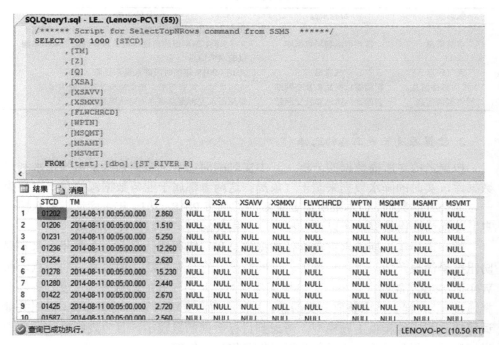

图 4-13　部分水利业务数据

3) 官方网站数据采集

数据来源为常州市水利局网站 (http://slj.changzhou.gov.cn/)"便民服务"模块中的"汛情简报",如图 4-14 所示。

▶ 您的位置：首页 >> 便民服务 >> 汛情简报

‣ 常州市防汛防旱简报2021年第6期

‣ 常州市防汛防旱简报2021年第5期

‣ 常州市防汛防旱简报2021年第4期

‣ 常州市防汛防旱简报2021年第3期

‣ 常州市防汛防旱简报2021年第2期

‣ 常州市防汛防旱简报2021年第1期

‣ 常州市防汛防旱简报2020年第62期

‣ 常州市防汛防旱简报2020年第61期

‣ 常州市防汛防旱简报2020年第60期

图 4-14　常州市水利局官网数据

首先，在八爪鱼采集器中设置好采集规则，启动云采集功能开始采集。

其次，提供相应采集结果。云采集将采集任务拆分为 4 个子任务来执行。目标数据为 71 条，共采集到 71 条数据，耗时 49s。实时采集日志如图 4-15 所示。

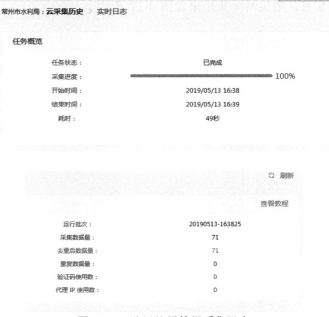

常州市水利局：云采集历史 > 实时日志

任务概览

任务状态：	已完成
采集进度：	100%
开始时间：	2019/05/13 16:38
结束时间：	2019/05/13 16:39
耗时：	49秒

↻ 刷新

查看教程

运行批次：	20190513-163825
采集数据量：	71
去重后数据量：	71
重复数据量：	0
验证码使用数：	0
代理 IP 使用数：	0

图 4-15　防汛抗旱简报采集日志

最后，采集结果如图 4-16 所示，将结果导出为 .xlsx 格式。

	标题	时间		正文	当前时间
1	常州市防汛防旱简报2018年第17期	发布日期：2018-08-17 来源：防办 浏览数…	来源：防办 浏览数…	科学调度工程 有序转移人员全市扎实做好第18…	2019-05-13 16:38:32.4906112
2	常州市防汛防旱简报2018年第14期	发布日期：2018-07-23 来源：防办 浏览数…	来源：防办 浏览数…	第17号台风"安比"远离常州市防御暴雨防台风工…	2019-05-13 16:38:33.9868672
3	常州市防汛防旱简报2018年第13期	发布日期：2018-07-22 来源：防办 浏览数…	来源：防办 浏览数…	我市积极应对风雨天气市委市政府部署防御工…	2019-05-13 16:38:34.6570652
4	常州市防汛防旱简报2018年第12期	发布日期：2018-07-21 来源：防办 浏览数…	来源：防办 浏览数…	副市长许峥主持会商研究排查整治台风"安比"防…	2019-05-13 16:38:35.2493332
5	常州市防汛防旱简报2018年第11期	发布日期：2018-07-20 来源：防办 浏览数…	来源：防办 浏览数…	市前指启动防台应急IV级应急响应部署第10…	2019-05-13 16:38:31.5168024
6	常州防汛简报2014年第十一期	2014-05-06 浏览数：165 字号…	浏览数：165 字号…	省太湖流域防汛指挥部检查督查常州市防汛准备工作…	2019-05-13 16:38:32.3740324
7	常州防汛简报2014年第十期	发布日期：2014-04-22 浏览数：156 字号…	浏览数：156 字号…	强降雨来袭全市汛情基本平稳 连日以…	2019-05-13 16:38:35.5342848
8	常州市防汛防旱简报2016年第30期	2016-10-22 来源：防办 浏览数…	来源：防办 浏览数…	市领导慰问、张璞在召开抗旱暨雨期巡查…	2019-05-13 16:38:35.3915148
9	常州市防汛防旱简报2016年第29期	发布日期：2016-08-02 来源：防办 浏览数…	来源：防办 浏览数…	全市防汛抢险最新情况（截至7月12日17时）…	2019-05-13 16:38:36.2019868
10	常州市防汛防旱简报2016年第25期	发布日期：2016-07-13 来源：防办 浏览数…	来源：防办 浏览数…	全市防汛抢险最新情况（至7月11日17时）…	2019-05-13 16:38:36.9968728
11	常州市防汛防旱简报2016年第24期	发布日期：2016-07-12 来源：防办 浏览数…	来源：防办 浏览数…	全市防汛抢险最新情况（至7月10日…）…	2019-05-13 16:38:37.8852748
12	常州市防汛防旱简报2016年第9期	发布日期：2016-07-10 来源：防办 浏览数…	来源：防办 浏览数…	全市防汛抢险最新情况（至7月9日）…	2019-05-13 16:38:35.2493332
13	常州市防汛防旱简报2016年第7期	发布日期：2016-06-28 来源：防办 浏览数…	来源：防办 浏览数…	市防汛防旱指挥部将在6月22日召开防汛成员分…	2019-05-13 16:38:46.5840253
14	常州市防汛防旱简报2016年第6期	发布日期：2016-06-22 来源：防办 浏览数…	来源：防办 浏览数…	汛情通报 一、雨情 前期降压梅雨期开展…	2019-05-13 16:38:47.9557429
15	常州市防汛防旱简报2016年第3期	发布日期：2016-06-14 来源：防办 浏览数…	来源：防办 浏览数…	阴性天气继续 全市大暴雨 5月31日以…	2019-05-13 16:38:49.1559958
16	常州市防汛防旱简报2018年第10期	发布日期：2018-07-09 来源：防办 浏览数…	来源：防办 浏览数…	我市7月9日出梅强降雨部门会商防汛工作部署 当日…	2019-05-13 16:38:38.8652852
17	常州市防汛防旱简报2018年第9期	发布日期：2018-07-09 来源：防办 浏览数…	来源：防办 浏览数…	5日金坛普降大到暴雨溧阳坍塌马水库溢洪一、…	2019-05-13 16:38:39.5978272
18	常州市防汛防旱简报2018年第8期	发布日期：2018-07-06 来源：防办 浏览数…	来源：防办 浏览数…	常州市应对7月5日～6日强降雨情况（截至7月…	2019-05-13 16:38:40.3927132
19	常州市防汛防旱简报2018年第7期	发布日期：2018-07-05 来源：防办 浏览数…	来源：防办 浏览数…	午后强降雨我市主要河道水位暂不超警戒 7月2…	2019-05-13 16:38:41.0473252
20	常州市防汛防旱简报2018年第6期	发布日期：2018-06-07 来源：防办 浏览数…	来源：防办 浏览数…	市领导调研我市防汛防旱工作市长隆重市长…	2019-05-13 16:38:41.7642812
21	常州市防汛防旱简报2018年第5期	发布日期：2018-06-07 来源：防办 浏览数…	来源：防办 浏览数…	常州市2018地区省自汛期防范演练成成7月6…	2019-05-13 16:38:42.4656512
22	常州市防汛防旱简报2018年第4期	发布日期：2018-05-15 来源：防办 浏览数…	来源：防办 浏览数…	各辖市（区）深入贯彻全市防汛防旱工作会议…	2019-05-13 16:38:43.0579192
23	常州市防汛防旱简报2018年第3期	发布日期：2018-05-07 来源：防办 浏览数…	来源：防办 浏览数…	丁纯市长督查防汛工作5月3日上午，市长…	2019-05-13 16:38:43.8060472
24	常州市防汛防旱简报2018年第2期	发布日期：2018-05-03 来源：防办 浏览数…	来源：防办 浏览数…	贯彻全市防汛防旱工作会议精神做好当前工作会…	2019-05-13 16:38:44.4918312
25	常州市防汛防旱简报2018年第1期	发布日期：2018-04-23 来源：防办 浏览数…	来源：防办 浏览数…	纯一部署 集中行动 市防汛防旱督促部开展…	2019-05-13 16:38:45.1932012
26	常州市防汛防旱简报2016年第27期	发布日期：2016-07-09 来源：防办 浏览数…	来源：防办 浏览数…	全市防汛抢险和防台最新情况（至7月8日）…	2019-05-13 16:38:41.5791568

共71条数据，1 - 50条，1/2页　＜　＞　跳至 1 页 跳转　　　　　　　　　　清除数据　导出数据

图 4-16　防汛抗旱简报采集结果

4) 主流媒体数据采集

在常州的主流新闻媒体中吴网、化龙巷网页上分别以"大雨""暴雨""强降雨""水灾""洪灾""洪水""水灾害""洪涝""积水""内涝"为检索词，进行数据采集。最终采集到数据共 752 条，去重后数据 442 条，时间跨度为 2015 年 6 月至 2019 年 5 月。中吴网采集结果如图 4-17 所示。

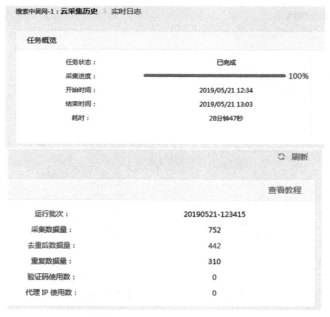

图 4-17　中吴网采集结果

5) 微博数据采集

数据来源为常州市水利局官方微博，最终采集日志如图 4-18 所示。

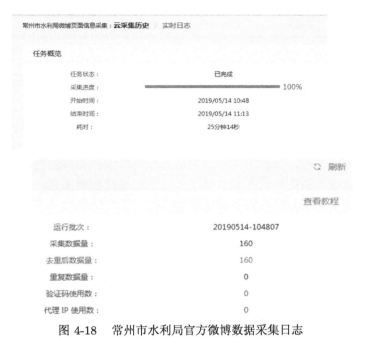

图 4-18 常州市水利局官方微博数据采集日志

5. 数据源可信度评估

主要从数据源、传播媒介及信息内容三个方面进行数据源可信度评估，根据数据源可信度评价公式对采集的数据进行采全率、采准率和及时率方面的评估，结果如表 4-8~ 表 4-10 所示。

表 4-8 常州市水利局官方网站数据采集效果评估

评估指标	结果
采全率/%	100
采准率/%	71/71×100=100
及时率	49s

表 4-9 主流媒体中吴网采集效果评估

评估指标	结果
采全率/%	100
采准率/%	442/752×100=58.78
及时率	28min47s

表 4-10　常州市水利局官方微博数据采集效果评估

评估指标	结果
采全率/%	100
采准率/%	160/160×100＝100
及时率	25min14s

4.5.2　公共卫生类突发事件数据采集

1. 研究事件的基本情况

2019 年 12 月以来，全球范围内暴发了新型冠状病毒肺炎疫情，疫情快速蔓延，国内累计确诊病例上万人次，累计死亡上千人次，事发突然，形势严峻，各地积极启动一级响应，世界卫生组织将新冠肺炎疫情评为国际关注的公共卫生突发事件。该数据的采集目的是在突发事件发生后通过数据采集，为控制疫情的恶化及事后的恢复重建和学习研究提供数据依据，并有效预防类似的公共卫生类突发事件。

2. 数据采集需求分析

数据采集的背景是新型冠状病毒肺炎疫情公共卫生类突发事件的控制、事后恢复重建和学习等决策工作。数据的需求方是相关的研究人员，希望通过采集相关数据对此次突发疫情进行控制，同时在事后及时对损失和影响进行评估，从而维护社会稳定和促进家园重建。根据数据采集目标进一步确定数据采集在数据内容、数据类型、数据量、采集时间上的具体需求，主要包括四类信息：第一类为疫情通报信息，主要是指我国卫生健康委员会对新型冠状病毒肺炎疫情实时通报的相关信息；第二类为防控动态信息，主要是指我国卫生健康委员会对此次新型冠状病毒肺炎疫情国家和各省各地实时防控举措的相关信息；第三类为新闻媒体信息，主要包括与疫情现状、患者和医生以及政府等相关的各种新闻稿件内容信息；第四类为实时追踪信息，主要包括每日的全国确诊人数、各地确诊人数、痊愈人数、疑似病例人数等信息，具体如表 4-11 所示。

表 4-11　新冠肺炎疫情数据采集需求

数据类型	数据来源	具体数据
疫情通报信息	中华人民共和国国家卫生健康委员会网站	我国卫生健康委员会对新型冠状病毒肺炎疫情实时通报的相关信息
防控动态信息	中华人民共和国国家卫生健康委员会网站	我国卫生健康委员会对此次新型冠状病毒肺炎疫情国家和各省各地实时防控举措的相关信息
新闻媒体信息	新闻媒体网站和社交网站	与疫情现状、患者和医生以及政府等相关的各种新闻稿件内容信息
实时追踪信息	腾讯网站的相应板块	每日的全国确诊人数、各地确诊人数、痊愈人数、疑似病例人数等信息

3. 数据源及采集工具的选择

根据之前对所需数据的分析，其中疫情通报信息和防控动态信息来源于中华人民共和国国家卫生健康委员会网站，属于公开的数据源信息。新闻媒体信息分布在一些新闻媒体的报道中，而实时追踪信息主要来源于腾讯网站。这些信息都是公开数据，可以直接使用数据爬虫工具进行采集。考虑到这些数据在分布、内容等方面的特点，选择可采集复杂且广泛数据的爬虫工具。Web 爬虫技术能够在多种信息源中采集信息，同时具备较高的信息采集广度，所以该实例也利用 Web 爬虫技术获取此类信息，并使用面向主题的信息采集方式，根据关键词等建立相应的爬虫主题模型。考虑到目标数据的量较小、为规则的分页列表详情数据，并且这些网站并未提供开放的 API 可供获取数据，因此选择八爪鱼数据采集器作为采集工具。

1) 疫情通报信息采集

数据来源为中华人民共和国国家卫生健康委员会网站“全力做好新型冠状病毒肺炎疫情防控工作”中的“疫情通报”模块 (http://www.nhc.gov.cn/xcs/xxgzbd/ gzbd_index.shtml)，如图 4-19 所示。

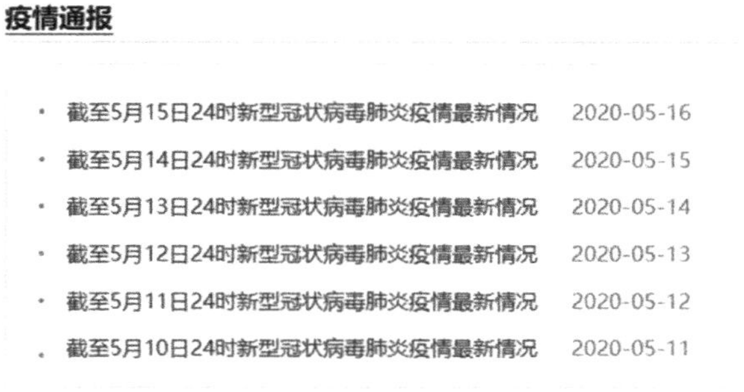
疫情通报
截至5月15日24时新型冠状病毒肺炎疫情最新情况 2020-05-16
截至5月14日24时新型冠状病毒肺炎疫情最新情况 2020-05-15
截至5月13日24时新型冠状病毒肺炎疫情最新情况 2020-05-14
截至5月12日24时新型冠状病毒肺炎疫情最新情况 2020-05-13
截至5月11日24时新型冠状病毒肺炎疫情最新情况 2020-05-12
截至5月10日24时新型冠状病毒肺炎疫情最新情况 2020-05-11

图 4-19 “疫情通报”模块数据

采集过程。在八爪鱼采集器中设置好采集规则，启动云采集功能开始采集。

采集结果。目标数据为 112 条，共采集到 112 条数据，耗时 15min24s。实时采集日志如图 4-20 所示。

刷新
查看教程
100%
2020/04/29 10:47
2020/04/29 11:02
运行批次号:
20200429-104718
112
112
0
0
0

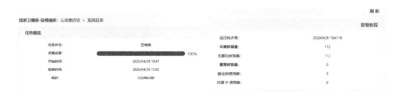

图 4-20 疫情通报采集日志

采集结果如图 4-21 所示，将结果导出为.xlsx 格式。

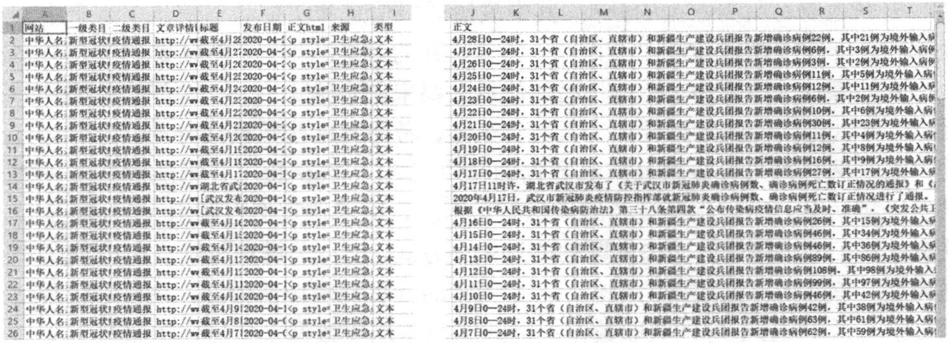

图 4-21   疫情通报采集结果

2) 防控动态信息采集

数据来源为中华人民共和国国家卫生健康委员会网站"全力做好新型冠状病毒肺炎疫情防控工作"中的"防控动态"模块 (http://www.nhc.gov.cn/xcs/fkdt/list_gzbd.shtml)，如图 4-22 所示。

图 4-22   "防控动态"模块数据

最终采集到数据共 1102 条，耗时 3h54min。实时采集日志如图 4-23 所示。

图 4-23   防控动态采集日志

采集结果如图 4-24 所示，将结果导出为.xlsx 格式。

E	F	G	H	I	J	K	L	M	N
全国确诊	全国确诊	治愈人数	全国治愈	全国死亡	全国死亡	全国疑似	全国疑似	全国现有	全国现有 全国
84369	+22	78729	+65	4643	0			323	零病例城市疫情
84369	+22	78729	+65	4643	0			323	零病例城市疫情
84369	+22	78729	+65	4643	0			323	零病例城市疫情
84369	+22	78729	+65	4643	0			323	零病例城市疫情
84369	+22	78729	+65	4643	0			323	零病例城市疫情
84369	+22	78729	+65	4643	0			323	零病例城市疫情
84369	+22	78729	+65	4643	0			323	零病例城市疫情
84369	+22	78729	+65	4643	0			323	零病例城市疫情
84369	+22	78729	+65	4643	0			323	零病例城市疫情
84369	+22	78729	+65	4643	0			323	零病例城市疫情
84369	+22	78729	+65	4643	0			323	零病例城市疫情
84369	+22	78729	+65	4643	0			323	零病例城市疫情
84369	+22	78729	+65	4643	0			323	零病例城市疫情
84369	+22	78729	+65	4643	0			323	零病例城市疫情
84369	+22	78729	+65	4643	0			323	零病例城市疫情
84369	+22	78729	+65	4643	0			323	零病例城市疫情
84369	+22	78729	+65	4643	0			323	零病例城市疫情
84369	+22	78729	+65	4643	0			323	零病例城市疫情
84369	+22	78729	+65	4643	0			323	零病例城市疫情
84369	+22	78729	+65	4643	0			323	零病例城市疫情
84369	+22	78729	+65	4643	0			323	零病例城市疫情
84369	+22	78729	+65	4643	0			323	零病例城市疫情

图 4-24   防控动态采集结果

3) 新闻媒体信息采集

数据来源为中华人民共和国国家卫生健康委员会网站"全力做好新型冠状病毒肺炎疫情防控工作"中的"新闻报道"模块 (http://www.nhc.gov.cn/xcs/xwbd/list_gzbd.shtml)，如图 4-25 所示。

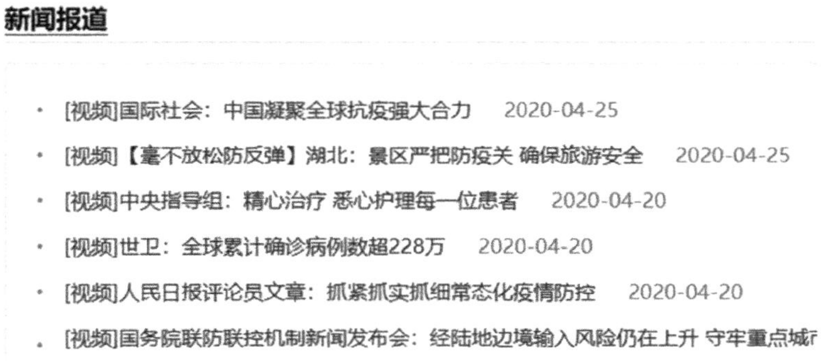

新闻报道

- [视频]国际社会：中国凝聚全球抗疫强大合力   2020-04-25
- [视频]【毫不放松防反弹】湖北：景区严把防疫关 确保旅游安全   2020-04-25
- [视频]中央指导组：精心治疗 悉心护理每一位患者   2020-04-20
- [视频]世卫：全球累计确诊病例数超228万   2020-04-20
- [视频]人民日报评论员文章：抓紧抓实抓细常态化疫情防控   2020-04-20
- [视频]国务院联防联控机制新闻发布会：经陆地边境输入风险仍在上升 守牢重点城市

图 4-25   "新闻报道"模块数据

最终采集到了数据共 800 条，耗时 2h9min。实时采集日志如图 4-26 所示。

图 4-26　新闻报道采集日志

采集结果如图 4-27 所示，将结果导出为.xlsx 格式。

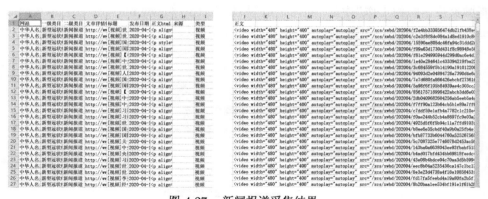

图 4-27　新闻报道采集结果

4) 实时追踪信息采集

数据来源为腾讯新闻中的"新型冠状病毒肺炎疫情实时追踪"模块 (https://news.qq.com/zt2020/page/feiyan.htm?from=timeline&isappinstalled=0#/?no-jump=1)，如图 4-28 所示。

图 4-28　腾讯新闻疫情实时追踪数据

最终采集到数据共 455 条，耗时 38s。实时采集日志如图 4-29 所示。

图 4-29　疫情实时追踪采集日志

采集结果如图 4-30 所示，将结果导出为.xlsx 格式。

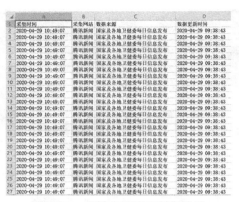

图 4-30   疫情实时追踪采集结果

4. 数据源可信度评估

主要从数据源、传播媒介及信息内容三个方面进行数据源可信度评估,根据数据源可信度评估公式对采集的数据进行采全率、采准率和及时率方面的评估,结果如表 4-12~ 表 4-15 所示。

表 4-12   疫情通报采集效果评估

评估指标	结果
采全率/%	100
采准率/%	$112/112 \times 100 = 100$
及时率	15min24s

表 4-13   防控动态采集效果评估

评估指标	结果
采全率/%	88.67
采准率/%	$1102/1102 \times 100 = 100$
及时率	3h54min

表 4-14   新闻报道采集效果评估

评估指标	结果
采全率/%	97.35
采准率/%	$800/800 \times 100 = 100$
及时率	2h9min

表 4-15   疫情实时追踪采集效果评估

评估指标	结果
采全率/%	100
采准率/%	$455/455 \times 100 = 100$
及时率	38s

4.6 本章小结

本章构建了三阶段的突发事件数据采集框架,包括数据采集准备阶段、数据采集实施阶段、数据采集评估及反馈阶段。在数据采集准备阶段,对四类灾害事件的数据采集进行了需求分析,又对各类数据源进行了分析,介绍了数据的采集方式和工具;将数据采集实施阶段具体划分为测试、实施、入库,以做好时间和资源的分配与管理;在数据采集评估及反馈阶段,提出了基于高斯过程分类的数据可信度评估模型,对数据的采集效果进行评估反馈。最后,以常州市水灾害事件和新冠肺炎疫情事件两个例子来说明突发事件数据采集的应用。

第 5 章　突发事件决策需求的识别

本章在收集和组织紧急决策需求的基础上，通过对紧急数据的初步处理，着眼于突发事件的特点，从多层次和多主体决策需求出发，借助需求分析理论和方法，明确应急决策需求识别的概念，在宏观上构造应急决策需求识别框架，在微观上针对不同类型突发事件的紧急程度，设计应急决策需求收集流程，进行匹配和识别，形成初步的应急决策需求，为深入分析和关联应急决策需求奠定基础。

在突发事件预防、响应等各个阶段中，科学合理的决策直接影响突发事件的精准预警和快速响应，而科学合理的决策取决于针对性的需求识别，对于突发事件的事前、事中和事后三个阶段，每个阶段涉及多个主体和多层次的部门，他们对突发事件相同阶段的应对决策需求也不同，因此需要制定不同的突发事件决策需求识别方案，明确决策需求分类，从宏观上架构突发事件决策需求识别过程，形成明确的决策需求识别方案，为突发事件决策需求组织过程提供充分准备。

5.1　突发事件决策需求识别研究动态

图书情报领域情报用户的决策支持研究中，大多数人通过独立的调查和咨询来总结用户需求的类型，而对获取情报需求的新方法的研究和应用相对较少。在数据驱动的环境中，它与目标用户的活动有关。通常，在各种信息中都需要情报。如何全面利用多源数据融合并使用更有效的分析方法和技术来挖掘与分析情报需求，还需要进一步的讨论。因此，在"创新驱动，情报至上"的新时代，利用多源数据融合和大数据分析方法来深入探究情报用户的需求，为精准个性化的情报用户决策支持提供一定的参考。在大量的多源数据中，各级决策者结合各种紧急事件的潜在发生概率，主动搜集制定决策所需的各类信息，可以识别用户、管理者和政府可能的紧急决策需求[89]。

5.1.1　突发事件应急管理动态过程中的情报活动

紧急情况的重要特征是事件非常突然地发生，需要快速响应和部署过程管理[23]。情报具有快速响应的重要任务和服务内涵，此处的快速响应是识别情报问题的关键。结合应急管理实践和经验分析，应该从过程阶段和工作流程入手。在公共管理学科中，关于突发事件应急管理的理论和实践研究成果很多，并对应急管理的各个阶段进行了充分的探讨。例如，美国危机管理专家罗伯特·希斯 (Robert

Health) 提出了四阶段理论, 即缩减力 (reduction)、预备力 (readiness)、反应力 (response) 和恢复力 (recovery)[90]。其他有关过程的研究与之类似。关于紧急事件的应急管理信息问题, 学者们进行了理论和实践研究, 并提出了公共危机信息管理的 EPMFS 分析框架[91], 它可以系统地识别应急管理的信息要素、过程、功能和方法等。在应急管理的业务流程框架下, 情报工作如何进入防灾减灾部门以形成系统的、连续的后续情报工作系统, 从而服务和支持现实, 是当前的关键。

5.1.2 突发事件的决策需求相关研究

对情报的需求被认为是认知不足的状态。这种关于情报需求的认知理论已得到普遍认可, 并初步形成了以 "刺激 (情境)–认知模型 (情报需求)–响应 (情报行为)" 为基本框架的研究范式[92]。R. S. Taylor 的情报需求四层理论和科亨 (Kochen) 的三层理论是认知范式的理论基石。前者将情报需求分为内在的需求、有意识的需求、可表达的需求和折中的需求四个层次[93]; 后者则把情报需求划分为客观状态、认知状态和表达状态三个层次[94]。

如何实现从用户情报需求的客观状态到认知状态的转变是情报需求研究的重点。对用户情报需求的认知受诸如主题、角色、环境等因素的影响。情报需求是由环境刺激产生的。因此, 情境化的情报需求分析始终是情报需求分析的热点。一些学者提出了不同的情境化情报需求分析框架。同时, 对情报的需求也受受试者的素养、认知状态等因素的影响, 并且具有较强的主观性。为了提高主观认知的准确性, 通常必须使用外部唤醒 (如与情报人员交谈) 和社会启发。社会启发是指由社会集体认知 (称为领域分析) 所激发和启发的知识 (即领域知识), 以完成对情报需求的认知, 从而弥补个人知识、认知状态和认知能力的不足。在这一领域知识的启发下, 对用户需求的认知形成了情报需求分析的另一范式, 即领域分析范式。这种范式认为, 个人认知应置于社会认知的背景下, 强调共同、客观和可重用知识的作用。这种由现场分析驱动的情报需求工程特别适合于应急环境。

5.1.3 情境化应急情报需求分析模型

情境化应急情报需求分析是情报需求研究中最重要的方法, 如何对情况进行建模是其研究的关键。威尔逊 (Wilson) 对用户信息搜索环境进行了建模, 并提出了著名的 "Wilson 信息搜索上下文模型", 该模型认为信息需求受工作环境、社会文化环境、政治文化环境和自然环境的影响[95]。为了分析应急领域的情报需求, 叶光辉和李纲[96]认为应该从应急发展阶段和决策机构两个维度进行分析, 雷志梅等[69]则认为除应急阶段和主体两个要素外, 还应考虑需求者的动机、行为等要素; 沙勇忠和徐瑞霞[97]引用了活动理论 (AT) 来描述紧急情况, 并认为这种情况应该从主题、对象、工具、计划、社区和分工的六个维度建模。郭路生等[98]研究认为，应急需求分析应该从需求主题、时间、位置、活动、目标和内容的六个方面，以及用户、沟通者、服务提供商和情报四个角度进行全面的架构分析。

5.1.4　知识本体理论

知识本体是指基于本体的知识的语义描述和管理，即基于本体的知识管理。知识本体可以实现知识的语义表达、知识查询、知识发现、知识匹配与组合、知识推荐，提高自动化程度，并实现语义级知识服务[99]。知识本体通常包括三个部分：知识的概念本体、知识的实例本体和知识本体服务。知识的概念本体是指知识描述的通用语言，例如知识的结构、知识的分类、知识的应用环境等。知识的实例本体是指知识的本体描述，它是概念本体的一个实例，构成一个知识库。知识本体服务是指知识库的应用，例如知识查询、知识匹配和知识推荐。知识本体可以应用于应急领域中所需知识的组织、管理和服务，以实现应急情报需求的自动推荐。

5.2　突发事件决策需求识别框架

5.2.1　突发事件决策需求的界定和分类

根据应急响应的要求，应明确决策需求的对象、特征、边界、类型和内容。根据事件的阶段，它分为事前、事中和事后的决策需求。根据决策水平，将其分为简单、一般和复杂的决策需求。根据决策主题，它分为显式和隐式决策需求。按照决策需求的相似性来设置粒度阈值，以标准化各类决策需求的管理，形成决策需求的分类系统。

1. 决策需求相似度量化

采用向量空间模型 (vector space model, VSM) 来表示突发事件决策需求文本，决策需求文本集为 $R = \{r_1, r_2, r_3, \cdots, r_m\}$，关键词集合为 $K = \{k_1, k_2, \cdots, k_n\}$，$m$ 表示决策需求文本总数，n 代表关键词数量。由于决策需求起初描述抽象，根据决策者经验来确定各向量的权重 $w_i = \{w_{i1}, w_{i2}, \cdots, w_{im}\}$，利用两向量之间夹角的余弦值来计算决策需求文本向量 d_t 和 d_j 之间的相似度 $\mathrm{sim}(d_i, d_j) = \dfrac{\displaystyle\sum_{k=1}^{m} w_{ki} \cdot w_{kj}}{\sqrt{\left(\displaystyle\sum_{k=1}^{m}(w_{ki})^2\right)\left(\displaystyle\sum_{k=1}^{m}(w_{kj})^2\right)}}$，进而两个决策需求文本之间相似关系矩阵为 S：

$$S = \begin{pmatrix} s_{11} & s_{12} & \cdots & s_{1m} \\ s_{21} & s_{22} & \cdots & s_{2m} \\ \vdots & \vdots & & \vdots \\ s_{m1} & s_{m2} & \cdots & s_{mm} \end{pmatrix}, \quad s_{ij} = \mathrm{sim}(d_i, d_j) \tag{5-1}$$

通过自乘构建模糊等价关系矩阵 C：

$$C = \begin{pmatrix} c_{11} & c_{12} & \cdots & c_{1m} \\ c_{21} & c_{22} & \cdots & c_{2m} \\ \vdots & \vdots & & \vdots \\ c_{m1} & c_{m2} & \cdots & c_{mm} \end{pmatrix}, \quad c_{ij} = \max_k \min(s_{ik}, s_{kj}) \tag{5-2}$$

2. 决策需求粒度阈值设定

在构建的模糊等价类中，当 $c_{ij} = 0$ 时，表明两向量之间完全等价；当 $c_{ij} = 1$ 时，表明两向量之间完全独立，大多数情况下文本向量之间等价模糊度在 0~1 之间。为了更好地适应不同决策主体的主观要求，通过给定的阈值 δ 来确定不同粒度的划分，其中 $0 \leqslant \delta \leqslant 1$，当 $c_{ij} \geqslant \delta$ 时，表示文本向量 r_i 和 r_j 是等价的，可以归为同一粒度大小的类。

根据以上决策需求分类过程，按照不同粒度阈值可以得到如图 5-1 所示的环境污染突发事件决策需求分类，在这些分类基础上可以有针对性地采集多源数据，不断完善和细化决策需求。

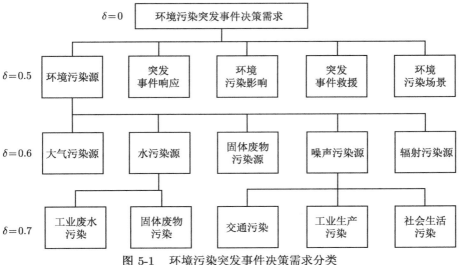

图 5-1　环境污染突发事件决策需求分类

5.2.2 突发事件决策需求识别宏观框架

在获取应急决策主题、业务数据、动态数据、民意数据和领域知识等多源数据后，首先，构建多源信息信任功能，并对多源数据进行预处理，以消除冗余且冲突的数据，形成多源资源数据库的源信息和决策要求；其次，借助多粒度模糊集对决策需求进行标准化，根据分类算法对决策需求进行分类，形成应急决策需求的定义和分类；再次，借助 Dempster-Shafer 理论建立信息信任度，测量功能并建立多个指标之间的有序关系，通过形式化融合建立多源数据和决策需求资源数据库，从功能层面整合和完善组织决策需求，挖掘潜在的无形决策需求，跟踪和响应场景集成中的决策需求；最后，通过评估反馈改善和优化决策需求组织过程，促进清晰、精细的决策需求的产生，这有利于针对目标决策需求的情报的产生，并有效地提高应急响应的效率。

5.3 基于多源数据形式融合的决策需求识别

本节融合决策主体、业务数据、多传感器数据、舆情数据、领域知识等突发事件多源异构数据，通过去重、除噪、互补、容错等组合方式获取可靠的优质数据，针对四类突发事件特征和应急决策要求，通过关键词关联度来构建多源数据与决策需求之间的关联，基于 Dempster-Shafer 理论构建多源信息信任函数，量化各类数据的信任度[100]，识别出信任度高的数据，建立突发事件有序化的多源数据和决策需求资源库，形成突发事件初步的决策需求。

5.3.1 多源数据与决策需求间关联

面对复杂多样的多源数据，有必要构建多源数据与决策需求之间的关联，在已经构建的决策需求模糊等价类基础上，将多源数据用向量模型表示为 $D = \{d_1, d_2, d_3, \cdots, d_p\}$，拟先提取各个多源数据和决策需求的重要关键词，然后通过关键词之间关联来构建多源数据和决策需求之间的关系，根据每个向量模型的信息粒度作为依据来提取关键词[101]。设定一个阈值 $\overline{w_i}$，如果关键词权重大于阈值则可以作为重要关键词，表示出各个关键词在多源数据和决策需求中的重要程度，然后根据提取后的关键词之间的各类关联关系，如因果关系、顺序关系、跟随关系、并发关系、互斥关系、空间关系，构建多源数据与决策需求之间的关联：

$$\overline{w_i} = \frac{1}{N_i} \sum_{j=1}^{N_i} \overline{x_j}, \quad \overline{x_j} \in s_j \tag{5-3}$$

5.3.2 多源信息信任函数

将多源数据看作一个有限集 Θ，D 是有限集的一切子集形成的集类，设定一

个 D 到 $[0,1]$ 的函数 m，$m(E)$ 为子集 E 的基本概率赋值，即每个数据源都赋值一个基本概率，满足以下条件：$m(\phi) = 0, \forall E \in D, m(E) \geqslant 0, \sum m(E) = 1$。

因此，对于任意一个多源数据 $R \in D$，其信任函数 BF 可以定义为

$$\text{BF}(R) = \sum_{B \subseteq R} m(B), \quad \forall R \in D \tag{5-4}$$

$\text{BF}(R)$ 反映人们对数据源 R 的信任程度，为突发事件决策需求提供不同信任度的多源数据，方便获取信任度高的数据以得到有效的决策需求。

5.3.3 基于 KANO 模型的公众需求研究

魅力质量理论是 1979 年由狩野纪昭 (N. Kano) 提出的[102]，该理论认为并非每一种服务的提供或缺乏都能相应地提高或降低顾客对整体服务的满意度，即各项服务要素的满足与顾客满意度之间存在着非线性关系[103]，最初被运用于企业质量管理。KANO 模型作为魅力质量理论的测算工具[104]，是一种典型的定性分析方法[105]，在服务需求层次及供给优先序研究[106]、服务质量影响因素分类[107]等方面被广泛应用。KANO 模型将用户需求分为五类，如图 5-2 所示，分别与魅力质量理论中质量特性的类型相对应，即基本型需求 (M)→ 必备要素、期望型需求 (O)→ 一维要素、魅力型需求 (A)→ 魅力要素、无差异型需求 (I)→ 无关要素、反向型需求 (R)→ 逆向要素[108]。

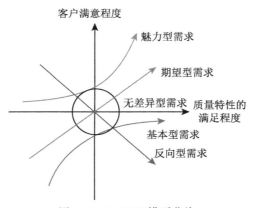

图 5-2 KANO 模型曲线

魅力质量理论与 KANO 模型为突发公共卫生事件信息公开的公众需求要素的探讨提供了理论支撑和分析手段。信息公开的公众需求类型具体解释见表 5-1。

表 5-1　基于 KANO 模型的信息公开的公众需求类型说明

需求属性	解释
基本型需求 (M)	指公众认为理应具备的信息公开要素。当基本型需求被满足时，公众的满意度不会显著提高，但未被满足时，会引起公众极大的不满
期望型需求 (O)	指公众希望供给方能够提供的信息公开要素。当期望型需求被满足时，公众的满意度会提高，但未被满足时，会引起公众的不满
魅力型需求 (A)	指超出公众预期的信息公开要素。当魅力型需求被满足时，公众的满意度会极大地提高，但未被满足时，也不会引起公众的不满
无差异型需求 (I)	指对于公众来说可有可无的信息公开要素。无论无差异型需求是否被满足，都不会影响公众的满意度
反向型需求 (R)	指会引起公众反感的信息公开要素。当反向型需求被提供时，会引起公众不满，当不被提供时，公众反而满意

1. KANO 问卷

采用 KANO 模型分析突发公共卫生事件信息公开的公众需求要素，需要针对 KANO 模型设计调查问卷，示例见表 5-2。调查问卷由正反向成对问题组成，每个问题有 5 个答案可供选择，用于测量公众对信息公开内容或方式的满意程度。

表 5-2　信息公开内容或方式的 KANO 问卷

公开的内容或方式	状态	公众满意程度				
		非常不满意	比较不满意	一般	比较满意	非常满意
内容 (方式)	公开 (采用)					
	不公开 (不采用)					
……						

根据 KANO 问卷结果，对照 KANO 模型需求分类评估表，如表 5-3 所示，判定调查对象对某一项信息公开内容或方式的需求类型[109]。

表 5-3　KANO 模型需求分类评估表

正向问题：公开 (采用) 的态度	反向问题：不公开 (不采用) 的态度				
	非常不满意	比较不满意	一般	比较满意	非常满意
非常不满意	Q	R	R	R	R
比较不满意	M	I	I	I	R
一般	M	I	I	I	R
比较满意	M	I	I	I	R
非常满意	O	A	A	A	Q

可疑结果 (Q)：当公开某项信息 (采用某种公开方式) 与不公开该项信息 (不采用该公开方式)，公众均保持非常满意或非常不满意，这种情况就属于可疑结果，一般不应该出现在调查结果中。如果一份问卷中出现较多可疑结果，则判定此问卷无效

2. KANO 模型的计算指标

传统的 KANO 模型存在一定的缺陷，忽视了服务要素在整体满意度中的影响，只是根据 M、O、A、I 四类要素中的出现频率来决定此次服务的最终需求层次[110]。之后，美国学者 Berger 等[111]在传统 KANO 模型的基础上引入了满意度系数 (SI)、不满意度系数 (DSI)、需求重要度系数 (ID) 三项指标，其说明与计算公式见表 5-4。

表 5-4 KANO 模型的三项计算指标

指标	解释	计算公式
满意度系数 (SI)	满意度系数介于 0~1，当其值越接近 1 时，说明对公众需求满意度的影响越大；当其值越接近 0 时，说明对公众需求满意度的影响越小	$SI = \dfrac{F(A) + F(O)}{F(A) + F(O) + F(M) + F(I)}$
不满意度系数 (DSI)	不满意度系数介于 −1~0，当其值越接近 −1 时，说明对公众需求不满意度的影响越大；当其值越接近 0 时，说明对公众需求不满意度的影响越小	$DSI = \dfrac{F(A) + F(M)}{F(A) + F(O) + F(M) + F(I)}$
需求重要度系数 (ID)	ID 值越大，则该项需求重要度越高，反之越低	$ID = \dfrac{5 \times F(M) + 3 \times F(O) + 1 \times F(A) + 0 \times F(I)}{样本总量}$

5.4 突发公共卫生事件的公众需求应用案例

突发公共卫生事件是指突然发生或者可能发生的，直接影响社会公共健康和安全，需要紧急应对的公共卫生事件。例如，重大传染病疫情、重大食物中毒和"恐怖事件"等，具有突发性、意外性、传播广泛性、频发性等特点。2003 年"非典"疫情暴露出我国在突发公共卫生事件应急管理中存在机制不健全、预防不及时、准备不充分等问题，其中信息披露失当问题引起了国家、社会和相关学者的重视，自此，我国突发公共卫生事件的信息公开制度体系建设取得了长足的进步和发展[112]。在突发公共卫生事件应急处置中，政府机关、事业单位及慈善捐助管理机构等组织进行信息公开是有效处理危机事件的重要途径。尤其是在大数据、信息化时代，突发公共卫生事件造成的恐慌情绪会迅速蔓延，加之谣言的传播，会对社会稳定造成极大危害，而信息公开是消除恐慌的关键环节。这一问题在新型冠状病毒肺炎疫情事件中更为突出，网民对疫情相关信息公开的需求不断增加，对信息的权威性、时效性和完整性也提出了更高的要求。

5.4.1　研究设计

1. 技术路线

本研究的技术路线可分为四个阶段：一是资料收集阶段，基于新闻网站、微信、微博等网络平台与"头脑风暴"得出的结论，收集和归纳新冠肺炎疫情公布的信息内容与方式；二是问卷调查阶段，设计 KANO 结构型问卷这一测量工具，在预调查后公开发放问卷，完成问卷回收后的数据收集及处理工作，基于问卷数据对问卷信效度进行检验；三是结果分析阶段，依据 KANO 模型的分析方法与计算指标，对信息公开的公众需求属性进行分析，并基于满意度系数–不满意度系数矩阵，对信息公开公众需求的关键要素进行分析；四是策略构建阶段，根据需求属性归类和关键要素的分析结果，提出针对性的治理策略，保证信息公开质效的最大化。

2. 问卷设计与数据收集

问卷设计主要分为两个部分：第一部分是样本的属性信息，包括性别、年龄、最高学历、所在城市、从事行业及工作与新冠肺炎疫情防控的关联性；第二部分是 KANO 问卷，综合考量新冠肺炎疫情信息公开的内容和渠道，确定了针对新冠肺炎疫情信息公开的 20 项具体内容与 7 项公开渠道，共 27 个问题，见表 5-5，每个问题从正反两方面提问，被测试者从非常不满意、比较不满意、一般、比较满意、非常满意 5 个选项中根据自身实际的主观感受选择最佳答案。

在正式发放问卷前，进行了预调查，调整了部分问题的表述方式，以便被调查者能够更好地了解施测问题的含义。数据收集的方式是在"问卷星"平台上设计与公开发布《新冠肺炎疫情信息公开的公众需求研究调查问卷》，借助微信群、QQ 群、电子邮件等方式邀请受访者填写。经统计，共回收问卷 543 份，剔除填答时间过短、可疑结果 (Q) 过多 (频率大于 50%[113]) 的问卷 63 份，最终得到有效问卷 480 份，问卷有效率为 88.4%。从被调查者自身属性进行统计，男女比例为 43:57，年龄集中于 26~50 岁，学历集中于本科与硕士研究生，职业涉及面广，所在城市分布规律与疫情地图较为契合。总体而言，样本的选择具有一定的代表性和典型性，较为合理。

3. 问卷可信度和有效性检验

为了验证问卷的可信度和有效性，本研究使用 SPSS 22 对问卷调查结果进行统计分析，结果见表 5-6。在问卷信度检验方面，正向问题问卷的 Cronbach Alpha 值为 0.972，负向问题问卷的 Cronbach Alpha 值为 0.986，均高于 0.9，说明问卷的信度较好。在问卷效度检验方面，正向问题问卷与负向问题问卷的 KMO 值均为 0.962，Bartlett 球形检验均达到显著水平 (sig<0.001)，符合统计学中的效度

表 5-5 信息公开的公众需求要素设计

已经公开的信息类别	已经公开的信息内容	
已经公开的新冠肺炎疫情动态信息	疫情实时数据:包括确诊、疑似、治愈、死亡等病例的新增与累计数量,以及确诊病例发病时间、收治信息等基本情况	C1
	确诊病例确诊前的行动轨迹:包括交通工具车次、确诊病例停留过的校区和场所等	C2
	确诊病例的感染路径: 新型冠状病毒人际传播网络	C3
	确诊病例社区 (小区) 分布情况	C4
已经公开的新冠肺炎相关知识的科普信息	新型冠状病毒可能的来源	C5
	新型冠状病毒主要的传播途径	C6
	新冠肺炎的疾病征兆与临床表现	C7
	公众日常防护常识与预防措施	C8
	疫苗研制	C9
已经公开的新冠肺炎患者及疑似病例治疗、隔离信息	疫情救治定点医院	C10
	新冠肺炎治疗方案	C11
	医疗救治力量	C12
	疑似患者隔离的相关信息	C13
已经公开的新冠肺炎疫情管控信息	关于加强疫情管控工作的公告:城市采取管控措施的细节,包括交通运输、社区封闭等	C14
	复工、复产、复课相关要求	C15
	信息传播内容管控:谣言传播与辟谣	C16
	疫情防控政策解读 (如重点保障企业信贷支持政策、疫情防控税收优惠政策等)	C17
已经公开的物资及人员援助相关信息	医用防疫物资缺口	C18
	官方应急物资及援助人员的来源及流向	C19
	民间慈善援助物资及人员的来源及流向	C20
已经提供的信息公开渠道	政府网站: 疫情专属网页或者管理平台	M1
	新闻发布会	M2
	报刊、广播、电视等传统媒体	M3
	政务热线	M4
	政务微博	M5
	政务微信	M6
	政府公报	M7

检验指标要求。因此,突发公共卫生事件信息公开的公众需求 KANO 问卷具有良好的信度与效度。

表 5-6 问卷信度、效度检验结果

问卷	Cronbach Alpha	KMO 值	Bartlett 球形检验 (sig)
正向问题问卷	0.972	0.962	0.000
反向问题问卷	0.986	0.962	0.000

5.4.2　结果分析

　　将突发公共卫生事件信息公开的公众需求问卷数据进行录入和整理，对照 KANO 模型需求分类评估表，对问卷中每项问题的需求属性进行编译和频次统计，进而根据 KANO 模型的计算指标公式，计算出需求重要度系数 (ID)、满意度系数 (SI) 及不满意度系数 (DSI)。KANO 问卷中每项问题的需求层次由 M、O、A、I 中频数最大的需求类型决定。具体结果及指标测算结果见表 5-7 和表 5-8。整体而言，需求重要度系数 (ID) 的排序验证了 KANO 模型中需求要素"M>O>A>I"这一优先序列，也为政府机构在突发公共卫生事件应急处置过程中提供了信息公开关键要素的参考依据。

表 5-7　KANO 模型信息公开内容的需求统计结果 (ID 降序)

编码	ID	SI	DSI	M	O	A	I	需求层次	信息分类
C1	3.775	0.383	−0.695	275	128	53	16	M	疫情动态信息
C7	3.477	0.370	−0.693	256	112	53	25	M	疫情科普信息
C6	3.410	0.430	−0.653	235	132	66	28	M	疫情科普信息
C8	3.219	0.424	−0.585	214	139	58	54	M	疫情科普信息
C5	3.123	0.473	−0.624	203	134	82	38	M	疫情科普信息
C10	2.852	0.437	−0.620	191	107	93	67	M	治疗隔离信息
C14	2.842	0.476	−0.623	183	116	101	56	M	疫情管控信息
C11	2.735	0.447	−0.613	180	102	107	79	M	治疗隔离信息
C16	2.608	0.424	−0.548	167	109	90	103	M	疫情管控信息
C15	2.571	0.415	−0.516	162	115	79	111	M	疫情管控信息
C2	2.563	0.677	−0.418	96	217	99	55	O	疫情动态信息
C12	2.529	0.606	−0.460	113	182	103	72	O	治疗隔离信息
C4	2.435	0.606	−0.470	108	172	113	77	O	疫情动态信息
C18	2.338	0.592	−0.459	103	165	112	88	O	疫情援助信息
C19	2.140	0.622	−0.455	83	161	129	93	O	疫情援助信息
C20	2.123	0.547	−0.394	89	160	94	121	O	疫情援助信息
C9	2.035	0.501	−0.361	87	153	83	148	O	疫情科普信息
C13	1.904	0.556	−0.468	82	123	135	124	A	治疗隔离信息
C3	1.860	0.589	−0.508	77	115	163	117	A	疫情动态信息
C17	1.556	0.463	−0.441	73	83	133	178	I	疫情管控信息

表 5-8　KANO 模型信息公开方式的需求统计结果 (ID 降序)

编码	ID	SI	DSI	M	O	A	I	需求层次
M1	3.602	0.419	−0.606	244	156	41	29	M
M3	3.335	0.425	−0.609	225	139	59	43	M
M7	2.873	0.456	−0.577	183	127	83	68	M
M2	2.752	0.550	−0.475	142	177	80	68	O
M5	2.310	0.529	−0.587	131	104	142	88	A
M6	2.004	0.489	−0.560	114	81	149	126	A
M4	1.935	0.490	−0.440	94	117	108	140	I

5.4.3 基于需求层次的分析

(1) 基本型需求 (M) 是指公众认为突发公共卫生事件中必须提供的信息公开内容或方式，是决定公众满意度的关键因素。当基本型需求被满足时，公众认为这是应该的，不会表现出满意；但这类需求不被满足时，公众就会表现出极大的不满意。

在突发公共卫生事件信息公开内容方面，疫情实时数据 (C1)，新冠肺炎的疾病征兆与临床表现 (C7)，新型冠状病毒主要的传播途径 (C6)，公众日常防护常识与预防措施 (C8)，新型冠状病毒可能的来源 (C5)，疫情救治定点医院 (C10)，城市采取管控措施的细节 (C14)，新冠肺炎诊疗方案 (C11)，信息传播内容管控 (C16)，复工、复产、复课相关要求 (C15) 等 10 项属于基本型需求，政府机构应优先满足公众对这些信息公开内容的需求。具体分析来看，上述基本型需求体现了公众对新型冠状病毒特征及疫情发展情况、自身防护与地区管控、疾病诊断及治疗等信息的高度关注，说明突发公共卫生事件的发生不确定性与后果危重性对社会生产和公众生活带来了极大的负面影响，因此，政府是否能够及时、全面、真实地向社会公众公开基本型信息显得尤为重要。当事件发生后，应第一时间向社会公众公开基本型需求信息，避免引起公众的猜测与恐慌，及时采取针对性的防控措施，防止疫情大规模传播和扩散，从而实现稳定人心、有效防控、精准防控的目标。

在突发公共卫生事件信息公开方式方面，政府网站中疫情专属网页或者管理平台 (M1)，报刊、广播、电视等传统媒体 (M3)，政府公报 (M7) 等 3 项属于基本型需求。具体来看，在事件发生后，公众希望从政府网站、传统媒体、政府公报这三类主要渠道获取疫情信息，说明权威性是影响公众选择信息公开渠道的最重要因素。在大规模信息化时代，公众从新媒体接收到的信息纷繁复杂，其中不免存在很多虚假消息，正确性和可信度往往备受质疑，因此，政府网站、传统媒体及政府公告依然是公众获取所需信息的第一选择，其在政府信息公开中发挥着十分重要的作用。

(2) 期望型需求 (O) 是指公众希望在突发公共卫生事件应急处置中能主动提供的信息公开内容或方式，公众的满意程度与此类需求的满足程度成正比。

在突发公共卫生事件信息公开内容方面，确诊病患确诊前的行动轨迹 (C2)、医疗救治力量 (C12)、确诊病例社区 (小区) 分布情况 (C4)、医用防疫物资缺口 (C18)、官方应急物资及援助人员的来源及流向 (C19)、民间慈善援助物资及人员来源及流向 (C20)、疫苗研制 (C9) 等 7 项属于期望型需求，政府机构应该主动公开这些信息内容。具体分析来看，上述期望型需求体现了公众对新冠肺炎疫情外部风险感知、救治环境、援助物资等方面的关注。公布确诊病患确诊前的行动轨迹、确诊病例社区 (小区) 分布情况等病例接触史方面的关键信息，能够实现公众自我排查与病例接触的环境和人群，也能有效消除大家对自身感染的担忧与猜疑，缓解了不必要的恐慌；公布医用防疫物资缺口、官方应急物资及援助人员的来源及流向、民间慈善援助物资及人员来源及流向等疫情防控重点医疗物资和人员保障信息，能够有效地保证物资调配的有序性与物资调配的公开透明，实现公众对救援物资分配与使用的监督，增强公众对防疫工作的热情和信心。

在突发公共卫生事件信息公开方式方面，新闻发布会 (M2) 属于期望型需求。新闻发布会是政府向社会公众发布信息和解析事件的直接途径，社会公众可通过新闻发布会及时、准确地获取政府公开的相关信息。新冠肺炎疫情暴发以来，多地政府形成常态化的新闻发布模式，通报工作情况、回应社会关切。在全国疫情防控工作中，新闻发布会受到了舆论广泛关注。

(3) 魅力型需求 (A) 是指公众在突发公共卫生事件应急处置中没有过分期望提供的信息公开内容或方式。当魅力型需求不被满足时公众不会不满意，一旦出现，公众就会表现出极高的满意度。

在突发公共卫生事件信息公开内容方面，疑似患者隔离的相关信息 (C13)、确诊病例的感染路径 (C3) 等属于魅力型需求。虽然疑似患者隔离的相关信息、确诊病例的感染路径等信息并不是公众急需获知的信息，但是这些魅力型需求信息的公开，促进了疫情信息公开限度的最大化，也为公众结合案例剖析了"聚集性病例是如何发生的""如何防止出现聚集性病例"等问题。毫无疑问，这不仅是对公众的疫情科普教育，也是有效地增强公众对政府信息公开满意度的方式。

在突发公共卫生事件信息公开方式方面，政务微博 (M5)、政务微信 (M6) 等新型互联网服务属于魅力型需求，众多政府机构开通了微博或微信公众号，成为公众与政府机构实现信息沟通的重要渠道。利用政务微博、政务微信进行信息公开可以覆盖更多公众，大大提高了信息公开效率。

(4) 无差异型需求 (I) 是指公众在突发公共卫生事件应急处理中持有无所谓态度的信息公开内容或方式。无差异型需求是否能被满足，均不会影响公众的满意度，属于无关紧要的需求。

在突发公共卫生事件信息公开内容方面，疫情防控政策解读 (C17) 属于无差异型需求。新冠肺炎疫情暴发期间，各部委、各省市发布了涵盖交通运输类、生产生活类、医疗教育类、司法税务类等疫情防控政策，具体如重点保障企业信贷支持政策、疫情防控税收优惠政策等，而公众往往对各类政策的解读缺乏兴趣，多是被动接受，较少主动了解和咨询，所以这类无差异型需求对公众满意度的影响并不明显。

在突发公共卫生事件信息公开方式方面，政务热线 (M4) 属于无差异型需求。为全力应对新冠肺炎疫情，很多省市政府机构开通了政务服务热线，确保重大、突发问题及时上报，方便公众及时反映问题，确保疫情第一时间反映、第一时间受理。但由于许多公众对政务服务热线不甚了解，并且也存在服务热线接不通、求助事情不处理等问题，导致公众对政务热线的使用频率不高。因此，在突发公共卫生事件应急处置中，需要进一步提升政务热线的服务质量，扩展政务热线的服务渠道。

5.4.4 基于满意度–不满意度系数的分析

满意度系数 (SI) 与不满意度系数 (DSI) 反映了公众对信息公开内容或方式的敏感程度，SI 值与 DSI 的绝对值越接近 1，说明该项信息公开内容或方式对公众需求满意度的作用越大。因此，以不满意度系数 (DSI) 的绝对值为横坐标、满意度系数 (SI) 为纵坐标构建矩阵图，由表 5-7 和表 5-8 各项指标的 SI 和 DSI 值可得图 5-3 和图 5-4，根据各坐标点与原点之间连线的距离决定该项信息公开内容或方式的敏感性，即优先级顺序。选取满意度系数 (SI) 的均值与不满意度系数 (DSI) 均值的绝对值作为参考坐标点，该坐标点与原点的距离 St 作为划分敏感程度的标准，即

$$St = \sqrt{\overline{SI}^2 + \overline{DSI}^2} \tag{5-5}$$

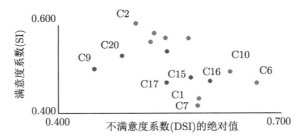

图 5-3 基于 KANO 模型的信息公开内容需求的 SI-DSI 象限图

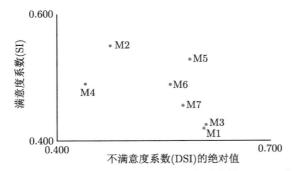

图 5-4 基于 KANO 模型的信息公开方式需求的 SI-DSI 象限图

在突发公共卫生事件的信息公开内容方面，确诊病患确诊前的行动轨迹 (C2)、疫情实时数据 (C1)、新冠肺炎的疾病征兆与临床表现 (C7)、城市采取管控措施细节 (C14)、新型冠状病毒可能的来源 (C5)、新型冠状病毒主要的传播途径 (C6)、确诊病例的感染路径 (C3)、官方应急物资及援助人员的来源及流向 (C19)、确诊病例社区 (小区) 分布情况 (C4)、医疗救治力量 (C12)、新冠肺炎治疗方案 (C11)、疫情救治定点医院 (C10)、医用防疫物资缺口 (C18) 共 13 项属于高敏感型，也是影响公众满意度的关键要素，所以需要优先考虑这些信息公开内容及公开质量。

在突发公共卫生事件的信息公开方式方面，政府网站中疫情专属网页或者管理平台 (M1)，报刊、广播、电视等传统媒体 (M3)，政府公报 (M7)，政务微博 (M5)，政务微信 (M6) 共 5 项属于高敏感型，因此，需优先对这些信息公开方式进行改进和完善。

5.5　本章小结

本章梳理了突发事件决策需求的识别研究动态，通过界定和分类突发事件的决策需求，设计了突发事件决策需求识别的宏观框架；针对突发事件特征和应急决策要求，融合突发事件多源异构数据，构建了多源数据与决策需求之间的关联和信息信任函数，以量化数据的信任度，根据设定阈值提取多源数据核心关键词，形成基于关键词的多源数据与决策需求的初步关联，建立突发事件有序化多源数据和决策需求资源库；最后，以突发公共卫生事件为例，引入 KANO 模型，分析事件信息公开的公众需求要素，促进决策需求优质化。

第 6 章　突发事件决策需求组织过程

在突发事件应急响应过程中，事前精准感知、事中快速响应及事后总结反馈都离不开突发事件的大量数据、信息组织，不同阶段的决策需求组织和优化过程尤其重要。突发事件决策需求组织过程是在突发事件决策需求采集基础上，针对突发事件事前、事中和事后各阶段的决策要求设计突发事件决策需求信息的采集、识别、关联、跟踪和应对等组织过程，为及时预防预警、有效应急处置及事后科学总结提供信息组织保障。因此，界定和明确突发事件决策需求组织过程非常迫切和必要。

在第 3 章突发事件决策需求总体架构的基础上，明确突发事件决策需求组织过程的定位，做好多主体、多层次突发事件决策需求的组织和管理。

6.1　国内外突发事件决策需求组织研究现状

6.1.1　国外突发事件决策需求组织研究现状

目前国际组织在应对突发事件的决策需求组织的研究上，主要遵循联合国制定的统一标准，通过建立国际咨询团、出版《INSARAG 国际搜索与救援指南》，创建统一的灾害组织系统，形成一套应对突发事件的完整工作流程及标准规范化文件，对我国的灾害事件响应有一定的借鉴和参考作用。在发生影响公众安全的大规模突发事件后，各个级别的救援资源按事件发生的时间及灾情的演化态势形成城市搜索与营救队伍 (urban search and rescue，USAR) 分级响应框架[114]。启动不同响应级别可以获得相应的救援资源，但新的响应级别需与实际工作现有的响应级别队伍融合。

在突发事件决策需求组织过程中，建立标准、完善机制、协同联动是非常必要的环节，可为决策者提供快速专业的应急决策。因此，自 20 世纪末，有关国际搜救组织在现场行动及装备、培训、保障等方面逐步形成了规范和标准，并进行了相应的评估。该测评体系基于全球性的战略性方针，尤其是在突发事件频发的地区具备专业化、高效的救援能力，当突发事件发生时，按照全球认可的标准启动响应级别。该体系可以让受灾区域了解援助资源的类型，使协助的救援队伍能明了合作方的响应能力。

为高效率、高质量地应对各类突发事件，美国联邦紧急管理局 (Federal Emergency Management Agency，FEMA) 根据突发事件的复杂性及其响应需求两大指标，将事件的严重程度分为了 4 个级别：Ⅰ 级 (特别重大)、Ⅱ 级 (重大)、Ⅲ 级 (较大) 和 Ⅳ 级 (一般)，相应的响应级别分别为初始响应、增强响应、多组响应、多部门响应[115]。国外突发事件的决策需求研究大多基于决策流程、决策信息，并针对灾害种类、需求功能开发应急决策系统，Raber 等[116]提出了一个四阶段的决策流程，在该框架下进行风险评估，以支撑决策。Schurr 等[117]提出了混合决策支持系统的耦合处置架构，为灾害管理提供了新的组织思路。

6.1.2　国内突发事件决策需求组织研究现状

我国设立了多项综合应急预案及专项应急预案，如《国家突发公共事件总体应急预案》《国家防汛抗旱应急预案》《国家自然灾害救助应急预案》《国家地震应急预案》《矿山事故灾难应急预案》《国家海上搜救应急预案》《危险化学品事故灾难应急预案》《国家突发公共卫生事件应急预案》等。其中，突发公共事件可分成自然灾害、事故灾难、公共卫生、社会安全四类；按照各类突发公共事件的严重程度、波及范围等因素，总体预案将突发公共事件分为四级，即 Ⅰ 级、Ⅱ 级、Ⅲ 级和 Ⅳ 级，分别对应一级响应、二级响应、三级响应和四级响应。各行业/各部门应急预案参考《国家突发公共事件总体应急预案》制订。具体细分如图 6-1 所示。

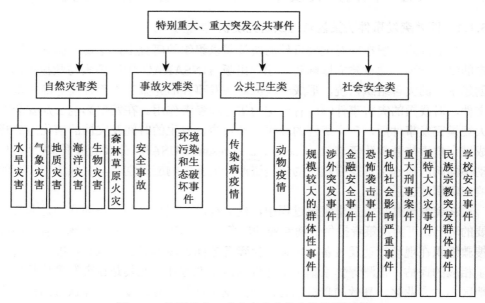

图 6-1　特别重大、重大突发公共事件分类标准

为应对突发事件，我国各行业都制定了多项关于突发事件应急决策方案的建设、管理、技术救援等方面的标准，如民政、环保、交通、消防、核应急等行业，

而且这些标准也在不断完善中。相比之下，有关突发事件紧急救援的标准及规范进展缓慢，没有统一的标准。

随着城镇化水平的不断提高，城镇人口密度增大，突发事件对人们生命财产安全的影响更恶劣，也增大了第一时间响应突发事件的难度。而资源是有限的，因此有必要合理部署、高效利用资源。不同级别的事件发生后，根据突发事件决策需求的不同类别形成应急决策方案是很有必要的。我国大部分突发事件的应急管理在决策需求的界定和分类方面仍需要进一步的改善，仅地震灾害紧急救援队、消防队等初步形成了较为科学的分级体系。

Ju 和 Wang[118]探讨影响突发事件决策组织的因素，利用基于 Dempster-Shafer 理论的层次分析法 (Dempster-Shafer analytic hierarchy process，DS/AHP)理论和改进的 TOPSIS 法解决了因为应急决策信息不完整、不确定导致的多目标群体决策问题。

由以上研究分析可知，应急决策需求组织过程的目标是在短时间内制定出有效的救援对策以降低灾害对承灾体造成的破坏或可能造成的破坏，因此决策需求多数以突发事件承灾体为核心，以结构化描述突发事件灾情为主要内涵。

6.2 突发事件决策需求组织过程的界定

为了有效应对各类突发事件，国内应急管理部门依托军队、武警、消防等武装救援力量筹备了多支综合性突发事件应急决策紧急救援队伍，提供不同类型突发事件的专业知识，而民间救援力量也不可或缺，同时公众舆论也是突发事件决策需求的重要信息。面对多形式、多源头突发事件信息，对其进行高效地整合利用，为突发事件快速响应提供科学决策，有必要深入探讨突发事件决策需求组织的逻辑结构和物理结构，从应用角度分析决策需求组织过程在技术上的实现。

突发事件决策需求组织总体架构的目的是以数据库存储的数据、信息和知识辅助决策者解决突发事件和支撑决策的知识需求。因此，在组织过程中不仅应关注如何将突发事件动态过程中各阶段的决策需求提供给决策者，还应关注决策者对问题的解答和反馈，只有这样才能使突发事件决策需求的组织和应用更加完善和实用。决策需求组织在突发事件应急响应过程中作用明显，因此需要科学组织和安排。首先是细粒度界定情报需求，关联机构自身的业务流程。其次，结合应急任务特征，基于应急响应方案，构建关联模型，以刻画事件的业务过程。再次，探究如何精确识别应急任务中的情报需求，对结构化、非结构化及半结构化情报形式等进行语义化的描述，规范、统一不同类型的情报需求。在决策需求的时效性及情报资源的有限性双重制约下，应该从重要性和优先级两个方面对应急决策需求的资源进行科学有效的配置。为了精准满足决策需求，在应急响应的业务流程中，依据优先级转换的原则，确定支撑政策方案供给的业务过程所需的情报资源的重要次序。一方面，通过识别关联相同或相似的应急智库，基于政策，识别出业务流程中存在重复或类似情报需求时，需要从相同或相似的应急任务中，考虑时间相关性、功能相关性、目标相关性等要素，重新配置情报资源，完善情报资源配置机制；另一方面，基于历史的多领域情报资源需求形式刻画、情报分析流程与方法，选择、抽象已有的情报资源、流程与方法构建出多领域通用的需求模型。最后，结合以上的基础，优化应急决策需求供给全过程的情报配置。

因此，突发事件决策需求的组织过程以突发事件的问题解决来引导知识组织的架构，借助粒度原理和知识单元来设计知识组织的逻辑和物理结构，以问题库、情景库、知识库、解答库、解答效果库等多库协同的知识仓库存储知识，解答突发事件问题，以引导决策需求的识别、序化、关联和再生、跟踪和应对等组织过程，并在突发事件发展动态过程中提供问题解答服务，最后通过解答和反馈来完善和优化决策需求组织框架和过程，促进应用和创新[119]。通过调研联合国突发事件应急决策中心救援队伍、紧急医疗队伍的分类体系及美国的突发事件分级响应、美国应急决策需求的分类分级体系的特点和优势[120]，结合《中华人民共和国突发事件应对法》和城市数据资源管理要求，突发事件的决策应以有效支撑突发事件快速响应为目标，重新界定突发事件决策需求的组织过程，并进行科学分类，以便于组织和利用，促进突发事件决策需求数据产生有价值的突发事件预警和快速响应情报。决策需求的组织过程要求情报资源配置应该全面考虑存在的差异和特殊情况。从当前具体的问题情境出发，构建需求模型到问题情境的映射机制，识别不同阶段、不同决策主体的需求特征，设计匹配多阶段、多决策主体的情报资源配置模型。

为应对突发事件高效应急处理的要求，将突发事件决策需求进行全过程融合分析，应从整体系统视角探讨突发事件决策需求组织过程的界定，根据应急现场进行决策需求分析。由于检索到的历史应急信息多是原始数据，有可能存在决策效果不佳甚至决策失误的情况，因此需要对应急方案的决策内容进行客观的评估，判断其决策效能是否达到事件要求。发生突发事件后，评估并比较目标情景和相似的历史案例情景，分析直接使用历史决策数据产生的影响。

在应急决策活动中，事前预警的应急决策主体一般由应急部门协同各单位共同组成，为了有效获取突发事件事前的监测信息，需要结合国家相关标准制定相应的信息抽取模板，依据突发事件基础数据处理标准，对获取的信息进行分类抽取。突发事件获取的信息主要包括突发事件的基本要素、经济影响的相关数据和数据来源信息三大类。

突发事件决策需求的分类对象可以是对公众的安全和广泛利益具有重要影响的事件因素，或者是影响组织最高目标和利益的重大事件，或者是最常发生的意外事件、突发事件、敏感事件，还可以是组织的脆弱环节、薄弱环节和易受冲击的环节。总之，突发事件决策需求的目的是获取突发事件发生前或者可能发生的迹象。对四大类突发事件，依照事件范式标记语言分别构建针对不同事件类型的应对模型。

突发事件事中处理主要由应急指挥部总指挥担任，任务是掌握突发事件现场情况，预判灾害事件的风险级别，组织应急力量，制定应急方案；根据事件的演化趋势，针对现场的灾情，承担具体部署行动任务。

突发事件事后总结由应急部门协同各单位完成，包括做好突发事件的发生原因、应急措施实施过程及造成的损失等事件记录，将各次事件信息编入地方突发事件数据情景库，为今后的突发事件提供科学可行的参考方案。

实现非常规突发事件应急决策，决策者首先应当找到与目标情景相似的若干个历史情景，通过在情景库中进行检索匹配，筛选出相似度高的情景编号及其应急方案并进行效能评价、修正，最后确定应急决策方案。不同事件阶段应急决策的需求如表 6-1 所示。

表 6-1 突发事件多层决策需求内容列表

阶段	决策内容	说明
事前预警	应急目标监测	应急部门与各单位联合对可能形成 (或演化) 突发事件的目标进行监测
	应急协同驱动	对应急处理需要协同的其他力量，包括信息收集部门、支援调度部门、医疗救助部门等进行实时沟通
	应急保障准备	对突发事件应急处理而组织的各种保障,使现场救援力量、物资保障等能够快速调配
事中处理	应急战略传达	根据突发事件发生后确定向现场传达的主要救援战略
	应急力量部署	根据突发事件现场各方面情况确定应急行动并进行险情处置时采取的战术措施部署
	应急行动实施	根据不同行动任务部署作战任务并快速行动
事后总结	应急总结分析	对突发事件全过程原因调查、应急进程、事后总结的分析记录，为相似事件提供应急决策经验
	持续事件观察	突发事件发生后一段时间内遗留危险区域的警戒划分、灾后重建、舆情信息回应等

分析突发应急决策流程，对应急决策需求进行分类、界定及描述，将其分为应急阶段、决策主体、决策目标三个层次，其中包括基础信息、业务信息和应急资源信息，依托应急管理流程阶段，结合决策主体、决策目标，建立了如图 6-2 所示的突发事件决策需求组织过程管理模型。

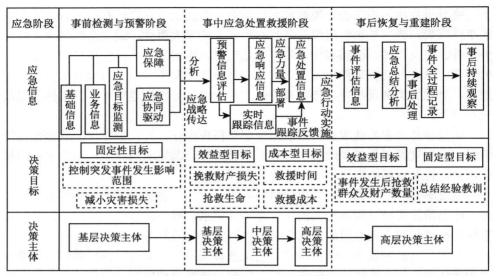

图 6-2　突发事件决策需求组织过程管理模型

6.3　突发事件决策需求组织框架

突发事件发生后面临着资源有限、事件波及范围广、事件发生地点分散等各类问题，导致应急响应阶段存在较多的问题，如指挥层级复杂、目标未统一等。因此，将应急各阶段、不同层次的决策者的决策需求精准化是研究的重点。

具体研究框架如图 6-3 所示。

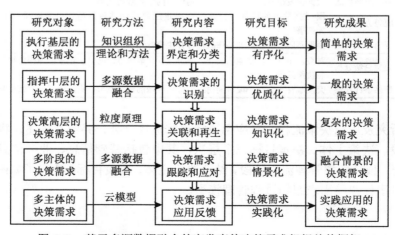

图 6-3　基于多源数据融合的突发事件决策需求组织总体框架

6.4 突发事件数据采集

在常规事件中获取各类监测数据、业务数据等多源信息，这些信息具有数据源多、覆盖范围广、数据量大、实时性强、随机性大等特点，而且只要与常规事件或者突发事件相关的信息都要获取，并监测异常变化状态，同时关联事件对应的业务数据，形成突发事件事前信息，其全面性将直接影响事前预警的效果。例如，通过对移动终端数据的监测[114]，可以得到城市人口的流动趋势，可以监测到国家法定长假的常态事件，也可以预测类似上海外滩群体性踩踏事件的发生。与常规决策相比，突发事件应急决策在信息需求方面呈现的具体特征有以下三点：数据获取时间紧，数据需求数量大、粒度小，数据需求动态性强。

由于各类数据广泛、种类繁多，为了有效获取突发事件事前监测信息，需要对获取信息进行分类抽取，同时结合国家相关标准制定相应的信息抽取模板，依据突发事件数据的处理标准，将突发事件获取的信息分为业务数据源、公开数据源、决策需求数据源。针对不同的突发事件每个大类可以细分为多个子类。如"突发事件基本要素信息"包括自然灾害事件、事故灾难事件、公共卫生事件、社会安全事件及案例关系表五个类别；"对经济社会影响的信息"则包括国民经济的行业影响、社会管理的影响、舆情表等。例如，对于水灾害突发事件中水情信息的抽取，可以按照中华人民共和国水利行业标准《实时雨水情数据库表结构与标识符标准》(SL 323—2011)[121]，形成水灾害突发事件水情信息抽取模板和存储格式。虽然这些突发事件信息按照一定格式抽取和存储，但不便于这些信息的共享和分析利用。为了充分发挥突发事件信息的利用价值，从信息产生、处理、分析、输出等全生命周期综合利用角度出发，可借助元对象设施方法，结合不同类型突发事件的业务知识，构建全周期突发事件元模型。

6.4.1 突发事件信息数据采集工具

突发事件相关数据之间存在一定的关联，包括复杂的业务和逻辑关系，如气象数据与空间数据之间存在一定的逻辑关系[122]。同一类数据也可能反复出现在不同的部门、渠道，如气象部门的气象信息会同时出现在洪涝灾害预警相关部门。在实际采集工作中，突发事件数据采集活动往往不会局限于单个采集对象，通常针对多个相关联的数据源进行采集、汇总与整合。因此，在采集工作开始前，需要根据需求来选择数据源，进一步根据不同数据源的特点确定合适的采集方法和工具。

确定了数据源后，还需要选择合适的数据采集方法和工具。除了手动采集数据外，批量获取数据的三种主要方式是：通过公开的数据集获取、通过网络爬虫技术爬取数据和通过开放 API 获取数据。由于公开数据集覆盖的领域比较狭窄，数据更新的速度比较慢,并且我国突发事件的数据集成总体性建设工作尚未开展,因此目前并未有针对突发事件的公开数据集,需要进一步采集相关数据。

6.4.2 数据采集框架构建

不同的数据使用主体对于数据的需求也不尽相同,如针对水灾害突发事件的预警工作更强调广泛关注突然增加的热门话题、气候等自然环境、重要事件等,而对于水灾害突发事件应急响应工作者来说,更需要的是妥善处理突发事件产生的影响及评估在突发事件处理过程中应急响应系统所发挥的作用,还需要论坛、新闻网站上的相关信息,以此来了解群众对事件的反应。针对水灾害事件相关数据的复杂性及用户需求的多样性,有必要构建水灾害突发事件数据采集的整体框架,以理清数据采集需求和数据采集策略,从而提高数据使用效率,节省投资,减少重复劳动。采集准备阶段的主要任务就是通过分析、细化数据需求从而采取有针对性的采集策略,包括数据源的选择、采集方法及采集工具的确定。

按照 4.3 节数据采集实施阶段进行突发事件数据采集,分别按照测试阶段、实施阶段、入库阶段要求逐步进行。

通过以上数据采集的方法,依据不同类型突发事件预警及快速响应的决策需求,从事件相关数据源的获取着手,针对数据采集的关键点即数据源及数据采集工具的选择详细分析了突发事件的多源数据特点及多种采集方法和工具的优缺点。在前文的基础上,设计了水灾害相关数据采集的总体框架,具体如图 6-4所示。

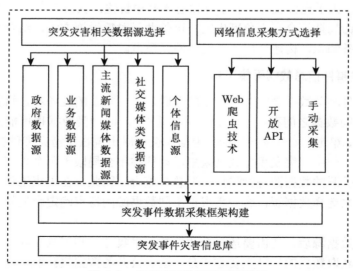

图 6-4 突发事件数据采集流程图

6.5　基于多源数据形式融合的决策需求识别

突发事件发生后，需要结合不同层次的决策目标确定相应的需求，再根据决策进行情报的搜集和处理，以便用于辅助决策，循环反复，直至突发事件事后总结阶段结束[123]。不同的突发事件，决策目标不同。因此，应急决策的目标一般是由总目标和各个子目标构成的一个有机系统，而且目标还会有优先级之分。突发事件决策总体属于多目标、多阶段、动态决策过程，总体宏观的方向是确定的，但决策子目标可能会实时发生变化。

突发事件发生后，首先分类提取突发事件的语义特征，以此为基础，总结提取事件常识的方法和事件的规律，并进一步补充细化突发事件的分类标准和事件涉及的主体，完善事件分类体系，以易于提取决策需求知识。一般在提取决策需求知识时，可以从分类角度和事件常识知识角度进行提取，如灾害成因、灾害影响，主要包括受灾人口 (万人)、死亡人口 (人)、房屋倒塌 (间)、房屋损坏 (间)、农作物受灾面积 (千公顷)、农作物绝收面积 (千公顷)、直接经济损失 (亿元)、失踪人口 (人)。

因为突发事件的突发性、不可预测性，一般的应对模式无法及时有效地响应突发事件，而“情景–应对”的模式能够捕捉情景演化的动态性要素，实时分析突发事件的情景演化规律与路径，预测情景演化态势，实现实时识别决策需求与提前预警，尽可能降低突发事件带来的损失。因此，基于多源数据形式融合的决策需求识别，引入动态贝叶斯网络理论，构建突发事件的情景网络与推演模型，分析突发事件的演化机理，探讨突发事件情景演化规律与路径。突发事件作为一个完整系统，也有其自身的演化机理。

如何快速确定已经发生的突发事件类型，从而识别出对应的事件信息需求模板，这一问题亟待解决。为此，引入语义相似度，构建信息需求模板匹配方法，其基本思路如图 6-5 所示。

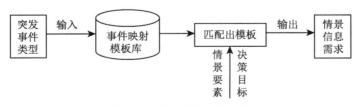

图 6-5　信息需求产生过程

对产生的决策需求内容进行普适性、规范化的处理，使内容表示简单明了，无模棱两可的决策信息。根据应急现场决策需求分析，决策需求内容应分级表示，不同决策需求指标涵盖的内容应有所侧重,具体见表 6-2。

表 6-2　决策需求分级识别指标体系

目标层	一级指标	二级指标
突发事件应急决策需求	影响范围	地域因素、危害覆盖面积
	损失程度	人员伤亡、经济损失
	扩散要素	天气状况、传输渠道
	时间要素	发生时刻、时间需求
	认知程度	发生机理研究、处置机理研究
	社会影响力	经济影响程度、生活影响程度
	公众心理承受度	恐慌程度、社会反应情况
	资源保障度	人员保障度、设备保障度

根据某一类型突发事件的特征,总结归纳并分析影响突发事件决策需求分级的因素,建立合理的指标体系。指标分为可观测性指标和不可观测性指标两种。通过征询领域专家的意见,确定划分突发事件的等级标准,引入标准指标等级云发生器生成标准指标等级云。最后根据建立的分级指标体系采集需要的数据[124]。对于可观测性指标,通过统计获得具体的数值,计算各可观测性指标属于各等级的确定度。对于不可观测性指标,因无法直接得到具体的数值,将通过领域专家打分等形式获得。将通过多位专家根据历史决策经验,针对具体突发事件的情况进行评估,获得云模型的数字特征;利用合适的算法,计算出不可观测性指标的确定度,结合各指标的权重,计算综合确定度,根据最大确定度原则,判定突发事件决策需求的等级。

6.6　基于数据特征融合的决策需求关联和再生

目前突发事件各类数据多源繁杂、质量低和可信度低,对这些多源数据的利用不足,使其复杂性日益增加,也令快速响应效率低下。究其原因,传统粗放和经验式突发事件决策需求定位不准、组织无序、应对不力,缺乏融合多源数据的决策需求精准组织,导致产生的模糊粗放决策需求难以被有效满足,严重影响突发事件快速响应的效率,产生不必要的伤亡和损失,直接威胁社会稳定与和谐发展。因而探讨融合突发事件多源数据的决策需求精准组织尤为重要,其主要问题即如何构建多源数据和决策需求之间的映射。

数据融合过程不断拉近多源数据和决策需求之间的距离,通过最优距离促进融合的稳定性。郝彦彬等[125]用距离的概念来表现多用户偏好;Yu 和 Lai[126] 利用距离在群体一致性度量上的优势,提出了通过距离确定决策权重的方法。目前,大部分基于距离的方法可以体现偏好信息,但忽略了多源数据的质量和可信度。基于此,为了使融合系统的总熵最小,本书采用信息熵和距离结合的距离熵[127] 来量化各个对象的关联程度，有利于挖掘更加精准的决策需求，为多源数据和决策需求深度关联提供科学依据。

同时，数据快速、科学融合的一大前提是需要系统地梳理多领域知识和信息。但是现有的融合方法难以做到[128]。谓词逻辑表示法难以有效组织说明性表达和推理过程，存在知识的无序混乱等问题；规则结构不明确、缺乏直观性；运用推理机制求解问题的可行性和适应性较低；面向对象和基于本体的知识缺乏一定的组织逻辑性和层次性。王延章面向多领域，提出了概念、属性、关系三元组形式的共性知识元模型。在此基础上，陈雪龙等为了解决知识融合与知识推理的问题，从非常规突发事件应急管理客观系统本原的角度出发构建知识元模型。

通过构建知识元模型进行多源数据和决策需求知识的管理，并利用距离熵的方法量化它们之间的关联，具体基于数据特征融合的决策需求的关联过程分为数据预处理、关联两个阶段；通过距离熵量化多源数据、决策需求及多源数据和决策需求之间的关联，构建多源数据和决策需求映射，形成城市水灾害突发事件多源数据和决策需求的语义关联图，以此提升突发事件快速响应效率，最大限度地降低突发事件导致的损失。具体过程如图 6-6 所示。

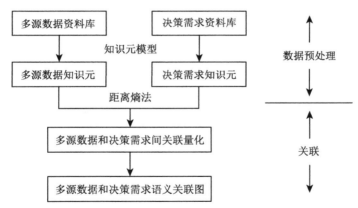

图 6-6 基于数据特征融合的决策需求关联再生框架

6.7 基于情景融合的决策需求跟踪和应对

应急处置是随着突发事件情景演化而持续的过程。突发事件的有效响应需要在短时间内搜集高质量的情报数据，不同的突发事件需要搜集的数据不同。对突发事件应急决策需求的跟踪和应对过程能够反映突发事件应急决策方案是否处在正常有序的状态。

在突发事件响应的实践进程中，美国、日本等发达国家在应急决策需求的能力评价方面积累了较为丰富的经验, 建立了相对标准和成熟的决策需求评估体系。美国的相关管理局设计了一套评估应急能力的标准体系, 形成了一套流程式作业标准, 在多个州进行了全方位的应急能力评价, 成为世界上第一个进行政府应急能力评价的国家。其中, 相关人员培训, 州政府应急能力引导测试, 州政府应急决策需求数据搜集、整理、分析处理、评估反馈等, 都为以后的分析提供了更详细的历史经验。此外, 俄罗斯、瑞士、荷兰、法国及德国等欧洲国家, 新西兰、澳大利亚、新加坡等技术先进国家, 都设立了专门的应急机构, 形成了相对科学规范的管理体系。这些国家、地区及国际组织在突发事件的应急响应中, 都提供了较为有价值的决策支撑案例和经验。

6.7.1   突发事件的情景演化规律

内部及外部因素都会使突发事件朝着不可预测的方向发展, 极大可能导致一些更加严重的衍生灾害。因此, 为了使各种损失降到最低, 及时预判事件的演化方向, 有必要先弄清楚突发事件的发展演变机理及其蕴含的规律。突发事件应急情景可分为五个要素维度: 致灾体、承灾体、外部环境、应急资源及应急活动。其中, 致灾体和承灾体属于应急客体, 外部环境和应急资源属于外部约束条件, 应急活动属于应急主体作用在应急客体上的行为与动作。

因此, 不仅要明确情景单元的构成要素, 细粒化情景单元, 更关键的是要分析总结构成要素之间的关系、相互作用以及蕴含的规律, 从动态的视角, 预测突发事件的演变过程。为了降低情景演化模型的复杂程度, 可以把致灾体和承灾体合并在一起形成情景状态要素。突发事件不仅会受到外部自然环境的影响, 也会受到应急主体的影响, 即人为因素不可忽视。当某一时刻情景的状态受到应急主体的干预或外部环境、应急资源的影响, 原本的演化规律会改变, 呈现出新的演化规律与路径。

6.7.2   突发事件情景演化决策需求的动态产生

突发事件发生后, 需要不断地搜集分析最新的信息需求数据, 实时决策, 实时反馈完善, 直至突发事件被控制或消亡。情景数据的搜集是应急决策过程中最基础也是最为重要的环节, 传统的信息搜集方法, 如人工搜集、文献检索等, 一般效率低、耗费时间长、人力成本高, 无法在短时间内满足突发事件应急响应的要求。近年来, 随着我国的大数据、物联网智能技术的快速发展, 传感器技术使实时监测数据、网络数据也可以较为容易地迅速获取, 因此, 数据容量急剧增长。

假设将整个突发事件情景信息采集划分为 n 个时刻, 情景演化过程存在突变的情况, 因此情景网络节点的选取需要及时变化和调整, 突发事件情景信息搜集的动态流程按照时间因素可划分为以下几个环节: 信息需求模板的生成、确定决策目标、生成信息需求、任务自动分配、信息搜集、信息的分类与存储等，具体如图 6-7 所示。

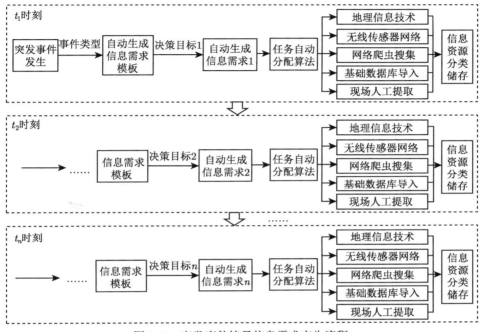

图 6-7 突发事件情景信息需求产生流程

6.8 突发事件决策需求组织过程实例

6.8.1 新冠肺炎疫情突发卫生事件

在 2019 年 12 月迅速暴发的新冠肺炎这一重大突发卫生事件，事态演化迅速，疫情的蔓延迫切需要果断、快速、科学的决策。科学论证充分、专业领域性强的决策需求组织过程是新冠肺炎疫情防控应急决策的可靠外力。延伸其应急决策功能，一方面需要汇聚疫情防控领域有数据信息优势的智库；另一方面需要政府相关部门积极开放、共享疫情防控过程中的全方面完整数据源；其中，最关键的是依托于智库构建的疫情防控应急响应情报体系，其贯穿事件的情报业务流程，使得实时获取的数据可以快速生成疫情防控多阶段需求的决策情报，支撑不同决策层次的主体进行应急响应。

突发公共卫生事件中大数据采集工作是政府应急决策需求组织过程的依据。在疫情数据采集阶段，首先是要提取应急情报的主要特征。针对支撑应急政策的方案，综合多领域多环节，进行特征提取和质量控制，使之适用于不同类型应急政策方案情境的多尺度特征提取和结构解析，多维度刻画、传递、分析应急决策中所涉及的情报资源，从时间、空间多维度对舆情或历史情报进行挖掘分析，实现对支撑应急政策方案供给的情报资源多尺度结构及推演进程特征解析。基于统一化的科学规则对提取的特征进行形式序化、内容序化和相关性序化，有效组织应急情报资源，并建立情报资源的知识库，以知识库为单位形成以任务驱动的情报资源集合，且每个知识库相对独立、互不干扰，各个情报知识库可形成完整的生态链，能满足应急响应的任务需求。情报知识库为各决策主体提供精准情报资源，形成分布式的情报汇聚，为快速高效提取的政策方案提供统一的情报资源支撑。

实体结构、关系网络及应急任务的结构化语义组成了情报资源。情报资源融合是融合信息的实体和多种信息源、事件和环境、政府等经济要素的融合。而从更为宏观的角度出发，针对数据分布的各行各业，需从不同融合要素及相关关系入手，基于多种信息源的抽象及逻辑语义和语法结构及形式表示等进程，设计不同层次情报融合的规则与算法，最终形成从底而上的数据级融合、特征级融合、决策级融合模式。为增强融合模式的可移植性，需对情报融合过程中的融合规则、算法及效果深入评估可行度，其中，对情报融合效果的可信度评估的指标，可以作为应急决策方案的有效性的指标。"应急政策方案 + 评估指标"在智库应急流程中的具体应用可逐步提升情报的质量与精准度。

疫情防控的应急响应中，不同决策主体，如政府、第三方机构等的情报需求，是一切应急任务的驱动，情报流程的实时情况对响应需求的实际刻画起着关键性的作用。由一个地区疑似病例的数量可刻画出该地区医疗物资的需求；结合流行病学规律可刻画出可能累计确诊人数的规模及是否需要独立建设医院；由确诊病例籍贯分布(输入型或者本土型)可刻画出城市间的交通防控需求；一些网上购物的平台或者社交媒体的搜索关键词反映了社会群众的生活需求；微信朋友圈、知乎、微博等社交平台可以反映舆情的演化；国家发布的应急专项项目可刻画出政府对防疫救援方面的需求等。针对政府、第三方机构、社会公众不同的需求刻画，利用情报流快速发现其中的规律，可为不同的决策需求提供优质的情报服务。

通过政府决策机构、社会公众、防疫救援机构三方有效的沟通，可减少各自为政、数据冗余的情况，在深入分析情报需求的基础上，实现语义级别上的匹配。基于应急驱动，构建情报流的语义网络，即政府决策、社会公众、防疫救援三方情报需求的刻画实现各自形式化的知识表示，借助关联数据技术对各需求节点的局部关联进行规范的语义刻画，由情报流融合与匹配统一知识粒度的语义，最终由情报流构建语义网实现三方的语义互通。在不同决策层次的需求网络中，各需求节点共享程度、交流机制、情报服务等决定了情报流通的效率。

将政府、公众、防疫救援组织的语义网络作为基础，结合情报流程，可以快速有效地匹配应急资源，如图 6-8 所示的情报服务路径中，细粒度刻画应急决策中的情报需求，可精准推送情报服务。第一条路径由需求语义网络与多维知识库进行粗粒度知识匹配，主要提供常识知识；第二条路径基于需求语义网络，细粒度知识匹配多维知识库的知识点和知识流，对细粒度的知识刻画进行不同维度和切面的融合，主要提供更深层次的经验与事实知识；第三条路径汇聚了所有应急物资、人力资源，由政府统筹调配，对接相应的情报服务。具体决策需求组织过程如图 6-8 所示。

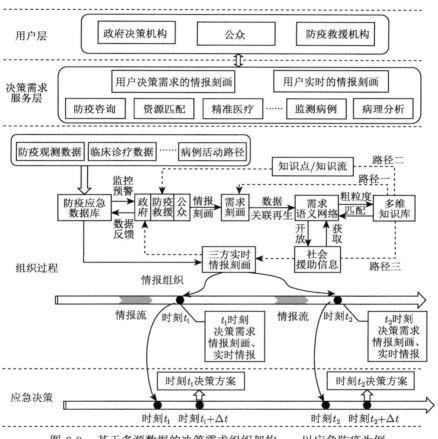

图 6-8　基于多源数据的决策需求组织架构——以应急防疫为例

针对新冠肺炎突发事件，处理海量的多源异构数据，通过组织、关联、分析，开展应急工作。一方面，从技术层面，粗粒度匹配本体库，细粒度匹配融合的情报知识，提高公众健康知识库权威性，为精准界定应急决策的需求奠定一定的基础；另一方面，推进精准医疗、智慧医疗的进程，构建公共卫生专题知识库，优化公共卫生策略，完善卫生服务体系，为制定更科学有效的决策方案和治理准则提供优质的情报支撑，融合严密的理论知识，为突发公共卫生事件的应急响应、舆论的智慧引导提供保障。重视知识库成果的时效性和共享效率，尤其重视吸收国外疫情的病例、传染途径、防控措施和疫苗研制方法等更新案例，引入案例推演、情景演化的模型，构建知识库共享平台，形成适合我国国情的案例知识。

6.8.2　水灾害突发事件

随着我国城镇化进程不断加快，城市和人口规模不断扩大，城市成为多要素聚合的复杂系统，人口、环境和能源等方面的问题日益突出，其中国内外城市水灾害突发事件频繁发生，如国内的济南"7·18"特大暴雨灾害事件、北京"7·21"特大暴雨灾害事件、深圳"3·30"大暴雨灾害事件，美国新奥尔良市水灾，韩国首尔地铁站水灾，2011 年泰国曼谷洪水等。2020 年国内平均降水量较常年同期增长 14.7%，仅次于 1998 年，给城市生产经营和社会发展造成了巨大威胁。虽然我国已经制定了突发公共事件总体应急预案，但由于城市人口资产密度大、不透水面面积大及雨岛效应等特征，城市水灾害突发事件往往呈现出态势演化迅速、影响面广泛等新的特点。加之大数据环境下，城市水灾害事件基础数据多源冗杂，且处于不断更新变化的状态，其应急决策和应急管理架构受到影响，传统的治水理念与模式面临新的挑战。因此，如何形成一套针对水灾害突发事件的完整解决方案，减少水灾害突发事件的发生并降低其造成的损失，迫切需要构建城市水灾害突发事件安全预警和快速响应平台，融合全生命周期管理的理念，实现资源共享和综合管理，以提高城市应对水灾害突发事件的能力。

1. 水灾害突发事件决策组织研究

范维澄院士[1]等于 2005 年从应急系统构建角度对我国应急平台建设进行了总体构思，在 2006 年对我国突发事件应急平台建设现状进行了分析，并于 2007 年对我国国家突发事件应急管理给出了科学思考与建议，明确提出了复杂条件下的应急决策问题。Tingsanchali[129]分析了洪水危害和分布现状，发现全球超过一半的洪水灾害发生在亚洲，带来巨大人员伤亡和财产损失，目前洪水灾害管理由政府来主控，非政府机构和个人参与非常有限，缺乏各级政府、非政府、私有机构及公众协同参与的积极的洪水灾害管理，提出了集成长期和短期灾害管理活动的洪水灾害管理战略框架，并将该框架在泰国城市洪水灾害管理中进行了探讨和应用。方琦[130]分析了我国城市水灾害防御体系的现状，指出其存在规划不合理、协调管理差、抗风险能力低及设施养护不力等问题，从总体规划和设计等方面着手，构建城市水灾害防御体系和实施联动机制，为城市水灾害防御提供借鉴和参考。吴浩云和金科[4]以太湖流域为研究对象，针对太湖流域水灾害具有水灾害管理组织涉及人类活动强烈、经济社会快速发展、需要跨省市多部门协调等特点，认为目前解决水灾害措施主要依靠现有"治太"骨干工程，并从组织机构、法规制度、工程建设、应急预案等角度提出解决和预防水灾害对策。龙献忠和安喜倩[131]从善治视角分析城市型水灾害防治中公民参与的必要性和优势，利用善治理论，通过打造主动化、制度化、组织化、多样化的公民参与方式，提出城市型水灾害防治中公民参与的最优路径。李红艳[9]界定了突发水灾害事件概念，分析了政府组织、非政府组织、企业和公众等参与主体的职能，利用博弈论理论，构建同等级政府职能部门之间、企业之间的囚徒困境博弈关系模型和不同等级的中央政府、地方政府和公众之间的"委托-代理"博弈关系模型，同时动员社会力量减少监督成本，实现各参与主体利益与社会利益的最大化。张乐等[10]通过突发水灾害应急合作的行为博弈模型研究，研究了非常规突发水灾害系统宏观强互惠和多 Agent 协同演化，以刻画和描述非常规突发水灾害事件的应急合作机制，形成以政府为主导、多主体无缝合作的共识方案，实现和支持"情景—沟通—合作—共识/认同—行动"的动态应急决策过程，并将理论成果在构建的仿真系统中进行验证。徐绪堪等[132]针对突发事件不同阶段、不同用户的决策需求，以资源和问题为双驱动，基于应急经验知识，构建了形式-特征-决策三级应急情报融合框架，促进了支撑突发事件快速响应的应急情报产生。

谢丹和朱伟[133]通过分析目前城市化进程和城市暴雨特点，构建了城市突发暴雨灾害情景，将暴雨灾害划分为不同类型的暴雨灾害危机事件单元，借助情景分析方法，结合暴雨灾害事件发展过程中的不确定性和动态性，构建了突发暴雨灾害情景，为城市暴雨灾害应急管理提供清晰准确的方法和目标，提出了暴雨灾害应急管理对策，降低了暴雨灾害损失。Zhang 和 Pan[134]分析认为，目前城镇化和人类活动不断加快，导致城市频繁出现内涝和低洼地区被淹没，已有的暴雨仿真模型非常复杂，由于需要大量详细的地形、地表和地下数据导致模型难以投入实际运行，为了通过常用的少量有效数据的输入来快速仿真城市淹没效果，在数据高程模型基础上，结合低洼点集水能力和地表径流构建基于 GIS 的暴雨淹没模型，最后选择哈尔滨市南岗区来验证构建的模型，结果表明，通过少量有效数据能快速仿真城区淹没深度和区域，为城区内涝预防和处理提供决策支撑。张振国和温家洪[135]选取上海市普陀区金沙居委地区为研究对象，在综合考虑暴雨内涝形成的自然和人为因素基础上，设定了 4 种排水条件和 8 种自然重现期组合的 32 个暴雨内涝灾害情景，应用 PGIS(police geographic information system) 和情景分析方法对金沙居委地区暴雨内涝危险性进行模拟与分析，为城市社区尺度的暴雨灾害风险评价与应急管理提供决策依据。Chang 等[136]认为城市防洪任务艰巨，为了降低洪水导致的损失，在线精确预测汛期洪水程度的模型建设显得非常必要，利用递归神经网络方法，将实时多步水位预测应用于城市防洪。陈德清和陈子丹[137]认为防汛信息系统应该以洪灾损失最小为总目标，明确防汛信息系统主要由信息采集、信息传输、数据库及数据库管理、支撑平台、信息服务与应用五部分构成，各部分之间通过数据和信息相互联系，突出其防汛应急指挥和信息服务的功能，以支持防汛决策过程的不同阶段。徐希涛等[138]通过分析防汛信息特点，明确了空间地理信息与防汛信息密不可分，将地理信息系统用于防汛信息采集、存储、管理、处理、检索、分析和展现，为防汛决策提供有力的技术支持和保障。曾欢[139]为了实现水灾害应急管理中资源优化配置，对灾情进行全面管理、全程监控和智能决策，根据长三角地区的实际情况，借助地理信息技术，提出了水灾害应急管理信息系统建设思路和内容，对防灾救灾全过程进行管理，对不同情况进行水灾害的救助和管理提供辅助决策。徐绪堪和李一铭[140]针对城市洪涝突发事件态势演化迅速、难以控制的特征，对突发事件进行情景要素分解，引入支持向量机 (support vector machine, SVM) 和相似度算法，基于粒度原理构建了一种融合情景的动态响应模型。张海涛等[141]将情报学分析方法与智能决策技术深度结合，融合萌芽期预警、爆发期处置、消散期管理三大功能，构建了情报智慧赋能的重大突发事件智能协同决策模型。

2. 城市水灾害突发事件界定

城市水灾害突发事件是自然灾害类突发事件的一种，主要指在城市区域范围内发生的江河洪水、渍涝灾害、山洪灾害 (指由降雨引发的山洪、泥石流、滑坡灾害)、台风暴潮灾害，以及由洪水、风暴潮、地震、恐怖活动等引发的水库垮坝、堤防决口、水闸倒塌、供水水质被侵害等次生衍生灾害。城市水灾害突发事件在事前、事中、事后环节中涉及多个部门不同的人员，其中安全预警与快速响应平台贯穿整个突发事件处理过程。

城市水灾害突发事件安全预警与快速响应平台主要涉及水利局、建设局、气象局、水文局、财政局、经信委、医院、电视台、民政局等不同业务部门，包括水灾水情数据 (时间、区域、降雨量、灾害等级、受灾人数等)、城市建设数据 (交通路线、房屋建筑、排水系统等) 和应急管理数据 (应急预案、救助审批、部门组织机构等) 等基础数据，通过数据采集、分析、处理和挖掘分析，满足安全预警与快速响应两大需求。

3. 城市水灾害突发事件安全预警与快速响应

城市水灾害突发事件安全预警与快速响应平台主要是应用当前先进的计算机技术、数据库技术、网络技术、水灾事件数据、业务综合管理体系等[142]，从情报分析角度对城市水灾害突发事件数据的录入、传播和管理，策略应对和预警决策等环节进行全程管理[77]。平台主要包括多源知识获取和预处理、案例知识库的构建、策略相似度模型构建和安全预警平台构建四个部分。图 6-9 为城市水灾害突发事件安全预警与快速响应平台框架，构建了一个以大数据环境为基、水灾害突发事件知识融合为力、水灾害突发事件知识流控制为策、安全预警和快速响应为标的城市水灾害突发事件快速响应知识融合模型，可为政府提供准确预警和科学辅助决策。

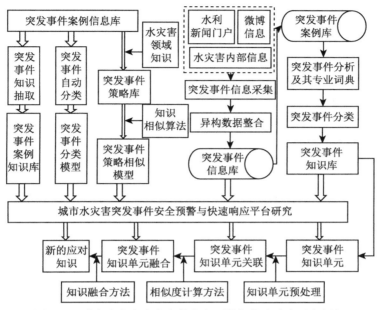

图 6-9　城市水灾害突发事件安全预警与快速响应平台框架

1) 城市水灾害突发事件多源知识获取和预处理

城市水灾害突发事件信息采集主要有三个层次。首先，以城市水灾害、降雨、水位等主题从海量信息中和从中国气象网、中国水利部等门户网站爬取城市水灾害相关信息；其次，通过新浪微博、腾讯微博、搜狐微博和网易微博等几大知名微博可读取数据的 API，直接调用 API 获取微博信息；再次，从水灾害主要政府部门的业务系统中获取水灾害相关实时数据；最后，将这三类数据按照城市水灾害突发事件数据规范格式进行统一预处理来规范和存放。

2) 城市水灾害突发事件案例知识库构建

为了集成、共享和利用城市水灾害突发事件预防和处理经验，以安全预警和快速响应为驱动，采用主动方式来组织水灾害突发事件案例和策略资源。主要通过采集过去曾经出现的城市水灾害突发事件的发生过程及其应急方案多源多形式资源，融入城市水灾害领域知识[143]，构建问题驱动的城市水灾害突发事件案例知识库，为辅助决策打下数据基础。城市水灾害突发事件案例知识库主要包括城市水灾害突发事件案例本体构建、基于支持向量机的突发事件分类模型构建两部分。

(1) 城市水灾害突发事件案例本体。将城市水灾害突发事件案例本体定义为

$E = (C, P, I, D)$，其中 C 表示城市水灾害突发事件类型，如严重、很高、较高、警戒和低等；P 表示属性，如城市水灾害突发事件案例主旨、扩展信息、分类信息、分级信息、分期信息、信息源、时间序列等；D 表示数据类型，其中属性和类直接遵循一定的约束规则，所有分布式多源数据来源于中国气象网、中国舆情网舆情监测等公网、平原河网地区城市降雨模型等各类业务和日志数据，借助知识组织理论和方法，对城市水灾害突发事件的不同知识节点进行关联，方便对突发事件分类和应对策略的检索利用。

(2) 基于支持向量机的突发事件分类模型构建。结合平原河网地区城市水灾害突发事件特征，主要针对江河、洪水、渍涝灾害、台风暴潮灾害及次生衍生灾害等类别对城市水灾害突发事件进行细分，借助支持向量机对突发事件的案例进行训练，把城市水灾害突发事件分为简单、一般和复杂三大类别，以案例库中突发事件的预警期、爆发期、缓解期和善后期为类别特征，借助知网、水灾害突发事件词典和关键词底表，对不同类型城市水灾害突发事件进行关联和分类，有助于提高案例信息加工、处理、组织的精度，提高城市水灾害突发事件安全预警的准确性和效率。

3) 城市水灾害突发事件策略相似度模型构建

为了充分利用已发生的城市水灾害突发事件应对策略，提高城市水灾害突发事件应对能力，从结构和语义上构建城市水灾害突发事件策略相似度模型，对于常见的城市水灾害突发事件，可以搜索相似度高的案例和策略形成应对策略，为新出现的城市水灾害突发事件提供最为相似的应对策略，并确定城市水灾害突发事件应对策略关键信息，形成城市水灾害突发事件应对策略库，构建城市水灾害突发事件应对策略相似计算模型。

通过城市水灾害突发事件案例和策略库中的类别，将同类城市水灾害突发事件的应对策略规范化为知识单元，并量化知识单元关联程度，通过案例和策略之间的映射，建立城市水灾害突发事件应对策略相似度计算模型，设定相似度阈值以判断城市水灾害突发事件的进展、政府应对策略和应对策略效果的相似程度。基于该模型，新的城市水灾害突发事件能够从中获取有针对性和可供借鉴及参考的相似的应对策略，可以对新发生的城市水灾害突发事件提供有效的应对策略支撑。

4) 城市水灾害突发事件知识融合模型构建

简单的城市水灾害突发事件，无法直接从已有案例和策略库中获取应对策略，需要借助知识融合方法产生新的应对策略。假定城市水灾害突发事件知识资源对象集合 WE 和策略知识集合 ANS，突发事件知识资源到策略的映射 $f_1: f_1 \in \{f\}$，WE→ANS，城市水灾害突发事件问题 $O_1 = \{o_1, o_2, \cdots, o_i\}$，形成城市水灾害突发事件知识单元网络，结合城市水灾害情景，获取融合规则和算法，集成城市水灾害领域知识、气象信息、水灾害突发事件现状、城市集水面积等各类信息资源，形成水灾害突发事件知识单元语义网，通过深度挖掘进行城市水灾害突发事件知识聚合，产生应对城市水灾害突发事件的可选策略，对内为政府机构应对城市水灾害突发事件提供决策服务和预案参考，对外为公众提供城市水灾害突发事件公众信息窗口，最后通过可视化技术展现给各类用户。

6.9　本　章　小　结

本章在介绍国内外突发事件决策需求的研究现状的基础上，提出突发事件的应急决策应该借助多源数据融合方法深入研究突发事件决策需求宏观架构和微观组织过程。首先，明确界定突发事件决策需求的对象、特征、边界、类型和内容；然后，构建突发事件决策需求组织过程的总体框架，从突发事件事前预警阶段着手，通过采集工具和方法实现突发事件信息采集，并按照相关规范要求入库；基于多源数据形式的融合，精准化识别决策需求；基于数据特征的融合，对决策需求进行关联再生；基于情景融合，跟踪应对决策需求的实时变化，在突发事件演化的各个阶段，完善形成适应情景变化的突发事件决策需求；最后，以突发公共卫生事件——新冠肺炎疫情和水灾害突发事件为例，展示突发事件决策需求的组织过程。

第 7 章　突发事件决策需求的关联和再生

为了快速高效获取精准的决策需求，更好地服务突发事件快速响应，将多决策层突发事件决策需求细分为战略决策高层复杂决策需求、战役指挥中层一般决策需求、战术执行基层简单决策需求三个层次。在第 2 章分析突发事件决策需求现状的基础上，结合第 3 章突发事件决策需求总体框架，本章将针对多决策层突发事件的决策需求，在突发事件决策需求相关数据规范清洗和优化组织的基础上，以服务突发事件快速响应为目标，借助知识元模型、粒度原理等手段形成决策需求的关联和再生过程，促进突发事件决策需求知识化，以促进突发事件决策需求能快速理解、高效响应和深度应用。

基于数据特征融合的决策需求关联和再生过程，是在多源数据和决策需求的基础上，侧重对多主体、多层次决策需求的精细化管理，不仅从微观明确各个主体的决策要求，而且从宏观整体视角分析管理多阶段、多层次、多主体的决策需求，对突发事件决策需求进行网格化管理，利用粒度原理对多源数据和决策需求进行粒度化表示，并通过关联方法来量化多源数据、决策需求及多源数据和决策需求之间的关联，分析和量化多源数据的冲突，构建多源信息和决策需求映射，融合决策主体的行为，结合领域知识设定关联阈值，挖掘隐性的决策需求，形成突发事件决策需求预警；通过对突发事件决策需求和多源数据的关联，形成复杂的、精细化的突发事件决策需求再生网，促进决策需求知识化，催生突发事件情报产生，有效提升突发事件快速响应效率，从而最大限度地降低突发事件导致的损失。

7.1　数据特征融合的决策需求关联和再生总体架构

第 5 章已针对不同类型突发事件，设计了突发事件决策需求采集、初步匹配和识别的过程，形成了一般的突发事件决策需求，促进了决策需求优质化。

首先，面对同样的突发事件资源信息，不同层次决策者的决策目标和要求完全不同，宏观政策研究人员需要从总体上把握问题，他们的研究是建立在大量的粗粒度上相似的资源信息，而对具体问题，研究人员需要从细节上把握，他们更需要细粒度上相似的资源信息或者说相似度更高的资源信息，更甚者，需要在不同角度、不同粒度资源信息之间相互转换，综合考虑以解决问题。

其次，突发事件应急处理时需要综合考虑承灾体、孕灾环境等多种要素，根据动态环境变化反复研判才能形成应急处理的方案。当各级决策者依据决策需求做出应对预案后，还要根据突发事件反馈数据进行及时调整，结合领域知识和决策主体的要求关联再生出新的决策需求信息，做出新的决策应对方案。

因此，本章需要在第 5 章的基础上对突发事件决策需求进行更深入的分析和关联，以促进决策需求知识化。决策需求关联的任务是采集多主体、多层次决策之间的关系，挖掘历史突发事件的潜在特征规律、应急处理规律、灾害损失规律等，从而实现决策需求和多源数据的语义关联，促进决策需求知识化，形成复杂的、精细化的突发事件决策需求再生网，形成突发事件预警和响应知识，为多主体、多层次的决策提供有效支撑。基于此，构建决策需求关联再生总体架构，如图 7-1 所示。

决策需求关联和再生总体架构自上至下呈现数据层、关联层和再生层的层次。决策需求关联所需的数据为经过前几章采集、规范和优化组织过后的突发事件公开数据、决策需求组织信息，在关联再生总体架构中突发事件公开数据主要包括决策主体行为数据、领域知识、突发事件反馈数据。

关联层在运用关联方法进行关联之前，需先利用粒度原理从多源数据和决策需求的概念、属性、关联三个方面对多源数据和决策需求进行知识元表示，即形成决策需求知识元、决策主体行为数据知识元、事件反馈数据知识元、领域知识元。关联层部分的关联可分为多源数据间关联、决策需求间关联及多源数据与决策需求间关联。

多源数据间关联又可分为决策主体行为数据间内部关联、领域知识数据间内部关联、突发事件反馈数据间内部关联、决策主体行为数据与突发事件反馈数据间外部关联、领域知识数据与突发事件反馈数据间外部关联。多源数据间内部关联的任务是分析同类数据的关系、量化同类数据的冲突；而多源数据间外部关联的任务是分析不同类数据之间的关系，挖掘出突发事件反馈数据和决策主体行为数据之间的规律，通过领域知识和突发事件反馈数据的关联加强对突发事件的预判。不管是多源数据间内部关联还是多源数据间外部关联都是为后续多源数据与决策需求间的关联及需求的再生做基础。

决策需求间内部关联的任务是挖掘出历史突发事件不同决策主体决策需求的应急处理规律，从具体决策问题的需求出发，将预处理后的决策需求信息以适当的关联方法来实现。

再生层其实是对关联层关联结果的运用，依据多源数据与决策需求关联形成的语义关联网，挖掘出其中隐含的决策需求，形成优化的突发事件应对预案。

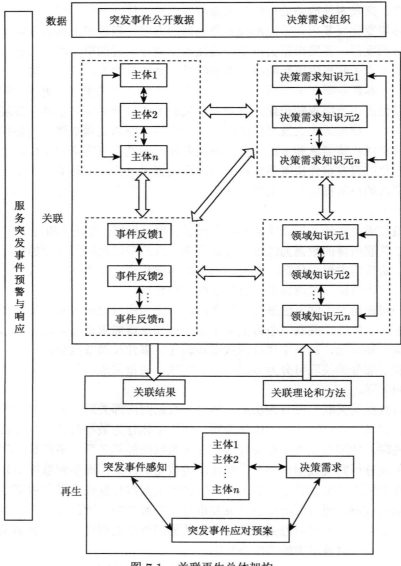

图 7-1　关联再生总体架构

7.2　关联相关理论和方法

随着国内外学者对突发事件应急决策研究的深入，突发事件多源数据利用不足的问题日益凸显。而多源数据在突发事件不同阶段、不同层次、不同主体间均存在一定的关联关系，挖掘多源数据与决策需求中潜在的关系与规律，对提高突发事件预警与响应效率具有深远的意义。

目前，已有部分学者开始关注突发事件中的关联关系。在突发事件相似案例匹配方面，李锋和王慧敏[145]基于知识元理论，利用超边相似度匹配算法，定量描述突发洪水灾害事件关联关系及程度，为研究事件演化、挖掘事件间隐藏关系提供支持。王晓和庄亚明[146]针对灾害资源需求预测问题，提出了一种基于案例推理的预测方法，在相似案例的基础上预测资源需求。而在多源数据关联关系挖掘方面，王曰芬和邢梦婷[147]基于本体构建社会舆情信息本体模型 (public opinion information ontology model, POIOM)，对社会舆情信息进行语义组织，揭示了社会舆情信息之间的多维度关联。徐绪堪等[70]为促进突发事件的快速响应，利用粒度原理粒度化突发事件决策需求，并通过距离熵量化多源数据与决策需求间的关联程度。唐亮和杜军平[148]基于 Apriori 算法对旅游突发事件相关规则进行挖掘，将关联规则加以利用实现对突发事件的预测。贾萌等[149]为了有效预防民航鸟击事件，提出一种基于 FP-growth(frequent-pattern growth) 算法的民航鸟击事件关联性分析方法，挖掘出鸟击事件各属性间潜在的、有价值的关联规则。

综上所述，对突发事件多源数据及决策需求的关联分析，通常建立在知识元理论、粒度原理的基础上，运用相似度、距离熵、Apriori、FP-growth 等方法，适当结合案例推理方法来实现。本节将对上述理论及方法进行介绍。

7.2.1 知识元模型

目前，对于知识的表示和管理，比较经典的方法有谓词逻辑、规则、语义网络、框架、面向对象及本体等表示方法[150]，但这些方法均不能让知识表示面向多领域，实现有效推理和有效表达等要求。

知识元模型因其本原性、细粒度性，有利于对知识进行有效的存储、查询和共享，被广泛应用于突发事件应急领域，能够为应急决策问题中多领域、多学科的知识集成提供较好的支持。王延章[151]针对上述知识表示方法存在的不足，提出了共性知识元模型的表示方法，并将其扩展到突发事件领域，有效地实现了面向多领域、多知识、信息和模式的突发事件管理。仲秋雁等[152]结合系统动力学模型与知识元模型，构建了一种突发事件仿真方法，为突发事件相关理论、方法的集成提供参考，有助于突发事件领域知识的融合。Chen 和 Xiao[153]基于客观事物系统本原的视角，构建了突发事件知识元网络模型，较为综合、微观、跨领域、跨学科地分析了突发事件演化规律。

此外，利用知识元模型对隐性关系进行描述，不仅可以有效减少描述工作量，还可以增强关联关系的可扩展性，解决显性知识元关联关系描述不完全及推理不完备等问题。陈雪龙等[154]为了有效地解决应急管理中对多领域、多学科知识进行融合与推理的问题，从客观系统本原的角度出发，构建了非常规突发事件知识元模型，实现了知识元网络的推理与再生。另外，知识元因其本原性、细粒度性能够对融合规则等实行管理，且通过隐性方式对知识及关联关系进行管理，能够有效解决数据融合过程中知识库巨量性的问题。因此，知识元建模能为多源数据和决策需求之间的融合提供知识支持。

高国伟等 [155] 认为，知识元是不能再分割的、具有完备知识表达的、独立的知识单位，可作为构造知识的基本单元，具有稳定性、独立性和完整性。梳理知识元模型的相关研究文献可知，知识元模型大致可分为事物对象基础知识元、属性知识元和属性映射关系知识元。

事物对象基础知识元 K_m 由名称集、属性集和关系集组成，可表示为一个三元组 $K_m = (N_m, A_m, R_m)$。其中，N_m 表示对象概念及属性的名称，A_m 表示可测属性的状态集，R_m 则表示 $A_m \times A_m$ 上的数理逻辑关系和函数描述的映射关系，可用于描述各属性间的相互作用。

属性知识元表示为三元组 $K_a = (p_a, d_a, f_a)(a \in A_m)$。其中，$p_a$ 为可测特征描述 (如线性、非线性、隶属、模糊、随机等)，d_a 为测度量纲，f_a 是属性的时空函数，是对属性时空变化规律的描述。

属性映射关系知识元表示为 $K_r = (p_r, A_r^I, A_r^O, f_r)(r \in R_m)$。其中，$p_r$ 描述关系 r 所具有的映射属性 (包括线性关系、非线性关系、结构关系、隶属关系、模糊、随机、函数映射等)，A_r^I 表示关系中输入属性的状态集，A_r^O 表示关系中输出属性的状态集，f_r 则表示具体关系的映射函数，且 $A_r^O = f_r(A_r^I)$[127]。

7.2.2　粒度原理

在突发事件应急响应过程中，面对大量、异构的多源主、客观数据，有必要对其进行科学的知识组织与管理，以便有效利用知识实现突发事件的快速响应。在传统知识组织过程中，通常选取同一粒度大小对知识进行分类和聚类，而应急决策需要不同粒度的知识对其进行支撑，否则无法满足决策主体个性化的决策需求。利用粒度原理对多源数据和决策需求进行粒度化和归一化，构建多源数据和决策需求知识元，针对不同层次、不同主体的要求，选择适应层次和主体的粒度知识进行关联和再生，有助于挖掘隐性决策需求，促进科学决策的产生。在对多源数据和决策需求进行粒度化之前，需结合粒度原理明确粒度的定义和大小、粒度知识的构成及粒度知识聚合度。

1. 粒度的定义和大小

在给定的论域 U 和 U 上的关系 $R: U \rightarrow P(U) \Rightarrow U = \cup i \in \tau(G_i)$，其中，$G_i$ 表示第 i 个信息粒子，$G_i \in \tau$ 表示论域的粒度，而 R 则表示不可区分关系、功能相近关系、相似关系、相等关系、模糊关系和复合关系等关系。式中，粒子 G 的大

小为 $\mathrm{Card}(G) = |G| = \int G(x)\mathrm{d}x, x \in R$。当论域为离散状态时，粒子大小可用信息粒子 G 所含个体的总个数表示；当论域为连续状态时，粒子大小则为信息粒子 G 的长度；当 G 为模糊的信息粒子时，G 的集合应表示为 $\left\{ x | U_{G(x)} > 0, \forall x \in U \right\}$。

2. 粒度知识的构成

任意粒度的知识均由概念及属性、功能和关联三个部分构成。其中，概念及属性主要用于描述粒度知识的定义和其所具备的属性特征；功能则用于描述粒度知识所能解决的问题；关联则包括粒度知识内部关联、不同粒度知识间关联及特定情景的粒度知识间关联三种关联模式。

3. 粒度知识聚合度

知识之间的关联程度常用粒度知识聚合度来描述。假设知识 M_1 使用的活动数目为 $A(M_1)$，同时使用知识 M_1 和知识 M_2 的活动数目记为 $A(M_1, M_2)$，则 M_1 和 M_2 的聚合度为 $I(M_1, M_2)$，计算公式为

$$I(M_1, M_2) = \frac{A(M_1, M_2)}{\dfrac{1}{A(M_1)} + \dfrac{1}{A(M_2)}} \tag{7-1}$$

如果是多个知识 $M_1, M_2, \cdots, M_i$，则聚合度为 $I(M_1, M_2, \cdots, M_i)$，计算公式为

$$I(M_1, M_2, \cdots, M_i) = \frac{A(M_1, M_2, \cdots, M_i)}{\sum \dfrac{1}{A(M_i)}} \tag{7-2}$$

借助粒度原理将各类知识粒度化，按照粒度粗细程度可划分为知识元、知识单元和源文献三种粒度知识。其中，知识元的粒度最细，可根据知识间关联程度分成粒度群 $D\text{-}1$、$D\text{-}2$、$\cdots$、$D\text{-}p$；而知识单元粒度较粗，是根据用户的不同知识粒度需求，设置阈值 α 对粒度群 $D\text{-}1$、$D\text{-}2$、$\cdots$、$D\text{-}p$ 进行聚类后形成的知识单元 $B\text{-}1$、$B\text{-}2$、$\cdots$、$B\text{-}p$，这些知识单元既包括显性知识又包括隐性知识，通过对知识单元进行整理、排序和归纳可形成知识单元间的横向关联，实现知识的初步融合。而源文献的粒度最粗，它是由大量的知识单元进行分类、推理、挖掘、关联等一系列处理后形成的更大粒度的知识，在此过程中改变了知识单元原有的联系，产生了新的知识[156]。

在突发事件响应中，利用粒度原理对突发事件多源数据和决策需求的概念、属性及关联进行刻画，多源数据对象知识元可表示为 $O_m = (C_m, A_m, R_m, \mathrm{BF}_m)$，其中，$C_m$ 表示对象概念及属性集合；A_m 表示经过提取后的重要关键词形成的集

合；R_m 描述与其他数据源或决策需求间的关联及映射；BF_m 表示数据源的信任度，经过粒度化的知识元模型为多源数据和决策需求基于关联和信任度进行深度关联和融合提供便利。

7.2.3　关联方法

1. Apriori 关联方法

1) 定义

Apriori 算法是由 Rakesh Agrawal 等学者于 1994 年提出的一种通过限制候选迭代产生频繁项集的关联规则挖掘基本方法。

Apriori 算法作为关联规则挖掘领域的经典算法，因挖掘能力强，具有结构简单、易于理解、无复杂推导等优点，获得广泛的应用。杨小廷[157] 基于 Apriori 算法对相邻时间段内的微博话题标签进行关联规则挖掘，并构建演化模型完成微博话题的检测与演化分析。孙达明等[158] 利用 Apriori 算法对用户行为模式进行挖掘，形成基于用户行为模式的数据关联关系。周志威[159] 提出了一种 Apriori 改进算法，研究融合领域知识的关联规则，设计并提出了融合领域知识规则的再处理办法，高质量地实现了关联规则知识发现。此外，在突发事件关联规则挖掘研究方面，邱明月[160] 运用 Apriori 算法分析了草原火灾案件的具体特征与影响因素之间的关联特征等，为草原火灾预测预警的信息化建设提供了参考。

由此可知，运用 Apriori 算法对突发事件多源数据和决策需求进行关联，能够较好地挖掘隐藏在数据项间的潜在关系，促进突发事件预警和快速响应。

2) 具体原理

Apriori 算法包括两个阶段：一是根据事先设定的最小支持度阈值，扫描事务数据库，检索并生成所有的频繁项集；二是根据最小置信度从频繁项集中检索出强关联规则。其中，阶段一中频繁项集生成的步骤如下。

(1) 找到频繁 1 项集。扫描事务数据库，用 $\mathrm{sup\_count}(A)$ 表示事务项集 A 出现的次数，$\mathrm{count}(T)$ 表示事务的个数，$\mathrm{min\_sup}(A)$ 表示频繁项集的支持度，将大于等于最小支持度的单个事务项称为频繁 1 项集，记做 L_1。频繁项集的支持度计算公式为

$$\mathrm{min\_sup}(A) = \frac{\mathrm{sup\_count}(A)}{\mathrm{count}(T)} \tag{7-3}$$

(2) 连接。在第 k 次循环中，对第 $(k-1)$ 步的频繁项集 L_{k-1} 进行连接，生成候选 k 项集集合 C_k，并得到频繁 k 项集 L_k。设 l_1 和 l_2 是 L_k 的项集，$l_i[j]$ 表示项集 l_i 的第 j 项。Apriori 算法会默认把项集或事务集中的项由小到大进行排序，即 $l_i[1] < l_i[2] < \cdots < l_i[k]$。现有项集 l_1 和 l_2，若它们前面的 $(k-2)$ 项分别相等，那么 Apriori 算法认为项集 l_1 和项集 l_2 是可连接的。用公式进行表示：如

果 $(l_1[1] = l_2[1]) \cap (l_1[2] = l_2[2]) \cap \cdots \cap (l_1[k-2] = l_2[k-2])$ 时，项集 l_1 和项集 l_2 是可连接的，连接后的项集为 $(l_1[1], l_1[2], \cdots, l_1[k-1])$，可知该项集为 k 项集。

(3) 剪枝。C_k 是频繁 k 项集 L_k 的超集，它既可以是频繁的也可以是非频繁的，但所有频繁 k 项集都包含在 C_k 中。首先，扫描数据库，确定 C_k 中每个候选的计数，接着根据设置的最小支持度确定 L_k。由于任何非频繁 $(k-1)$ 项集都不可能是频繁 k 项集的子集，所以如果一个候选 k 项集的 $(k-1)$ 子集不在 L_{k-1} 中，则该候选 k 项集是非频繁的，可以将其从超集 C_k 中删除，从而检索并生成所有的频繁项集。

阶段二产生强关联规则是在频繁项集生成之后，通过置信度来输出强关联规则，若 A、B 为事务项集，则置信度为

$$\text{confidence}(A \Rightarrow B) = \frac{\text{sup\_count}(A \cup B)}{\text{sup\_count}(A)} \tag{7-4}$$

定义 min_conf 为最小置信度阈值，对于每一个频繁项集 l，产生 l 的所有非空子集；对于每个非空子集 s，如果满足下式，则输出规则 $s \Rightarrow (l - s)$。

$$\frac{\text{sup\_count}(l)}{\text{sup\_count}(s)} \geqslant \text{min\_conf} \tag{7-5}$$

2. FP-growth 关联算法

1) 定义

FP-growth 算法是由 Han 等于 2000 年提出的一种新的频繁模式增长算法。它的核心思想是在保留项集关联信息的基础上，将提供频繁项集的数据库压缩成一棵频繁模式树 (FP-tree)；然后，将压缩后的数据库分化成一些条件–库，每个条件–库分别与一个长度为 1 的频繁项相关，接下来分别挖掘每一个数据库。

FP-growth 算法效率比 Apriori 算法提高了许多，对不同长度的规则也有很好的适应性，因此在研究突发事件关联关系、获取强关联规则方面得到了应用。田友[161] 在 FP-growth 算法的基础上提出了频繁模式树等价类改进算法等算法，通过对关联规则挖掘算法的研究，获取了在旅游突发事件数据中隐藏的有用信息。马蓉蓉等[162] 采用 FP-growth 算法分析了青海省高寒草地植被覆盖退化与影响因子之间的关联关系。王光源[163] 通过文本挖掘的方法获取了瓦斯类应急案例中的领域概念知识元，通过 FP-growth 算法抽取领域知识元间内在的联系，挖掘了领域概念间的隐性知识。

2) 具体原理

将 FP-growth 算法概括分为两个阶段：频繁模式树的生成、频繁模式的挖掘。频繁模式树的生成又包含两个步骤。

步骤 1：扫描事务数据库一次，产生频繁项目集合及其支持数；然后对所有的一项集按其支持数降序排列，生成频繁项目列表。另外，在第一次扫描数据库之前，还需要进行一些频繁模式的支持度、可信度设置等初始化工作。

步骤 2：第二次扫描事务数据库，创建标记为"NULL"的根节点和频繁项目头表。将每个事务中的项目按照频繁项目列表中的次序处理，创建一个分枝。然后将每条事务逐个加入，构建事件的 FP-tree。

频繁模式的挖掘：从事件 FP-tree 的频繁项目头表开始，对于一频繁项目按照头表中的节点头域遍历 FP-tree，以此列出能够到达此项目的所有前缀路径，得到对应项目的条件模式基。对于每个项目的条件模式基，分别计算每个项目的支持数，并构造相应的条件模式树。接下来，对条件模式树进行递归挖掘。最后，根据频繁项集产生关联规则。

3. 案例推理原理

1) 定义

案例推理 (case-based reasoning, CBR) 由 Schank 和 Abelson 于 1977 年提出，是一种用已有的案例经验去解决类似问题的推理方法。由于突发事件间存在类型、等级、持续时间、发生区域等特征相同或相似的情况，匹配相似案例能为应急预案提供参考依据。因此，越来越多的学者运用案例推理对突发事件应急决策进行研究。李磊等[164]将案例推理理论应用到铁路应急决策中，提高了铁路行车事故应急处置能力。张国军等[165]针对地震应急救援问题，提出了基于案例推理的决策方法，根据案例的不同特征属性，运用相应的相似度算法，实现地震突发事件间的关联。张聆晔等[166]基于案例推理方法提出了一种应对海盗袭击事件的应急方案选择方法，引入"结构相似度"来提高案例匹配的精确度，确保应急响应及时有效。董银杏等[167]基于对燃气突发事件的应急决策关键因素的分析，结合案例推理法提出了一种燃气突发事件应急决策方法。

2) 具体原理

案例推理求解问题的过程包括案例表示、案例检索、案例重用或调整、案例保存四个步骤。在案例推理中，一般将待解决的问题称为目标案例。首先，收集历史案例的特征属性、解决方案等信息，利用知识元模型等方法对案例进行合理的组织与表示，形成案例库。其次，提取目标案例的特征属性，利用层次分析法等方法确定特征属性的权重向量，运用 K-近邻算法等计算案例库中历史案例与目标案例之间的相似度，匹配最佳相似案例。再次，判断相似案例解决方案是否适用于目标案例。若适用，则重用该方案；若不适用，则根据最相似案例的解决方案修改和调整。最后，若进行了方案调整，则将该案例及修改后的解决方案存储到案例库中，以备以后检索之用。其流程图如图 7-2 所示。

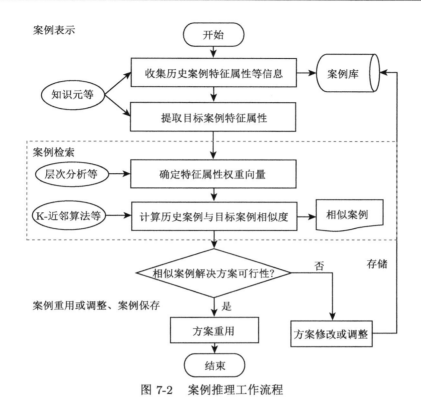

图 7-2 案例推理工作流程

7.3 突发事件决策需求关联再生过程设计

在突发事件应急过程中，需要在情况紧急的环境下快速解决具体问题，这些问题通常呈现复杂性和紧迫性，需要在全面了解并采集突发事件各阶段信息的基础上，针对问题进行分类组织。通过对决策主体行为、事件反馈信息、领域知识等多源数据及决策需求分别进行纵向内部关联和横向外部关联，挖掘历史突发事件的潜在特征规律、应急处理规律、灾害损失规律等，产生对突发事件应急响应有用的信息或者决策，为突发事件快速响应提供及时且可靠、有效且科学的信息支撑。

突发事件多源数据及决策需求关联再生流程图如图 7-3 所示。首先，利用粒度原理对多源数据资源库和决策需求资源库信息进行粒度化表示，构建突发事件知识元模型，得到决策主体知识元、事件反馈知识元、领域知识元和决策需求知识元。然后，借助合适的关联算法将四类知识元分别进行纵向内部关联和横向外部关联，挖掘其中的关联规则并筛选得到有效的关联规则集。最后，可直接对有效规则进行解读与分析，实现突发事件决策需求知识的再生；也可辅助案例推理的方法，进一步对有效的关联规则进行因果关系对的学习。

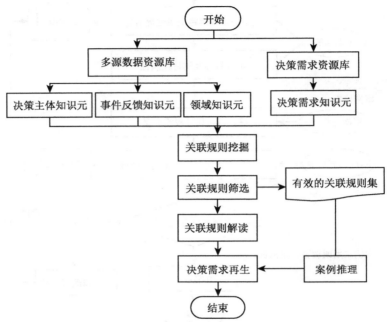

图 7-3　突发事件多源数据及决策需求关联再生流程图

1. 多源数据间关联过程

突发事件多源数据按其类型可分为决策主体行为数据、突发事件反馈数据和领域知识数据。多源数据间关联涉及纵向内部关联和横向外部关联。其中，纵向内部关联包括决策主体行为数据间内部关联、突发事件反馈数据间内部关联、领域知识数据间内部关联；而横向外部关联则包括决策主体行为数据与突发事件反馈数据间关联、领域知识数据与突发事件反馈数据间关联。

多源数据间纵向内部关联用于补充同类数据的缺失信息、量化同类数据的冲突、分析同类数据间关系，从而提高数据及其关联规则的准确性与有效性。而多源数据间横向外部关联则用于分析不同类数据间关系，实现不同类数据融合，为快速、科学决策提供有效支撑。其中，决策主体行为数据与突发事件反馈数据间关联，用于挖掘不同决策主体与同一事件反馈和同一决策主体对不同事件反馈之间的关系，便于决策主体针对具体事件反馈制定应急决策。而领域知识数据与突发事件反馈数据间关联，用于发现突发事件反馈数据中涉及的领域知识，便于利用相应的领域知识加强对突发事件的预判，实现对具体突发事件当前状况的快速响应。

2. 决策需求间关联过程

决策需求间内部关联涉及同一突发事件不同决策层级的不同决策需求及不同突发事件的不同决策需求，前者解决的是横向关联问题，后者解决的是纵向关联问题，基于此挖掘出历史突发事件不同决策主体决策需求的应急处理规律，从具体决策问题的需求出发，将预处理后的决策需求信息通过适当的关联方法来实现。

首先需要通过适当的方法挖掘决策需求资源库中的决策需求知识元，如Boots-Strapping、TF-IDF 等方法。然后对决策需求知识元进行关联，基于不同决策层级的关联成果，可得到不同决策主体对同一突发事件应急处理决策需求的有效关联规则；而不同突发事件的不同决策需求之间的关联，是为了匹配到相似突发事件的相似决策需求及不同类型突发事件的相似决策需求，形成有效关联规则。接下来，对每条关联规则隐藏的历史突发事件决策需求之间的规律进行解读；然后，可将不同的关联规则进行联系解读，进一步挖掘新的知识。

3. 多源数据与决策需求再生过程

多源数据与决策需求间的关联又可分为决策主体行为数据与决策需求关联、领域知识数据与决策需求关联、突发事件反馈数据与决策需求关联。多源数据与决策需求间关联的任务是将历史突发事件决策问题的需求结合决策主体行为数据和领域知识，并根据突发事件反馈数据挖掘出新的突发事件决策需求。多源数据与决策需求间的关联着重为决策需求的再生与优化选择提供基础，而这个基础的形成即科学有效的关联结果的生成过程。因此，选用适当的方法将决策需求知识元分别与领域知识元、决策主体行为数据知识元进行关联，已经涉及关系映射与再生的问题。

知识与用户需求之间的映射主要是为了解决用户实际问题。在解决问题的过程中，将用户需求与知识的映射看成粗粒度映射，随着问题的解决，对映射进行不断地细化与分解，进而形成不同层次不同粒度的映射，如图 7-4 所示的知识和用户需求映射分解框架，而这些细粒度的用户需求与知识的映射均需通过不断细化的关联实现。

将用户需求和知识之间的映射记作粗粒度映射 RK。然而，仅仅通过这些粗粒度映射无法为用户提供有效的解答，还需要结合用户实际的需求，借助粒度划分对知识粗粒度映射进行细化，将粗粒度映射 RK 从粗粒度映射 RK_1、粗粒度映射 RK_2 一直划分到粗粒度映射 RK_n。对应的用户需求及知识也需要进行粒度划分，将用户需求、知识分别划分为用户需求 $1 \sim n$ 和知识 $1 \sim n$。将划分后的用户决策需求和知识进行关联，逐步解决用户的问题，直到满足用户的需求。同时形成用户决策需求与知识之间不同粒度的映射，建立不同层次用户需求与知识之间的多层次关联，为知识挖掘与推理提供依据[168]。

图 7-4   知识和用户需求映射分解框架

根据《中华人民共和国突发事件应对法》，依据事件的性质、演化过程和机理的不同，将突发事件划分为自然灾害、事故灾难、公共卫生、社会安全四类[169]。接下来，将不同类别的突发事件分别搭配不同的关联方法，对运用各种关联方法的决策需求关联再生过程进行举例说明。

7.3.1   自然灾害突发事件关联过程

自然灾害通常是指危及人类生命财产安全与生存条件的自然变异现象和过程。自然灾害种类繁多，根据灾害发生原因分为大气圈与水圈灾害、生物灾害、森林草原火灾、地质灾害。其中，大气圈与水圈灾害表现为气象灾害和海洋灾害等，包括干旱、洪涝、风暴潮、海啸等；地质灾害包括地震、山体崩塌、泥石流、土地冻融等；森林草原火灾包括因雷击、火山爆发等自然因素和人为因素引发的火灾；生物灾害包括农作物灾害、草原病虫鼠害等。本小节以草原火灾为例，结合 Apriori 算法构建自然灾害突发事件关联过程，步骤如下。

(1) 草原火灾突发事件历史数据库构建。通过调研、收集草原火灾真实案例，每份案例包括案号、基本案情等信息，建立历史数据库，数据库中每一条记录代表一例草原火灾突发事件。

(2) 草原火灾突发事件数据预处理。首先，对历史数据库进行数据清洗、筛选，提取出影响草原火灾的因素，具体包括案件类型、发生地点、发生日期、火灾原因、周边环境、处置有效性、事件影响等。接着，通过分类、概化等方法，对所提取的不完整、冗余的影响因素数据进行处理。最后，对已处理的数据进行等级、区间划分，并符号化每一记录，形成草原火灾突发事件事务数据库。

(3) 草原火灾突发事件频繁项集生成。通过扫描事务数据库，计算出含一个元素的所有候选集出现的频率，将大于等于最小支持度的单个事务项集称为频繁 1 项集。然后重新扫描数据库，将第 1 步生成的频繁 1 项集与自身连接产生候选 2 项集的集合，计算候选集的支持度，找出大于等于最小支持度的候选集，称为频繁 2 项集。以此类推，进行多次循环，直到没有新的候选集产生，得到草原火灾突发事件频繁项集。

(4) 草原火灾突发事件强关联规则生成。在频繁项集产生之后，通过设置最小置信度阈值。对于每一个频繁项集 l，找到所有大于最小置信度的频繁项集非空子集 s，输出强关联规则 $s \Rightarrow (l-s)$，得到关联规则集。

(5) 草原火灾突发事件决策需求知识再生。筛选关联规则集，提取有效的规则，并进行规则解读和分析，了解事件发生的特点、潜在规律及各因素之间的关联，实现突发事件决策需求知识再生，提高突发事件预警和响应效率。

7.3.2　事故灾害突发事件关联过程

事故灾害主要包括公共设施设备事故、工矿商贸企业的各种安全事故、生态破坏事件和环境污染、交通运输事故等。本小节以高速铁路突发事件为背景，结合相似理论的方法，展现高速铁路突发事件–资源关联的过程[170]。将战略决策高层的宏观系统设计、应急流程设计、应急协同、应急物资调遣等复杂决策需求与中层和基层决策者微观的任务分配、资源分配、设施布局、应急力量部署实施等一般、简单决策需求相衔接，获取在资源种类与结构方面精确化的决策需求，步骤如下。

(1) 建立高速铁路突发事件与资源分类体系，并以此为依据分别引入致灾、事件、救援能力承载等因子。

致灾因子作为高速铁路突发事件的关键诱发因素，用 $R_1=\{\alpha_i, b(t), c(s), d_j, \rho\}$ 表示致灾因子 α_i 的类型、持续时间、波及范围、等级/强度、发生概率这几个属性。事件因子是由致灾因子导致的高速铁路突发事件，用 $R_2 = \{\beta_k, e(t), f(s), g_m, D(u_k, v_k, w_k)\}$ 表示事件因子 β_k 的持续时间、波及范围、等级/强度及人员、车辆和设备、物资的需求量这几个属性，另外，用 $\rho\{\alpha_i, d_j, \beta_k\}$ 来表示强度为 d_j 的因素 α_i 导致 β_k 事件的概率大小。救援能力承载因子是指高速铁路突发事件波及区域实施救援的承载能力，用 x 表示，用 $R_a = \{o_x, q(x), s(u_x, v_x, w_x)\}$ 表示交通条件属性、生态环境属性及救援人员、车辆和设备、物资储备条件属性。

(2) 以单一致灾因子为例，计算突发事件–资源关联强度。可以用这个强度指标来初步判断由不同致灾因子导致的不同事故在不同地区的资源强度情况。过程如下。

① 建立致灾因子与事件因子之间的函数关系式，并用 $F(B_k)$ 来表示致灾因子对事件因子的作用强度，取值范围为 $[0\sim1]$，计算式为

$$F(B_k) = \rho(\alpha_i, d_j, \beta_k) \times \left(\varepsilon_1 \frac{e(t)}{b(t)} + \varepsilon_2 \frac{f(s)}{c(s)} + \varepsilon_3 \frac{g_m}{d_j} \right) \tag{7-6}$$

式中，ε 为转化因子，用于类型、持续时间、波及范围、等级/强度之间的转变，具体的取值可以通过调查或者专家经验给出。

② 建立 $F(b_k)$ 和各类资源需求 $D(u_k, v_k, w_k)$ 之间的关系，计算式为

$$D(u_k, v_k, w_k) = \begin{bmatrix} \eta_1 F(b_k) u_k(Q_1) \\ \eta_2 F(b_k) v_k(Q_2) \\ \eta_3 F(b_k) w_k(Q_3) \end{bmatrix} = \begin{bmatrix} \overline{u_k}(Q_1) \\ \overline{v_k}(Q_2) \\ \overline{w_k}(Q_3) \end{bmatrix} \tag{7-7}$$

式中，η 为调整因子，用来建立不同强度的事件对人员、车辆和设备、物资需求量之间的关系；$u_k(Q_1)$、$v_k(Q_2)$、$w_k(Q_3)$ 表示事件最大强度时人员、车辆和设备、物资需求量最大需求量。

③ 突发事件–资源关联强度的计算式为

$$\Psi(\beta_k, D(u_k, v_k, w_k)) = \begin{bmatrix} \dfrac{\overline{u_k}(Q_1)}{u_k(Q_1)} \\[3mm] \dfrac{\overline{v_k}(Q_2)}{v_k(Q_2)} \\[3mm] \dfrac{\overline{w_k}(Q_3)}{w_k(Q_3)} \end{bmatrix} \tag{7-8}$$

或

$$\Psi(\beta_k, D(u_k, v_k, w_k)) - Sk(u_x, v_x, w_x) = \begin{bmatrix} \dfrac{\overline{u_k}(Q_1) - u_x}{u_k(Q_1)} \\[3mm] \dfrac{\overline{v_k}(Q_2) - v_x}{v_k(Q_2)} \\[3mm] \dfrac{\overline{w_k}(Q_3) - w_x}{w_k(Q_3)} \end{bmatrix} \tag{7-9}$$

式中，$\Psi(\beta_k, D(u_k, v_k, w_k))$ 表示绝对强度；而 $\Psi(\beta_k, D(u_k, v_k, w_k)) - Sk(u_x, v_x, w_x)$ 表示相对强度，也就是扣除了所在区域能够及时提供的资源供给。

(3) 高速铁路突发事件应急资源种类与结构方面精确化的决策需求再生。

经过以上突发事件–资源关联强度的确定，接着可利用案例推理构建高速铁路突发事件–资源关联结构的测度方法, 过程如下。

① 高速铁路突发事件–资源关联案例的表达。首先，用特征属性对事件主要包括件的内容信息进行描述；然后，以关系数据库的形式对内容和结构关系进行构建。

② 模糊推理和结果计算。将模糊推理与案例推理结合。首先，需要将案例库

进行模糊化；然后，计算贴近度，用来度量预测方案与已有案例的相似度，设模糊集为 $\widetilde{A}$、$\widetilde{B}$、$\widetilde{C} = \widetilde{\Psi}(x)$，贴近度为映射 N，即 $N : \widetilde{\Psi}(x) \times \Psi(x) \to [0,1]$。

经过一系列转换后，可以得到

$$N(\widetilde{A}, \widetilde{B}) = \frac{\sum\limits_{j=1}^{m} \Psi_j(\widetilde{u}_A(x_j) \wedge \widetilde{u}_B(x_j))}{\sum\limits_{j=1}^{m} \Psi_j(\widetilde{u}_A(x_j) \wedge \widetilde{u}_B(x_j))} \tag{7-10}$$

③ 计算特征因素的权重 w：

$$w_j = \frac{\delta(f_j)}{\sum\limits_{j=1}^{m} \delta(f_j)} \qquad j = 1, 2, \cdots, m \tag{7-11}$$

式中，$\delta(f_j) = \left[\dfrac{\sum\limits_{i=1}^{n}(u_{ci}(f_j) - \overline{u}(f_j)^2}{n} \right]^{\frac{1}{2}}$，案例在特征因素为 f 时的取值是 $u(f)$；u_{ci} 表示各个特征因素所对应的取值。

④ 对案例进行相似性判断，计算式为

$$N(\widetilde{T}, \widetilde{C}_i) = \frac{\sum\limits_{j=1}^{m} \Psi_j(\widetilde{u}_T(f_j) \wedge \widetilde{u}_C(f_j))}{\sum\limits_{j=1}^{m} \Psi_j(\widetilde{u}_T(f_j) \wedge \widetilde{u}_C(f_j))} \tag{7-12}$$

根据计算结果，将最相似案例中事件救援的各类资源投放数量和结构作为参考依据，得到待求解案例事件救援中各类资源的投放数量和结构，然后对其进行修正和调整，将此作为应急资源配置的依据和能力评估的标准。

7.3.3 社会安全突发事件关联过程

社会安全突发事件是指在社会安全领域发生的有组织、有目的的群体性对抗行为，极易造成严重的社会危害，有必要采取一定的应急响应措施[171]。社会安全突发事件主要包括社会暴恐事件、涉外突发事件、民族宗教事件、社会群体事件等[2]。本小节以社会暴恐事件为例，结合 FP-growth 算法构建社会安全类突发事件关联过程，步骤如下。

(1) 社会暴恐事件历史数据库建立。通过收集、整理已发生的社会暴恐突发事件历史信息，建立历史数据库。每条记录表示一例社会暴恐事件，其中包括事件名称、发生时间、发生地点、事态起因、参与人群数、伤亡情况、应对措施等数据。

(2) 社会暴恐事件数据预处理。为了避免数据偏差影响后续分析的有效性，有必要先对社会暴恐事件数据进行预处理，即对不完整、不一致的数据通过合并、分类、筛选等方法进行处理，形成社会暴恐事件事务数据库。然后，根据数据库中事务特征属性进行数据区间、等级划分，并用符号命名，形成符号化社会暴恐事件事务数据库。

(3) 社会暴恐事件频繁项集生成。首先，对符号化社会暴恐事件的事务数据库进行遍历，得出频繁 1 项集合，再根据支持度将频繁 1 项集合从大到小进行排列，形成频繁项索引表，并创建 FP-tree 的根节点。接着对 FP-tree 挖掘频繁 1 项集，产生初始的后缀模式，构造由其前缀路径集组成的条件模式基，并根据最小支持度阈值生成条件 FP-tree，然后递归调用挖掘算法，直至生成所有的频繁 1 项集，并连接后缀模式和条件 FP-tree 产生的频繁模式，实现所有频繁 k 项集。

(4) 社会暴恐事件强关联规则生成。生成的频繁 k 项集已满足最小支持度的前提条件，因此在生成强关联规则时，只需要根据需求设定最小置信度阈值，满足最小置信度阈值的规则就能被确定为强关联规则，从而形成关联规则集。

(5) 社会暴恐事件决策需求知识再生。社会暴恐事件中关联规则挖掘的目的是通过获取和分析以事件影响因素为前提和事件后果为结论的有效关联规则集，发现社会暴恐事件各影响因素之间的关联关系，为不同层级决策主体制定应急决策提供参考。

7.3.4　公共卫生突发事件关联过程

公共卫生事件主要包括重大传染病疫情、群体性不明原因疾病、食品安全、职业危害、动物疫情、其他严重影响公众健康和生命安全的突发事件[172,173]。本小节以食品安全突发事件为背景，结合 FP-growth 算法和模糊认知图案例推理的方法，展示食品安全突发事件的关联过程，步骤如下。

(1) 采用文本挖掘的方法获取食品安全应急案例中的领域知识元，构建领域知识元库。

(2) 将各食品安全事件用挖掘出的知识元进行表示，采用 FP-growth 关联算法通过设置支持度、置信度、提升度来挖掘食品安全事件各要素间的强关联规则。

(3) 模糊认知图推理模型 (fuzzy C-means，FCM) 的表示。将领域知识元作为应急案例 FCM 推理模型的节点，FCM 推理模型节点间的权重取决于领域知识元间的因果关联影响。FCM 通过节点、节点状态值、有向弧及权值四个元素真实地模拟现实中的各个系统。

(4) 因果关系对学习。对强关联规则集中的因果关系对进行学习，并建立"初始因果关系对记录集"，根据汉语事务集建立"考核用因果知识集记录表"。

(5) 食品安全事件 FCM 推理模型的构建。通过因果关系对来组合因果知识链，利用因果关系对及因果知识链识别应急案例 FCM 的概念节点及节点间的影响权重，构建 FCM 的结构及其邻接矩阵，进而生成 FCM 推理模型。

(6) 食品安全事件 FCM 推理的实施。应急案例 FCM 推理模型的推理过程，主要是通过加权有向弧所连接的前向知识元对后向知识元的状态进行递推影响而实现，直至整个系统达到了一个稳定的状态或者极限状态。

因此，输入目标事件的起始状态值，利用变换函数和迭代推理算法进行推理，最终输出系统的最终状态值，可以观测到食品安全突发事件在发生过程中各个事件要素间的相互影响过程和各个要素状态的具体变化，为各层级决策者对食品安全突发事件的要素实施人为引导控制提供依据，为掌握事件的发展状态、预测事件的结果提供决策辅助。

7.4 突发事件决策需求关联案例分析

本节将结合 7.3 节四类突发事件的关联过程，以区域能源安全突发事件、高校群体性突发事件、煤矿瓦斯类事故事件为背景，自由选取关联方法进行关联分析，并将上述关联过程实例化、情景化。

7.4.1 自然灾害事件关联案例分析

本小节结合 7.3.1 节基于 Apriori 算法的关联过程，以区域能源安全突发事件为例，对其进行关联分析与应用。

由于区域能源安全事件具有突发性、复杂性等特点，而我国现有的能源安全体系尚未对引发区域能源安全突发事件的主要要素进行有效分析和防治，导致区域能源安全突发事件不断发生，对我国地区经济发展和社会稳定均造成了严重的影响。胡健等[174]结合近年我国各地区发生的能源安全事件，构建了能源安全外生警源的属性集和数据集，下面以其中五个经典突发事件为例，证明 Apriori 算法对其进行关联规则挖掘的可行性，研究外生警源属性间的关联关系，发现外生警源的隐含特征与规律，促进区域能源安全有效预警与决策。

文献 [174] 采用 Apriori 算法挖掘了隐含在外生警源数据中的关联规则。首先，提取五个经典的区域能源安全事件的外生警源数据并进行分析和预处理，构建区域能源安全事件外生警源事务数据库，将数据库中事务特征属性按照区间进行划分并用符号命名，如表 7-1 所示，得到符号化数据库，如表 7-2 所示。

表 7-1　属性区间划分及符号命名

属性	区间划分及符号命名						
发生时间	春季	夏季	秋季	冬季	—		
	T_a	T_b	T_c	T_d			
发生地点	华北	华东	华中	华南	东北	西南	西北
	P_a	P_b	P_c	P_d	P_e	P_f	P_g
事件类型	石油安全	煤炭安全	天然气安全	电力安全			
	I_a	I_b	I_c	I_d			
诱发原因	能源价格变化	能源供应量变化	能源政策调整	能源产量变化	自然灾害	突发事件	季节交替变化
	C_a	C_b	C_c	C_d	C_e	C_f	C_g
波及范围 (省)	(0, 5]	(5, 10]	(10, 15]	(15, 20]	(20, 25]	(25, 31]	
	R_a	R_b	R_c	R_d	R_e	R_f	
持续时间 (月)	(0, 1]	(1, 3]	(3, 5]	(5, 7]	(7, 9]	(9, 12]	—
	D_a	D_b	D_c	D_d	D_e	D_f	
能源缺口程度	非常小	很小	小	中等	大	很大	非常大
	G_a	G_b	G_c	G_d	G_e	G_f	G_g
经济损失程度	非常小	很小	小	中等	大	很大	非常大
	L_a	L_b	L_c	L_d	L_e	L_f	L_g
社会反响	非常小	很小	小	中等	大	很大	非常大
	F_a	F_b	F_c	F_d	F_e	F_f	F_g

表 7-2　外生警源符号化数据库

字段名	事务项				
事件编号	E001	E002	E003	E004	E005
相关信息	$T_d, P_b, P_c, P_d,$ $P_f, P_g, I_d, C_c,$ $R_d, D_a, G_g, L_g,$ F_g	$T_d, P_b, P_c, P_g,$ $I_c, C_c, R_a, D_a,$ G_d, L_d, F_d	$T_c, T_d, P_a, P_b,$ $P_c, P_f, I_a, C_a,$ $R_b, D_b, G_e, L_f,$ F_e	$T_d, P_a, P_b, P_c,$ $P_g, I_c, C_g, R_b,$ D_b, G_e, L_e, F_f	$T_d, P_a, P_f, P_g,$ $I_c, C_g, R_b, D_b,$ G_e, L_f, F_f

其次，设定最小支持度阈值为 min_ sup = 60%。扫描该事务数据库，根据最小支持度阈值生成频繁项集。然后，根据设定的最小置信度阈值 min_conf = 100% 输出强关联规则。在外生警源数据频繁项集中共挖掘出 187 条规则，构成规则集并对规则进行解读，发现外生警源属性间的关联关系，形成新的决策需求。部分规则及说明如表 7-3 所示。

表 7-3　关联规则及说明

规则编号	规则	置信度/%	规则说明
规则 11	$\{P_a\} \Rightarrow \{D_b\}$	100	华北地区能源安全爆发后会持续 1~3 个月
规则 16	$\{P_b\} \Rightarrow \{P_c\}$	100	华东地区爆发的能源安全事件会蔓延到华中地区
规则 47	$\{P_g, I_c\} \Rightarrow \{T_d\}$	100	西北地区的天然气安全事件常爆发在冬季
规则 75	$\{P_a, D_b\} \Rightarrow \{G_e\}$	100	华北地区能源安全事件爆发若持续 1~3 个月，则其能源缺口程度等级为大
规则 124	$\{P_b, P_c, P_g\} \Rightarrow \{T_d\}$	100	华东、华中和西北地区能源安全事件同时爆发常发生在冬季
规则 130	$\{T_d, P_c, P_g\} \Rightarrow \{P_b\}$	100	华中和西北地区在冬季同时爆发能源安全事件时，华东地区也会爆发能源安全事件
规则 156	$\{T_d, P_a, D_b, G_e\} \Rightarrow \{R_b\}$	100	华北地区能源安全事件在冬季爆发若持续时间为 1~3 个月，且能源缺口程度为大时，其波及范围为 5~10 个地区

最后，结合规则的解读对挖掘出的规则集进一步分析，归纳出了隐藏在区域能源安全事件五个典型案例中的四个共性特征，即衍化性、季节性、危害性和持续性。

7.4.2　社会安全事件关联案例分析

本小节结合 7.3.3 节基于 FP-growth 算法的关联过程，以高校群体性突发事件为例，对其进行关联分析与应用。

高校群体性突发事件受内外部多重因素的影响。在众多内外部因素中，看似互不相关的因素在相互关联作用时，决策者会因关联结果对群体性突发事件产生不断优化的决策需求。因此，对高校群体性突发事件关键影响因素的提炼，以及对各因素间关联关系的分析，是突发事件应急响应的重要步骤。

姬浩等[175]收集了近年来发生的高校群体性突发事件规律，用 FP-growth 算法分析因素之间的关联关系，通过模型产生更能体现关键影响因素内在联系的强关联规则，为高校群体性突发事件的应急响应提供决策依据。文献 [175] 对事务数据库中具有连续性和模糊性属性的数据进行概化处理并对分类进行符号命名，建立了多维度数据属性维度分层结构，如图 7-5 所示，将事务数据库进行符号化表示后，通过 FP-growth 算法在预设最小支持度为 18%、最小可信度为 50%的参数设置下生成频繁项集，输出强关联规则结果，如表 7-4 所示。

根据规则说明，结合具体事件可进一步挖掘出规则背后的隐含信息，让决策者明确决策信息。

根据关联规则 1，学校要加强对特定日期可能会发生的如世界大赛期间突发停电、夏天突发停水事件等这类会对学生学习、生活、兴趣等产生影响的突发状况准确地了解和掌握，并密切关注由此导致的、可能发生的各种群体性突发事件。

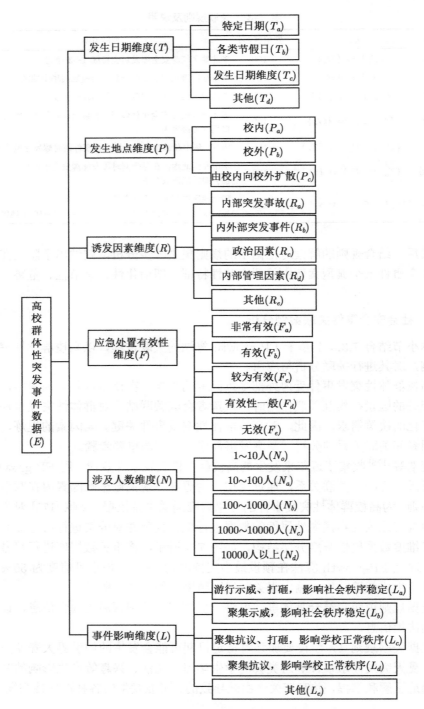

图 7-5 高校群体性突发事件数据属性维度分层结构

表 7-4 关联规则置信度及说明

规则编号	规则	置信度/%	规则说明
规则 1	$\{T_a, P_a, R_a\} \Rightarrow \{L_d\}$	100	在特定日期的背景下, 校内突发事件会引发学生聚集抗议的群体性事件, 将影响学校正常秩序
规则 2	$\{R_b, F_d\} \Rightarrow \{L_a\}$	66.7	如果对涉及学生的突发事件处置不当, 往往会引发学生聚众示威及出现打砸现象, 严重的还会影响社会秩序的稳定
规则 3	$\{F_d\} \Rightarrow \{L_c\}$	80	如果对突发事件或者事故应急处置不当, 往往会使事态恶化, 引发群体性突发事件并发生打砸情形
规则 4	$\{P_c, R_c, N_d, F_b\} \Rightarrow \{L_a\}$	100	因为政治因素引发的群体性突发事件, 即使应急处置过程控制有效, 但是还会发生学生聚众示威、打砸的情形, 该类事件影响范围往往会由校内向社会扩散, 并且涉及学生人数较多

根据关联规则 2, 当突发事件发生之时, 大部分情况是由于参与处理这件事的各主体为了隐瞒事件真实信息, 没有及时地采取有效的响应措施, 才导致事态逐渐恶化、学生大规模示威和打砸等更严重的群体性事件发生, 对社会和学校的秩序造成影响。

通过研究规则 2 和规则 3, 规则 3 比规则 2 的支持度上升, 置信度也上升到 80%, 表明管理方在处理突发性事件或者事故时, 对事态的发展起着重要推动作用的是处理过程的有效性。

由此可见, 诱发因素本身就具有突发性和不确定性, 在高校应急管理的工作中, 要加强对诱发因素及与其他相关影响因素关联性的预判能力。另外, 通过对因素间关联规则的挖掘解读, 可以总结出致灾因素与群体性突发事件之间的关联规律, 为决策者提供决策依据。

7.4.3 事故灾难事件关联案例分析

本小节结合 7.3.4 节基于 FP-growth 算法和 FCM 推理模型的关联过程, 以煤矿瓦斯类事故为例, 对其进行关联分析与应用。

在实际生产的过程当中, 在煤矿类应急案例中瓦斯类突发事故发生最为频繁, 造成的事故后果也最为突出。鉴于此, 王光源[163] 提出了基于领域知识元的应急案例 FCM 推理模型, 如图 7-6 所示, 并以煤矿应急案例为实验背景, 把其中的瓦斯类应急突发事故作为实验对象, 发现应急案例 FCM 推理模型的推理过程可以把应急突发事件的发展过程及事件要素的状态变化完整展现出来, 挖掘出事件要素间的隐性知识。

基于图 7-6 构建的 FCM 模型, 对瓦斯类事故进行领域知识元挖掘、瓦斯类案例事故领域知识元间关联规则的挖掘、瓦斯类案例事故的 FCM 构建等实验过程, 结果如下。

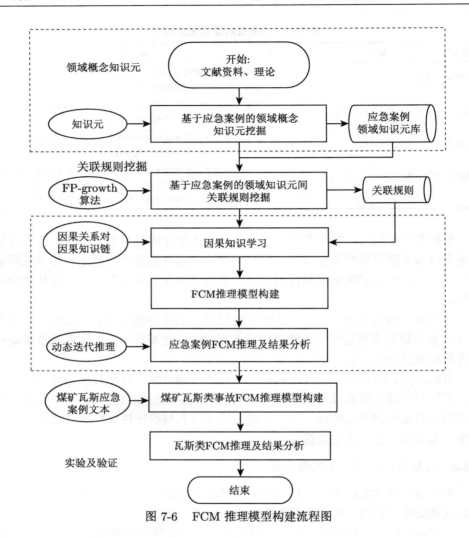

图 7-6　FCM 推理模型构建流程图

　　通过数据挖掘方法获取到的瓦斯类领域知识元有：局部通风机、通风系统、局部通风机、自然发火、采掘机、回风巷、放炮、回采工作面、掘进工作面、巷道、瓦检员、煤尘爆炸、煤层、煤与瓦斯突出、瓦斯爆炸、矿工、瓦斯积聚、瓦斯超限、瓦斯浓度、瓦斯监测。

　　然后，通过 FP-growth 算法对领域知识元间的关联规则进行挖掘，部分关联规则集记录如表 7-5 所示。

　　利用 FP-growth 关联算法找出关联规则集，深度挖掘应急案例中事件要素间的因果关系对和因果知识链，获取应急案例的事件要素及要素间内在的因果关系知识，进行因果知识链的获取，部分因果知识链结果如下。

表 7-5 部分关联规则集记录

编号	前件	后件	置信度	提升度
416	瓦斯积聚：35	瓦斯爆炸：33	0.94	1.29
497	回风巷：22	回风：20	0.91	2.53
763	瓦斯突出：19	工作面：17	0.89	1.34
906	掘进：34	工作面：30	0.88	1.32
913	火花：48	瓦斯爆炸：42	0.88	1.2
927	回风巷：22	通风：19	0.86	1.2
931	煤尘：14	瓦斯爆炸：12	0.86	1.17
932	煤层：21	工作面：18	0.86	1.29
933	煤尘：14	工作面：12	0.86	1.29
2144	工作面，瓦检员：17	通风，火花：11	0.65	1.4
2145	工作面，煤与瓦斯突出：17	通风，回风：11	0.65	2.02
2146	采掘机，瓦斯浓度：17	通风，瓦斯积聚：11	0.65	1.74
2147	通风，采掘机，瓦斯浓度：17	瓦斯积聚：11	0.65	1.44
2148	通风，瓦检员：17	采掘机，瓦斯积聚：11	0.65	1.68
2149	火花，瓦斯浓度：17	通风，掘进：11	0.65	1.74
2150	通风，火花，瓦斯浓度：17	掘进：11	0.65	1.48
2151	工作面，火花，掘进：17	瓦斯积聚：11	0.65	1.44

(1) 掘进工作面 → 煤层 → 回风巷，数学表达式为：(掘进工作面，煤层，−0.55)，(煤层，回风巷，−0.48)；

(2) 回风巷 → 通风系统 → 瓦斯积聚 → 瓦斯爆炸，数学表达式为：(回风巷，通风系统，0.75)，(通风系统，瓦斯积聚，−0.87)，(瓦斯积聚，瓦斯爆炸，0.89)；

(3) 瓦斯监测 → 通风系统 → 瓦斯超限 → 煤与瓦斯突出，数学表达式：(瓦斯监测，通风系统，0.88)，(通风系统，瓦斯超限，−0.68)，(瓦斯超限，煤与瓦斯突出，0.69)；

(4) 瓦检员 → 局部通风机 → 通风系统 → 瓦斯爆炸，数学表达式：(瓦检员，局部通风机，0.41)，(局部通风机，通风系统，0.54)，(通风系统，瓦斯爆炸，−0.79)。

根据获取到的因果知识链，得到 FCM 的节点及节点间的影响权重，进而得到 FCM 节点间的相互影响关系表及其邻接矩阵，节点间相互影响关系表如表 7-6 所示。

表 7-6 中，C1= 回风巷；C2= 煤层；C3= 掘进工作面；C4= 巷道；C5= 瓦斯积聚；C6= 瓦斯爆炸；C7= 通风系统；C8= 局部通风机；C9= 瓦检员；C10= 煤与瓦斯突出；C11= 瓦斯超限；C12= 瓦斯监测。

表 7-6   瓦斯案例的 FCM 结构节点关系表

	C1	C2	C3	C4	C5	C6	C7	C8	C9	C10	C11	C12
C1	0	0	0	0	−0.56	−0.89	0.75	0	0	−0.63	−0.47	0
C2	−0.48	0	0	−0.67	0	0	0	0	0	0.64	0	0
C3	0.4	−0.55	0	0.75	0	0	0.65	0	0	0.55	−0.64	0
C4	0	0	0	0	−0.74	0	0.62	0	0	0.76	0	0
C5	0	0	0	0	0	0.89	0	0	0	0.67	1	0
C6	0	0	0	0	0	0	0	0	0	0.64	0	0
C7	0	0	0	0	−0.87	−0.79	0	0	0	−0.54	−0.68	0
C8	0	0	0	0	−0.45	−0.47	0.54	0	0	−0.61	0	0
C9	0	0	0	0	−0.38	0	0	0.41	0	0	0	0.79
C10	0	0	0	0	0	0	0	0	0	0	0	0
C11	0	0	0	0	0.64	0.66	0	0	0	0.69	0	0
C12	0	0	0	0	−0.36	−0.49	0.88	0	0	0	0	0

由此可得煤矿瓦斯类事故的邻接矩阵为

$$
W=\begin{bmatrix}
0 & 0 & 0 & 0 & -0.56 & -0.89 & 0.75 & 0 & 0 & -0.63 & -0.47 & 0 \\
-0.48 & 0 & 0 & -0.67 & 0 & 0 & 0 & 0 & 0 & 0.64 & 0 & 0 \\
0.4 & -0.55 & 0 & 0.75 & 0 & 0 & 0.65 & 0 & 0 & 0.55 & -0.64 & 0 \\
0 & 0 & 0 & 0 & -0.74 & 0 & 0.62 & 0 & 0 & 0.76 & 0 & 0 \\
0 & 0 & 0 & 0 & 0 & 0.89 & 0 & 0 & 0 & 0.67 & 1 & 0 \\
0 & 0 & 0 & 0 & 0 & 0 & 0 & 0 & 0 & 0.64 & 0 & 0 \\
0 & 0 & 0 & 0 & -0.87 & -0.79 & 0 & 0 & 0 & -0.54 & -0.68 & 0 \\
0 & 0 & 0 & 0 & -0.45 & -0.47 & 0.54 & 0 & 0 & -0.61 & 0 & 0 \\
0 & 0 & 0 & 0 & -0.38 & 0 & 0 & 0.41 & 0 & 0 & 0 & 0.79 \\
0 & 0 & 0 & 0 & 0 & 0 & 0 & 0 & 0 & 0 & 0 & 0 \\
0 & 0 & 0 & 0 & 0.64 & 0.66 & 0 & 0 & 0 & 0.69 & 0 & 0 \\
0 & 0 & 0 & 0 & -0.36 & -0.49 & 0.88 & 0 & 0 & 0 & 0 & 0
\end{bmatrix}
$$

根据 FCM 模型的推理公式 $V^{T}(t+1)=f(W \cdot V^{T}(t))$ 对瓦斯类事故进行案例推理，由于系统节点数量相对较少，设定 $V(t+1)-V(t) \leqslant 0.0001$ 时，系统的状态达到"稳定状态"即最终状态，过程如下。

(1) 令初始状态 $V_0=(0\ 0\ 0\ 0\ 0\ 0\ -1\ 0\ 0\ 0\ 0\ 0)^{T}$，即假定在事件中的要素"C7=通风系统"出现问题，根据推理公式进行 6 次迭代后 $V_6-V_5<0.0001$，最终可得 $V_6=$(0.000029642156726, 0.754854930568399, 0.033333663739145, 0.141866694859597, 0.999968802803329, 0.832018385133924, 0.000004181852518, 0.003236046164880, 0.140630775012309, 0.5, 0.999533861187549, 0.021074938900831)^{T}。

根据 FCM 的最终状态可以看出，节点 C5 和 C11 的状态值约为 1，即当系统的通风系统坏掉以后，经过事件要素间的相互影响，最终系统达到瓦斯积聚和瓦斯超限的状态。瓦斯爆炸这个节点的状态值也较大，由于系统中并没有包括火源，因此，并未发生爆炸，只是在该状态下，很有可能发生瓦斯爆炸的情况。

(2) 令初始状态 $V_0 = (-1\,0\,0\,0\,0\,0\,0\,0\,0\,0\,0\,0)^{\mathrm{T}}$，假定在事件中的要素 "C1=回风巷" 出现问题，同理，根据推理公式进行 6 次迭代后 $V_6 - V_5 < 0.0001$，可得 V_6= (0.000029642156726, 0.754854930568399, 0.033333663739145, 0.141866694859597, 0.999968802803329, 0.832018385133924, 0.000004181852518, 0.003236046164880, 0.140630775012309, 0.5, 0.999533861187549, 0.021074938900831)^{T}。

对比 (1) 和 (2) 可以发现，当回风巷出现问题以后，系统的最终状态也达到了 (1) 中出现的瓦斯积聚和瓦斯超限的状态，但是其发生演化的过程中各个要素的状态值都和 (1) 中的不同。

由此可以看出，如果系统中最先发生变化的事件要素不同，那系统中的其他相关要素发生的相应变化也是不同的，也就是说如果引起系统变化的起始要素不同，那么案例事件演化的过程也会不同。而 FCM 模型中节点间的相互影响过程，能够真实反映出案例事件的演化过程。因此，可以通过构建 FCM 模型实现有效的案例推理，来帮助政府和决策者掌握应急突发事件的演化动态，更准确地预测事件的结果，进而做出针对突发事件的更加客观的态势预测及评估，促进决策需求更加精准化，通过对事件中的要素施加影响的方式帮助多主体决策者在多阶段的动态应急管理过程中正确、科学地引导事件走向，尽最大可能减少社会财产损失及人员伤亡。

7.5 基于情景相似度的突发事件决策关联应用

频发的内涝灾害影响面广泛且极易造成重大损失，涉及的数据源多而繁杂、实时变化，反应时间紧迫而调拨资源有限，处于战略决策高层的用户需要总体把握事件信息，处于决策基层的用户需要明确态势恶化的关键节点，制定具体的应急方案。基于此，本节以水灾害突发事件为例，提出基于支持向量机和情景相似度算法的多粒度响应模型，实现了突发事件情景单元的细粒化，分析情景单元之间的关联关系，以最大限度降低突发事件所导致的影响和损失，提升相关应急管理部门的应急响应能力。

7.5.1 情景融合相关研究

基于历史案例的应急响应研究，在突发事件的结构化特征描述和具体过程中的实时演化分析存在一定的局限性，所以越来越多的学者关注突发事件的情景化表示。王宁等[176]在共性知识元模型的基础上，引入情景的概念，对突发事件案例数据进行了情景划分。仲秋雁等[177]对情景元模型、情景概念模型及情景模型进行了实例化约束研究。李锋和王慧敏[178]将构建的基于知识元的突发洪水情景模型分为三层，对事件、承灾载体、环境单元、应急活动各要素的最小单元进行知识元建模，并对知识元模型进行实例化。Jing 等[179]建立了一个"案例–情景–单元"的多维模型，研究了单情景与多情景的演化过程和推理关系。Alvear 等[180]针对交通堵塞事件，将不同阶段的道路信息情景化，构建了交通疏散应急情景模型。Prakash 等[181]构建了洪水溃坝灾害事件情景模型，研究了影响洪水溃坝的因素。宋英华等[182]针对食品安全事故，结合知识元和贝叶斯网络，构建了关键情景推演模型，为解决食品安全事件演化的不确定性问题提供了新的思路。杨峰等[183]以情报感知的新视角，对情景要素与突发事件的特征属性进行相似度检验，实现了突发事件的态势感知。陈雪龙等[184]将突发事件进行情景要素形式化表示，基于粒计算，探讨了低层次情景映射到高层次情景的泛化算法。

7.5.2　突发事件多粒度响应模型

城市突发事件的数据难以完全搜集，案例样本较少，支持向量机非常适合用来解决小量样本、非线性等问题。在确定突发事件风险级别的过程中，大多需要依据过去的经验，使得突发事件的分级结果具有很强的主观性，难以客观反映突发事件的真实状态，无法保证突发事件响应的准确性，所以，将支持向量机应用到突发事件的分级过程中，可以通过观测有限数据集，得出突发事件的风险级别，避免主观随意性，提高城市突发事件分级的客观性、科学性。

对突发事件利用情景知识元的方式进行表达，从事件客体、承灾载体、应急活动三个方面以情景的视角进行更细粒的划分，精准地展现突发事件的特征，清晰地把握事件的演化态势，提取影响突发事件的关键情景单元，将突发事件作为一个动态知识元，可有效控制并快速应对突发事件的演化。不同层次的用户决策需求不同，处于战略决策高层的用户需要整体宏观地把控事件的发展，而处于战术执行基层的较低层次的用户需要更为详细的动态情景信息，所以情景单元粒度应用有粗细之分。粒计算正是研究粒度的表示、刻画和粒度与概念之间的依存关系的方法，在突发事件的演化分析中引入粒计算，可以快速聚焦关键节点，细化情景单元，量化细粒度下节点变量的风险程度和紧迫性。

为了提高突发事件响应能力，在充分考虑突发事件应急处理部门现状和实际需求的基础上，尽可能有效支撑多层次用户响应突发事件的要求，利用情景相似度构建突发事件多粒度响应模型，其响应过程如图 7-7 所示。

图 7-7 中，首先需要收集突发事件相关的多源情报数据，如决策主体信息、业务数据、突发事件演化过程中实时变化更新的动态数据、涉及的领域知识等，作

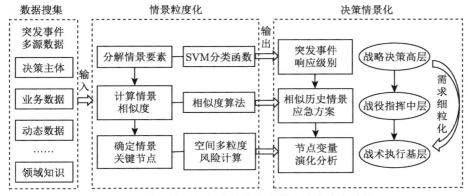

图 7-7　基于情景相似度的突发事件多粒度响应过程

为模型的输入变量，借助 R 语言软件构造 SVM 分类函数，得到事件的风险级别。

然后，将突发事件的关键情景单元刻画为一个动态知识元，提取情景知识元的特征属性，借助相似度算法，计算目标情景与历史情景的相似度，匹配出高相似度下的历史应对措施。

最后，根据不同情景单元中属性演变的映射关系，在情景知识元网络基础上，细粒化情景单元，引入空间粒度风险指数计算公式，对比下一时刻的情景单元节点变量的紧迫程度，确定处于战术执行基层的用户需要聚焦的关键节点。

1. 分解情景要素

提取城市洪涝灾害突发事件的关键情景单元 S_i，如式 (7-13) 所示。E 为事件集，C 为承灾载体集，Y 为应急活动集，T 为关键情景单元出现的时间集合。将关键情景单元 S_i 进行情景要素分解，分为输入变量集 $I(I_1, I_2, \cdots, I_n)$、状态变量集 $G(G_1, G_2, \cdots, G_n)$、输出变量集 $O(O_1, O_2, \cdots, O_n)$，其中，n 表示要素的个数。属性变量 e_k 用知识元模型表示 [式 (7-14)]。

$$S_i = (E, C, Y, T) \tag{7-13}$$

$$e_k = (p_{ek}, d_{ek}, f_{ek}) \tag{7-14}$$

式中，p_{ek} 表示属性变量的定性或定量特征描述；d_{ek} 表示属性变量的测量量纲；f_{ek} 表示变量的演化趋势。

2. 构造 SVM 分类函数

依据情景知识元中的属性变量 e_k 选取指标，构成 SVM 的训练样本集。借助 R 语言实现支持向量机参数的设置和模型构建。可以选择的支持向量机分类机有三类：C-classification、nu-classification、one-classification。同时，可以选择的核函数有四类：线性核函数 (linear)、多项式核函数 (polynomial)、径向基核函数 (radial basis function, RBF) 和神经网络核函数 (sigmoid)。将支持向量机分类机类型和核函数依次组合，最后通过比较选出判别结果最优的模型，可调整模型中指标的比重，提高模型的预测精度。将需要进行分级预测的指标数据输入 SVM 分类函数中，进行分类学习，得到分级结果。

3. 计算情景相似度

以情景要素为基本单元，从事件客体、承灾载体、应急活动三个方面提取突发事件的特征属性。根据式 (7-15) 计算目标情景与历史情景的结构相似度 $\varphi^{[169]}$。

$$\varphi(A, B) = \frac{w_{A \cap B}}{w_t} \tag{7-15}$$

式中，A 为目标情景的非空属性集；B 为历史情景的非空属性集；w 表示情景中的属性权重；t 为时刻。

计算目标情景与历史情景的属性相似度。

当属性为精确数时：

$$R_{BA}(A_f, B_{if}) = 1 - \frac{|A_f - B_{if}|}{f_{\max} - f_{\min}} \tag{7-16}$$

式中，A_f 是目标情景属性 f 的值；B_{if} 是历史情景中第 i 个情景的属性 f 的值；$f_{\max}$ 和 $f_{\min}$ 分别表示属性 f 取值范围的最大值和最小值。

当属性为区间数时：

$$R_{BA}(m, [n_1, n_2]) = 1 - \frac{\int_{n_1}^{n_2} |x - m| \mathrm{d}x}{(f_{\max} - f_{\min})(n_2 - n_1)} \tag{7-17}$$

$$R_{BA}([m_1, m_2], [n_1, n_2]) = 1 - \frac{\int_{m_1}^{m_2} \int_{n_1}^{n_2} |y - x| \mathrm{d}y \mathrm{d}x}{(f_{\max} - f_{\min})(m_2 - m_1)(n_2 - n_1)} \tag{7-18}$$

式中，m 是确定数属性值；$[m_1, m_2]$、$[n_1, n_2]$ 为区间数属性，且均大于 $f_{\min}$、小于 $f_{\max}$。

当属性为语言变量时，首先需要表示为三角模糊数 (k_{ij}, l_{ij}, p_{ij})，再规范化为 $(\theta_1, \theta_2, \theta_3)$，其中，$\alpha$ 为效益型属性，β 为成本型属性。

$$(\theta_1, \theta_2, \theta_3) = \left(\frac{k_{ij}}{\sqrt{\sum_{i=1}^{m}(p_{ij})^2}}, \frac{l_{ij}}{\sqrt{\sum_{i=1}^{m}(p_{ij})^2}}, \frac{p_{ij}}{\sqrt{\sum_{i=1}^{m}(k_{ij})^2}} \right), k_{ij}, p_{ij}, l_{ij} \in \alpha \quad (7\text{-}19)$$

$$(\theta_1, \theta_2, \theta_3) = \left(\frac{1}{p_{ij}\sqrt{\sum_{i=1}^{m}\left(\frac{1}{k_{ij}}\right)^2}}, \frac{1}{p_{ij}\sqrt{\sum_{i=1}^{m}\left(\frac{1}{l_{ij}}\right)^2}}, \frac{1}{k_{ij}\sqrt{\sum_{i=1}^{m}\left(\frac{1}{p_{ij}}\right)^2}} \right), k_{ij}, p_{ij}, l_{ij} \in \beta$$

$$(7\text{-}20)$$

三角模糊数的语义量化准则如表 7-7 所示。

表 7-7   三角模糊数语义量化准则

自然语言变量	对应的三角模糊数
极差	(0, 0, 0.5)
非常差	(0, 0.15, 0.3)
差	(0.15, 0.3, 0.45)
一般	(0.35, 0.5, 0.65)
好	(0.55, 0.77, 0.85)
非常好	(0.7, 0.85, 1)
极好	(0.95, 1, 1)

最后，将 $(\theta_1, \theta_2, \theta_3)$ 转换成区间数 $[\rho_1, \rho_2]$，$\rho_1 = \frac{\theta_1 + \theta_2}{2}$，$\rho_2 = \frac{\theta_2 + \theta_3}{2}$。
计算综合相似度：

$$\text{SVM}(A, B) = \varphi \sum_{i=1}^{m} w_i R_i(A, B) \qquad (7\text{-}21)$$

式中，φ 为结构相似度；$R_i(A, B)$ 为第 i 个属性的属性相似度；w_i 为第 i 个属性的权重。

4. 确定情景关键节点

(1) 刻画情景单元结构图。图 7-8 是从 t_0 时刻的情景单元 S_0 到 t_1 时刻的情景单元 S_1 演化的示例图，$I_m(m = 1, 2, \cdots, n)$ 表示情景单元 S_0 所有的输入变量，G 表示情景单元 S_0 的状态合集，$O_m(m = 1, 2, \cdots, n)$ 表示情景单元 S_0 所有的输出变量。随着情景单元 S_0 输入变量的改变，内部状态要素发生改变，影响 S_0 的输出变量，演化产生下一时刻的情景单元 S_1。

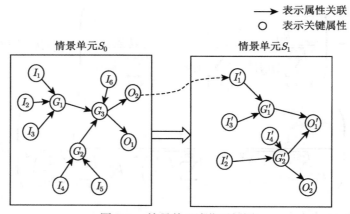

图 7-8　情景单元演化示例图

(2) 空间粒度下风险指数的计算。在前一情景单元的输出变量诱发产生新的情景单元后,新的情景单元的输入变量影响着内部状态,将新的情景单元的承灾载体粒化为更细层次的地点合集,不同地点的风险程度不同,即在空间粒度下计算节点变量的风险程度值。新情景单元的承灾载体地点集合表示为 $P = \{P_1, P_2, \cdots, P_n\}$。

$$P_n\text{的风险程度RI} = P \cdot \frac{E\sqrt{\sum_1^n (W_n U_n)^2}}{\sqrt{\sum_1^j (W_j C_j)^2}} \tag{7-22}$$

式中, P 表示 P_n 内部状态恶化的概率; E 表示 P_n 曾发生突发事件的数量; W_n 表示第 n 个因素的权重; U_n 表示第 n 个空间粒度下的突发事件环境影响因子; C_j 表示第 j 个空间粒度下的突发事件应急因子。这里选取 $U = \{U_1, U_2, U_3, U_4, U_5\}$, U_1 为某一空间粒度的面积值, U_2 为该空间粒度下的人口数量, U_3 为该空间粒度下的住宅房屋数量, U_4 为该空间粒度下的企业数量, U_5 为该空间粒度下的人均收入; $C = \{C_1, C_2, C_3\}$, C_1 为某一空间粒度下的应急机构数量,包括政府机关场所、交警队、派出所等, C_2 为该空间粒度下的医疗机构数量,包括医院、诊所、药店等, C_3 为该空间粒度下的基础设施抗灾情况。

7.5.3　基于情景相似度的突发事件决策案例分析

江苏省常州市位于长三角经济带,是长江流域洪涝灾害较为频繁的地区,由于人员财产集中,常州市的暴雨洪涝灾害影响范围广,经济损失巨大,在长三角城市群中，常州市具有一定代表性。因此，选取"2016 年 6 月 28 日常州市武进区遭遇三轮强降雨，灾情严重"洪涝事件验证建立的响应模型。

1. 数据来源

(1) 从中华人民共和国民政部获取全国范围内 2013~2016 年的洪涝灾害事件信息，作为 SVM 分类函数的样本数据。

(2) 根据常州市水利局发布的 2014~2017 年防汛防旱简报爬取历年各区降雨量和水位数据。从水利工作总结整理出的灾情信息包括发生时间和地点、降雨持续的时间及淹没水深、受灾人数、经济损失值、应急方案措施等。

(3) 从常州市武进区的统计年鉴整理行政区划基本信息及社会经济基本情况，并实地搜集历史洪涝灾害基本数据和洪涝灾害村落现场情况信息。

2. 城市洪涝灾害事件的响应级别

提取城市洪涝灾害事件情景单元的特征属性，并进行描述，如表 7-8 所示。

表 7-8　属性描述

一级属性	二级属性	属性类型	说明
事件客体	降雨量	数值型	单位: mm
	淹没水深	数值型	单位: m
	淹没历时	数值型	单位: h
	受灾人口	数值型	单位: 万人
	死亡人口	数值型	单位: 人
	失踪人口	数值型	单位: 人
	受损房屋数量	数值型	单位: 间
	农作物受淹面积	数值型	单位: 万 hm^2
	直接经济损失	数值型	单位: 亿元
	水库运行情况	语言型	属性取值: 较差, 一般, 较好
	圩区塌方情况	语言型	属性取值: 严重, 一般, 轻微
承灾载体	排水系统建设	语言型	属性取值: 滞后, 一般, 先进
	绿化面积百分比	数值型	单位: %
	人口密度	数值型	单位: 人/m^2
	基础建设抗灾能力	语言型	属性取值: 较差, 一般, 较好
应急活动	响应级别	数值型	I, II, III, IV
	应急投入成本	数值型	单位: 万元
	救援人员	数值型	单位: 人
	部署安排	语言型	各部门的调度令

确定六个特征属性作为输入变量，即受灾人口 (万人)、死亡人口 (人)、失踪人口 (人)、受损房屋数量 (间)、直接经济损失 (亿元)、农作物受淹面积 (万 hm^2)，由字母 a~f 表示。城市洪涝灾害事件的级别选取的是严重 (I 级)、中等 (II 级)、轻微 (III 级)。选取其中的部分数据进行展示，如表 7-9 所示。

表 7-9　2013～2016 年部分洪涝数据展示

序号	时间	事件名称	a	b	c	d	e	f	等级
1	2013.4.7	湖南长沙湘西等地遭受洪涝	25.8	1	0	100	0.47	5.5	II
2	2013.5.17	广东清远韶关等地遭受洪涝灾害	69.4	9	12	2000	3.1	2.53	I
3	2014.6.17	内蒙古赤峰多个县区短时强降雨	0.46	1	0	100	0.02	0.04	III
4	2014.9.17	华北黄淮局部遭洪涝灾害	8.8	0	0	100	0.54	3.69	III
5	2015.5.11	湖北、江苏遭受风雹洪涝灾害	19.9	1	0	0	1.01	0.183	II
6	2015.5.18	南方强降雨	297.5	15	5	2800	15.8	17.082	I
7	2016.4.20	南方 7 省区风雹洪涝灾害	143.2	10	0	2100	9.8	6.89	II
8	2016.5.9	江南华南西南强降雨	466.6	66	10	5200	53.3	26.8	I

　　调用开源 R 语言软件附带的程序包 e1071，通过一对一的投票机制实现多分类。将三种分类方式和四类核函数分别一一组合，选出判别结果最优的模型组合，针对本书的城市洪涝灾害数据，最优的模型组合为 C-classification 和 radial。经过多次试验，设定参数 cost=90，gamma=0.9。

　　选取了 2013～2016 年 400 条全国洪涝灾害数据，其中 370 条数据作为训练样本，30 条数据作为测试样本。对样本进行训练，得到模型分类结果，风险 III 级的误判数为 2，风险 II 级的误判数为 2，风险 I 级的误判数为 0，总体精度达92.0%。对测试数据样本进行分级测试，部分测试结果如下表 7-10 所示。

表 7-10　测试样本的分级结果展示

序号	时间	事件名称	a	b	c	d	e	f	等级	预测
1	2015.5.18	南方强降雨	297.5	15	5	2800	15.8	17.082	I	I
2	2015.5.27	广东部分地区洪涝	1.1	0	0	0	0.08	0.07	III	III
3	2015.6.15	东北部分城市洪涝	3.29	1	0	0	0.41	0.27	II	III
4	2015.6.26	四川及黄淮一带遭受强降雨袭击	217.46	2	5	6000	15.29	3.52	I	I
5	2015.5.11	新疆局部地区严重内涝	0.5	2	1	0	1.1	6.22	III	III

　　以"2016 年 6 月 28 日常州市武进区遭遇三轮强降雨，灾情严重"为例，验证建立的分级模型。

　　事件具体描述：间隔时间短，雨势集中，武进区灾情严重，沿太湖、滆湖的雪堰、前黄、南夏墅、嘉泽、湟里等镇 (街办) 灾情尤为严重，全区发生漫顶、渗漏、管涌、坍塌等灾情 99 处，护岸、防浪墙及各类站、闸、涵等建筑物受损 383处；全区共 140 个村、39 个居委会受灾，受灾人口 5.7084 万人，紧急转移 1.7589万人，其中农村受淹 11439 户，城镇 2271 户，损坏房屋 257 间，直接经济损失约 7.5 亿元。

　　3. 匹配相似历史情景

　　以"2016 年 6 月 28 日常州市武进区遭遇三轮强降雨，灾情严重"为目标情景 A。因为各个历史情景与目标情景的相似度计算过程相同，所以只选取三个历史情景来展示计算过程，三个历史情景 B_1、B_2、B_3 的事件名称分别是"2016 年 5 月 30 日浙江部分地区遭遇强降雨"、"2015 年 6 月 27 日江苏常州遭遇强降雨，全市出现大面积受涝、受淹现象"和"2013 年 5 月 15 日广东清远出现 100 年一遇的强降雨"。设定各属性权重为 (0.10，0.12，0.11，0.12，0.05，0.04，0.05，0.06，0.08，0.09，0.07，0.03，0.03，0.05)，目标情景 A 和历史情景的事件客体、承灾载体属性数据见表 7-11，第一行至第四行分别为 A, B_1, B_2, B_3。

表 7-11 情景属性数据

情景分类		A	B_1	B_2	B_3
	降雨量/mm	45.1	40.9	218.9	100
	淹没水深/m	0.3	0.15	0.3~2.0	——
	淹没历时/h	24	——	36	24
	受灾人口/万人	5.71	2.9	6.5	10.5
	死亡人口/人	0	5	0	4
事件客体	房屋倒塌/间	33	100	12	127
	农作物受灾面积/万 hm²	1.12	0.15	1.6	7.9
	直接经济损失/亿元	7.5	1.9	4.1	3.6
	水库运行情况	一般	一般	较差	一般
	圩区塌方情况	严重	一般	严重	严重
	排水系统建设	一般	滞后	一般	先进
承灾载体	绿化面积百分比/%	39	40.7	41	74.7
	人口密度/(人/m²)	901	709	782	194
	基础设施抗灾能力	较好	较差	较好	较差

由此可得综合相似度：

$$\text{SVM}(A, B_1) = 0.7391; \text{SVM}(A, B_2) = 0.8799; \text{SVM}(A, B_3) = 0.5049$$

按照综合相似度的高低，对三个历史情景进行排序，由高到低为 B_2、B_1、B_3，可以匹配出综合相似度最高的历史情景为 B_2。

历史情景 B_2 的应对措施：一是加强领导，召集军分区、水利、交通、气象、水文等部门负责人，紧急会商防洪排涝、抢险救灾、人员转移事宜。二是科学调度，为争取防洪排涝工作的主动权，市防汛防旱指挥部发布调度令，指令沿江水利工程执行"高潮挡、低潮排"的调度方案；无论是水库、城市防洪工程，还是沿江水利工程、城区防洪排涝二级泵站，满足运行条件的，全部开足马力，充分发挥效益。三是积极协调，请求省防指协调解决大运河常州段禁航事宜，尽最大努力减轻不利影响，确保人民生命财产安全；指示关闭钟楼闸、丹金闸，并调运 70 台机泵支援常州市防洪排涝工作。

4. 节点变量演化分析

在"2016 年 6 月 28 日常州市武进区遭遇三轮强降雨，灾情严重。常州市气象台 28 日 14 时继续发布暴雨黄色预警信号"情景下，通过市气象台发布的暴雨预警信号，预测未来 12 小时内，降雨量变大的概率为 0.55。

新一情景单元的触发变量为"14 时继续发布暴雨黄色预警信号"，武进区的两个低洼易涝点丫河村和蒋公岸社区的事态恶化。表 7-12 为两个节点的环境影响因子和应急因子数据展示，表 7-13 统计了 2015～2018 年两个节点曾发生的严重洪涝灾害事件，这两个节点变量的风险程度值计算如下。

表 7-12　节点变量影响因子展示

节点	U_1/km^2	U_2/人	U_3/间	U_4/个	U_5/(万元/人)	C_1/个	C_2/个	C_3
丫河村	3.63	3000	886	21	1.65	1	5	一般
蒋公岸社区	1.12	1798	674	130	3.91	1	23	一般

表 7-13　2015～2018 年严重洪涝灾害事件统计

节点	灾害发生日期	过程降雨量/mm	最大淹没水深/m	受灾人口/人	直接经济损失/万元
丫河村	2015.6.28	139.5	1.5	1000	500
	2016.7.2	289	1	1943	850
	2017.6.10	47.5	0.1	130	20
	2017.9.25	47	0.2	56	5
蒋公岸社区	2015.6.17	226.5	1.2	194	1260

各个环境因子和应急因子对节点状态的影响是同等重要的，通过 min-max 标准化法进行无量纲处理后，根据式 (7-22) 计算：RI(蒋公岸社区)/RI(丫河村)＝0.0309。由此可知，当前时刻下，在两个地点节点变量中，丫河村的风险程度比蒋公岸社区的大，处于战术执行基层的决策用户应明确关键点为丫河村，需重点针对丫河村动态调整救援方案，控制节点的演化趋势。

不同层次的用户决策需求不同，从而相应的情景粒度也有粗细之分，本书将突发事件分解为情景单元，借助支持向量机明确突发事件的响应级别，利用情景相似度算法匹配出相似情景的历史措施，在资源有限和时间紧迫的情况下，准确推演关键节点的态势发展是情景应对的重点，模型引入空间粒度相关理论，对新情景单元中地点变量的风险程度进行了量化分析，从战略决策高层到战术执行基层，划分需求层次，生成的多粒度响应模型既支撑了高层次用户制定应急方案，又满足了低层次用户聚焦最紧迫地点的需求。

7.6　突发水灾害事件短时预警服务应用

7.6.1　城市洪涝预警模型

预警是从军事术语演化而来，指通过各种手段提前获取信息并经过分析、判断等预知敌方的动态，给予动态分类定级并由总部决策，以便提前采取行动来应对敌方可能的行为[185]。城市洪涝灾害预警体现出城市洪涝灾害动态演化性特征，即人类调动主观能动性，整合水文水情数据，通过预警模型等提前预警洪涝灾害的发生，以达到降低灾害损失的目标。常用的城市洪涝灾害预警模型主要分为两类：一是以水文水动力及气象特征为基础的机理性模型，如国内新安江模型；二是以数据为基础的非机理性模型，如常见的回归模型法、时间序列法和人工神经网络法等。

1. 新安江模型

目前，我国应用最为广泛的水文模型为 1973 年建立的新安江模型，主要应用于中国湿润与半湿润地区，并发展改进为三水源的及其他多水源的模型。新安江模型的结构框图如图 7-9 所示，模型结构及计算方法可分为蒸散发计算、产流量计算、分水源计算和汇流计算等。其中方框内是状态变量，方框外是参数常量，参数具体物理意义如表 7-14 所示。

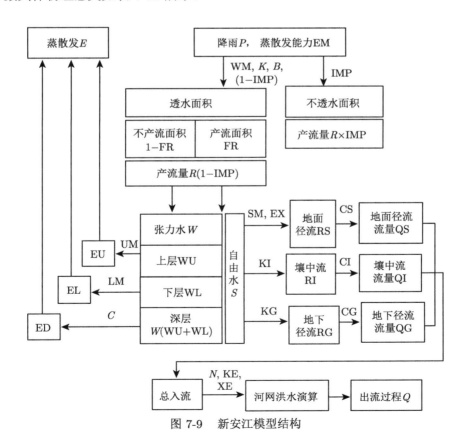

图 7-9 新安江模型结构

表 7-14　新安江模型参数的定义或物理意义

参数	含义	参数	含义
K	蒸发能力折算系数	KI	壤中水径流出流系数
WM	流域蓄水容量	KG	地下水径流出流系数
UM	上层蓄水容量	CS	地面径流消退系数
LM	下层蓄水容量	CI	壤中水径流消退系数
C	深层蒸散发系数	CG	地下水径流消退系数
IMP	不透水占全流域面积之比	N	子河段数
B	蓄水容量曲线指数	KE	子河段洪水波传播时间
SM	流域自由水蓄水容量	XE	子河段流量比重因子
EX	自由水蓄水容量曲线指数	EU	上层蒸散发
R	透水面积产流	EL	下层蒸散发
WU	上层蓄水量	ED	深层蒸散发
WL	下层蓄水量	W	张力水

　　以新安江模型为代表的洪涝灾害机理性模型在水文预报、水资源规划和管理等领域的应用已取得巨大的社会和经济效益，但一方面洪涝灾害机理模型多数依赖于复杂的参数，计算难度较大，计算速度较慢；另一方面城市遭受暴雨袭击下孕灾模式、成灾机理愈加复杂，洪涝灾害机理性模型在模拟精度上受到空间和属性等数据限制，在数据计算、时效性和空间处理上面临着挑战，因此，以数据驱动的非机理性模型在城市洪涝灾害预警中得到越来越多的应用。

　　2. 回归模型法

　　"回归" 这一概念是 19 世纪 80 年代由英国统计学家弗朗西斯在研究父代身高与子代身高之间的关系时提出来的，目前已经成为社会科学定量研究方法中最基本、应用最广的一种数据分析方法。回归模型可用于描述自变量和因变量之间的关系，也可以基于自变量的取值变化来预测因变量的取值。

　　一般地，一元线性回归模型可以表示为

$$Y_i = \beta_0 + \beta_1 X_i + \varepsilon_i \tag{7-23}$$

式中，Y_i 表示第 i 个个体在因变量 Y 上的取值，Y 是随机变量；X_i 表示第 i 个个体在自变量 X 上的取值；β_0 和 β_1 是模型的参数，通常是未知的，需要根据样本数据进行估计；ε 是随机误差项，也是随机变量，代表了不能由 X 结构性解释的其他因素对 Y 的影响。当考虑多个自变量的情况时，模型扩展为多元回归模型。

　　3. 时间序列法

　　与回归模型相比，时间序列法是指对按时间顺序排列的一组随机变量进行观察、研究，找寻它发展变化的规律，并预测它将来的走势。1927 年，英国统计学家 G. U. Yule 提出自回归 (auto regressive, AR) 模型，自回归模型是指使用自身做回归变量，一般的 n 阶自回归过程满足方程：

$$X_t = \varphi_1 X_{t-1} + \varphi_2 X_{t-2} + \cdots + \varphi_n X_{t-n} + a_t \qquad (7\text{-}24)$$

式中，X_t 的当期值是自身最近 n 阶滞后项和 a_t 的线性组合；φ_n 为自相关系数；a_t 为白噪声，表示平均数为 0、标准差为 σ 的随机误差值。

一般而言，任何变量的时间序列都可以使用上述自回归过程来描述，但为了简化估计参数的工作量，1931 年，英国数学家 G. T. Walker 在分析印度大气规律时使用了移动平均 (moving average, MA) 模型和自回归移动平均 (ARMA) 模型，其中移动平均 (MA) 模型是指 X_t 仅与扰动项 a_{t-m} 有关，一般的 m 阶移动平均过程满足方程：

$$X_t = a_t - \theta_1 a_{t-1} - \theta_2 a_{t-2} - \cdots - \theta_m a_{t-m} \qquad (7\text{-}25)$$

而将 AR 模型与 MA 模型结合，则得到自回归移动平均 (ARMA) 模型：

$$X_t = \varphi_1 X_{t-1} + \cdots + \varphi_n X_{t-n} - \theta_1 a_{t-1} - \cdots - \theta_{n-1} a_{t-n+1} + a_t \qquad (7\text{-}26)$$

4. 人工神经网络法

人工神经网络是 20 世纪 80 年代以来人工智能领域兴起的研究热点。目前，应用最为广泛的神经网络是 1986 年由 Rumelhart 和 McClelland 提出的 BP(back propagation) 神经网络，其拓扑结构图如 7-10 所示。

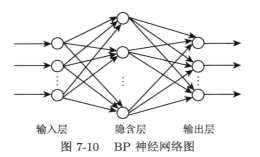

输入层　　　　　隐含层　　　　输出层

图 7-10　BP 神经网络图

图 7-10 中，输入层对应模拟系统的自变量数据组，自变量数据组经隐含层逐层处理，直至输出层，对应模拟系统因变量的一组理想输出数据。BP 神经网络的训练过程包括网络初始化、隐含层输出计算、输出层输出计算、误差计算、权值更新、阈值更新和判断算法迭代是否结束七个步骤。

7.6.2　常州市洪涝灾情数据分析

城市洪涝灾害作为一种突发事件，具有突发性、不确定性等特征，如何快速预警与响应成为当前研究的热点。为了达到快速高效且时间、资金耗费合理的城市洪涝灾害预警目标，本小节以常州市的洪涝灾情事件为例，通过数据准备，构建了综合考虑时间和空间的洪涝灾情短时预警模型。该模型包括"水位预测""致灾概率预测""洪涝灾情预警"三个模块，能有效预测 1 日内的河道水位、灾害发生概率和洪涝灾情，为突发事件的情报服务应用提供参考。

1. 数据来源与采集

城市洪涝灾害预警数据主要为水文水情数据，如表 7-15 所示。河道水位是指河道内水体自由水面相对于基面的高程，是判断洪涝灾害是否形成的重要水文观测要素之一。警戒水位是指江、河、湖泊水位上涨到河段内可能发生险情的水位，主要由各地水文局、防汛办依据当地水文水情特征和防汛要求制定。常州市具体水位站点的警戒水位如表 7-16 所示，当河道水位超出警戒水位时，表明城市洪涝灾害风险大大增强。降雨量指从天空降落到地面的雨水，未经蒸发、渗透、流失而在地面上积聚的水层深度，由水文局、气象部门观测得到，是城市洪涝灾害暴发的重要致灾因子。

表 7-15　城市洪涝灾害预警主要数据

一级指标	二级指标	单位	数据来源
水文水情数据	河道水位	m	水文局
	警戒水位	m	
	降雨量	mm	

表 7-16　常州市主要站点警戒水位

站点	所在行政区	警戒水位/m
金坛	金坛区	5.00
王母观	金坛区	4.60
河口	溧阳市	7.74
溧阳 (二)	溧阳市	4.50
南渡	溧阳市	5.00
漕桥 (三)	武进区	4.00
坊前	武进区	4.10
黄埝桥	武进区	4.00
常州 (三)	钟楼区	4.30
常州三堡街	钟楼区	4.30

其中，河道水位和降雨量等水文水情数据主要从常州市水利信息化平台采集，采集范围为常州市金坛区、武进区、天宁区、新北区、钟楼区和溧阳市所在区域的各水位站点和降雨站点，采集频率为每 5 分钟更新一次。主要采集了 2016 年 3 月 22 日至 2017 年 4 月 10 日常州市 64 个水位站点和 148 个降雨站点共 384 天 2000 多万条有效数据。鉴于常州市区域河道水位站点和降雨站点在不同区域

内存在分布不均匀的情况，所以在分析区域水文水情时需要对数据进行必要的审核和预处理，避免因水位站点数据分布失衡弱化预警模型的有效性。

城市洪涝灾害的形成不仅受致灾因子的影响，还受承灾体暴露性、脆弱性和防灾应急能力等影响，和城市社会经济数据密切相关。主要选取了人均 GDP 等社会经济数据作为衡量指标，如表 7-17 所示，其中人均 GDP 是反映一国 (地区) 全部生产活动最终成果的重要指标，体现了城市经济发展水平。人口密度反映了人口聚集程度，人口密度越大，人口越聚集，越易受到城市洪涝灾害的影响。老幼人口比重是指 65 岁以上老年和 6~13 岁儿童人口占总人口的比重，反映了城市应对洪涝灾害的能力，老幼人口比重较大，表明城市洪涝灾害应对能力较低。企业单位数反映了城市经济运行状态，一个城市企业单位数越多，表明城市洪涝灾害可能带来的损失越多。医院床位数反映了城市应急管理能力，一个城市医院床位数越多，表明在面对城市洪涝灾害时应急能力越强。

表 7-17 城市洪涝灾害风险主要数据

一级指标	二级指标	单位	数据来源
社会经济数据	人均 GDP	万元	《常州市统计年鉴》
	人口密度	人/km²	
	老幼人口比重	%	
	企业单位数	个	
	医院床位数	张	

2. 数据预处理

城市水利大数据化一方面累积和提供了大量的可供城市洪涝灾害研究的数据，另一方面也因为数据量大，数据量地区分布不均，在用于城市洪涝灾害防灾减灾预警前，需要通过预处理，使数据规范统一，更好地服务于城市洪涝防灾减灾研究，具体数据预处理过程如下。

(1) 数据维度处理。鉴于已有的河道水位和降雨数据主要分布在常州市各个站点，且数据频率为每 5 分钟一次，数据尺度较小，为了更好地研究数据规律，本书对水文水情数据做了两个方面的处理：在时间尺度上，河道站点水位以 0 点时刻为基准，降雨站点降雨量以日累积值为准，将日序列数据用于构建洪涝灾情预警模型；在空间尺度上，基于河道水位和降雨站点的地理分布，将研究样本分为天宁区、钟楼区、新北区、武进区、金坛区和溧阳市等区域层级和常州市整体两个层级，细分洪涝灾情预警模型。

同时，由于社会经济数据中包括人均 GDP、人口密度、老幼人口比重、企业单位数等，这些数据量纲不同，数值上的差距也相对较大，必须对数据进行归一化处理，保证数值范围大的数据不会淹没数值范围小的数据。归一化方法很多，通常可以使用线性转化和对数函数转化等处理。本小节主要采用 min-max 标准化方法，即离差标准化，通过对原始数据的线性变换，使结果值映射到 [0,1] 之间。

(2) 数据异常值处理。大量水文水情数据从真实的外部环境中产生，由于数据监测设备的故障或者采集人员的疏忽等，各测站数据存在异常值风险。如果不对异常值进行处理加工，势必会影响模型精度。因此，需要对采集的水文水情数据进行必要的审核和加工整理，以保证数据的准确性和完整性。

在水文水情异常值的处理中，首先可以绘制数据样本趋势图，再从图中找出数据波动性较大的点进行仔细审查核实，进而确认异常点并进行处理。通常，异常值可以直接删除，再根据缺失值的补缺方式来处理。

以常州市金坛区内岸头水位站点为例，如图 7-11 所示，可以看出 2016 年 3 月 22 日至 2017 年 4 月 10 日，金坛区内整体河道水位站点水位波动较大，出现多个峰值和谷值，结合站点整体变动趋势和峰谷值出现时间判断是否是异常值。如 2016 年 7 月 5 日左右，常州市正处于夏季汛期，岸头站水位达到最大值，为 6.3765m，远高于警戒水位，此时峰值不应作为异常值删除，而应保留做进一步研究。

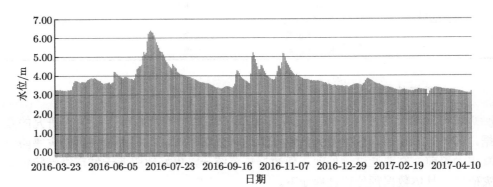

图 7-11　常州市金坛区河道岸头水位站点图

缺失值的出现会影响水文水情数据的时间特性，从而影响城市洪涝灾情预警模型的拟合能力和预测精度。常用的缺失值处理方法包括：忽略缺失值，但当缺失值占数据集的比例很大时，该方法并不适用；人工填写缺失值，但当数据集很大，缺失值较多时，该方法可能行不通；将缺失值使用同一个常量替代，该方法简单，但缺乏科学合理性；使用数据集的均值或中位数等中心度量值填充缺失值，其中均值适用于呈对称分布的数据，中位数适用于呈倾斜分布的数据；基于已有数据信息使用回归、贝叶斯等推理方法预测填充缺失值，与其他方法相比，该方法的数据可靠性好。

以 2016 年 3 月 22 日至 2017 年 4 月 10 日常州市水位河道站点的采集数据可知，除岸头、金坛等 17 个站点拥有 384 天的完整数据外，其余站点数据均存在不同程度的缺失。由于天宁区、钟楼区和新北区河道站点较少，如果直接采用忽略缺失值的处理方法，即忽略元组，将难以继续开展洪涝灾情预警研究。因此，为了进一步平衡各区域间的数据，对缺失值做以下处理：对于武进区、金坛区和溧阳市的河道站点，由于区域内站点分布较多，数据较全，如果部分站点存在缺失值，可以直接采用第一种方法，即忽略存在缺失值的站点数据；钟楼区内常州 (三)、常州三堡街和新闸站三大站点采集数据的时间段分别为 384 天、311 天和 370 天，由于数据采集的时间间隔通常具有规则性，且数据缺失较少，因此主要采用回归模型推理填充缺失值；由于新北区和天宁区站点数少，地理位置接近，因此站在水文水情数据角度，将新北区数据纳入天宁区讨论，并通过均值度量推理填充缺失值。

对于常州市降雨站点数据，缺失值处理方法同上。

7.6.3 常州市洪涝灾情短时预警模型构建

基于城市洪涝灾害形成原理，结合时间和空间特征，从自然因子和社会经济因子角度出发，本书主要构建了包括水位预测模型—致灾概率模型—洪涝灾情模型为基础的常州市洪涝灾情短时预警模型，如图 7-12 所示。

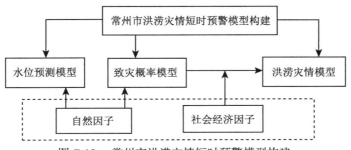

图 7-12　常州市洪涝灾情短时预警模型构建

1. 水位预测模型

城市洪水灾害研究中，降雨是城市洪水灾害暴发的主要致灾因子，水位是判断是否形成灾害的主要水文观测元素，常用的水文水情模型大多基于降雨—径流—水位等构建，模型参数设定复杂，随着回归、时间序列和神经网络等统计模型的发展和水利信息化的发展，以数据驱动为基础的城市洪涝灾害预警模型简化成为可能。本书基于回归和时间序列思想，在考虑时间滞后基础上，通过选择水位和降雨信息，构建了水位预测模型，如式 (7-27) 所示。

$$Z_t = \alpha Z_{t-1} + \beta J_t + C + \varepsilon \tag{7-27}$$

式中，Z_t 代表 t 时河道水位；Z_{t-1} 代表 $t-1$ 时河道水位；J_t 代表 t 时累计降雨量；C 为常数项；ε 为误差项；$t-1$ 为时间间隔一天，即水位预测过程中，当日河道水位为历史前一天的河道水位和当日累计降雨量决定；α 和 β 为系数。

　　水位预测模型拟合优度的测量主要依据多元判定系数 R^2，显著性检验则依赖于 F 检验和 t 检验。具体为：多元判定系数 R^2 表现为因变量 y 中的变异性能被估计的多元回归方程解释的比例，$R^2=\text{SSR}/\text{SST}$，其中 SSR 为回归平方和，SST 为回归平方和与误差平方和组成的总的平方和。一般情况下，R^2 越大表示模型拟合度越好，但由于自变量的增加也会使 R^2 变大，因此通常使用调整后的 R_a^2 表示。

$$R^2 = \frac{\text{SSR}}{\text{SST}} \tag{7-28}$$

$$R_a^2 = 1 - (1 - R^2)\frac{n-1}{n-p-1} \tag{7-29}$$

式中，n 为观测值的数目；p 为自变量的数目。

　　F 检验与模型回归关系在总体上的显著性有关，基本假设为

$$H_0 : \beta_1 = \beta_2 = \cdots = \beta_p = 0$$

$$H_a : 至少有一个参数不等于 0$$

检验的统计量为

$$F = \frac{\text{MSR}}{\text{MSE}} \tag{7-30}$$

式中，MSR 为均方回归；MSE 为均方误差。

　　拒绝法则为

$$p\text{-值法：如果} p \leqslant \alpha, 则拒绝 H_0$$

$$临界值法：如果 F \leqslant F_\alpha, 则拒绝 H_0$$

式中，F_α 代表分子自由度为 p、分母自由度为 $n-p-1$ 时，使 F 分布的上侧面积为 α 的 F 值。

　　t 检验用于确定每一个单个参数的显著性，基本假设为对于任意一个参数 β_i：

$$H_0 : \beta_i = 0$$

$$H_1 : \beta_i \neq 0$$

检验的统计量为

$$t = \frac{b_i}{\text{sb}_i} \tag{7-31}$$

式中，b_i 为样本均值差；sb_i 为样本均值差异标准误差。

拒绝法则为

$$p\text{-值法：如果 } p \leqslant \alpha, \text{ 则拒绝 } H_0$$

$$\text{临界值法：如果 } t \leqslant -t_{\alpha/2} \text{ 或者 } t \geqslant -t_{\alpha/2}, \text{ 则拒绝 } H_0$$

式中，$t_{\alpha/2}$ 是自由度为 $n-p-1$ 时，使 t 分布的上侧面积为 $\alpha/2$ 的 t 值。

同时，为了进一步考虑水位预测模型在整个城市范围的适用性，进一步构建面板回归模型：

$$Z_{it} = \alpha + \rho Z_{i,t-1} + \beta J_{it} + \mu_i + \varepsilon_{it} \quad (t = 2, \cdots, T) \tag{7-32}$$

式中，Z_{it} 为因变量；$Z_{i,t-1}$、J_{it} 为自变量；α、ρ 和 β 为系数；μ_i 为个体效应；ε_{it} 为随机误差项。

在面板回归模型中，个体固定效应模型解决了不随时间而变但随个体而异的遗漏变量问题，随机效应模型解决了不随个体而变但随时间而变的遗漏变量问题。为了进一步确定在常州市水位预测中是采用固定效应模型还是随机效应模型，可以进行 Hausman 检验。

2. 致灾概率模型

城市洪涝灾害水位预测模型的构建以水位为重要标识，提供了重要的城市洪涝灾害信息。但是对于城市洪涝灾害是否发生及发生概率仍然无法做出判断。本书基于 Logistic 模型在描述事件相对发生概率中的广泛应用，进一步构建城市致灾概率模型。

Logistic 转换可以理解为事件发生对事件不发生的比率对数，事件发生概率 p 的 Logistic 转换可以表示为

$$\text{Logistic}(p_i) = \ln\left(\frac{p_i}{1-p_i}\right) = \eta_i \tag{7-33}$$

进一步可以将其表示为一组自变量线性组合：

$$\text{Logistic}(p_i) = \eta_i = \sum_{k=0}^{\max} \beta_k x_{ik} \tag{7-34}$$

通过简单的运算，我们可以求出概率：

$$p_i = \frac{\exp\left(\displaystyle\sum_{k=0}^{\max} \beta_k x_{ik}\right)}{1 + \exp\left(\displaystyle\sum_{k=0}^{\max} \beta_k x_{ik}\right)} \tag{7-35}$$

　　这就是 Logistic 概率密度函数。

　　因此，对于任何 x 和相应 β 的所有可能取值，Logistic 转换都能确保概率 p_i 在 [0,1] 区间内合理地取值。而且当 p_i 趋近于 0 时，对应的 Logistic(p_i) 将趋近于负无穷；当 p_i 趋近于 1 时，对应的 Logistic(p_i) 将趋近于正无穷。

　　本小节将从常州市水文局获取的常州市主要站点警戒水位作为标准，根据水位预警模型，通过预测水位与警戒水位对比，建立基于 Logistic 回归的洪涝致灾概率模型：

$$p = \frac{1}{1 + \mathrm{e}^{-g(z)}} \tag{7-36}$$

$$g(z) = \alpha Z_{t-1} + \beta J_t + C + \varepsilon \tag{7-37}$$

式中，p 代表水位超过警戒水位的概率 (0~1)；Z_t 代表当日河道水位；Z_{t-1} 代表前一天河道水位；J_t 代表累计降雨量。

　　同时，基于 Logistic 回归的洪涝致灾概率模型所对应的面板回归表现为

$$g(z)_{it}^* = \alpha Z_{it-1} + \beta J_{it} + \mu_i + \varepsilon_{it}(i = 1, \cdots, n; t = 1, \cdots, T) \tag{7-38}$$

式中，$g(z)_{it}^*$ 为不可观测的潜变量；μ_i 为个体效应；而解释变量 Z_{it-1}、J_{it} 不含常数项，给定 Z_{it-1}、J_{it}、β、μ_i 则有

$$P(g(z)_{it}, Z_{it-1}, J_{it}, \beta, \mu_i) = \frac{\mathrm{e}^{\alpha Z_{it-1} + \beta_{it} + \mu_i}}{1 + \mathrm{e}^{\alpha Z_{it-1} + \beta_{it} + \mu_i}} \tag{7-39}$$

　　Logistic 面板回归模型的主要估计方法包括混合回归、随机效应估计与固定效应估计。如果 $\mu_1 = \mu_2 = \cdots = \mu_n$，则为混合回归；如果个体效应 μ_i 与解释变量 x_{it} 相关，则为固定效应模型；如果个体效应随时间而变，则为随机效应模型。

3. 洪涝灾情预警模型

　　系统论观念指出，形成洪涝灾害必须存在诱发洪水的因素及形成洪水灾害的环境，同时，洪水影响区有人类居住或有社会财产分布。一般而言，城市洪涝灾害自然因子在一段时间内变动较大，承灾体暴露度和脆弱性等社会经济因子在短期内不发生变化。因此，在充分考虑城市洪涝灾害中自然因子的动态变化和社会经济因子短时稳定的条件下，可通过将城市洪涝灾害发生概率动态变化叠加至社会经济因子中，将城市洪涝灾情在时间尺度上从年、月等细化到日，形成城市洪涝灾情短时预警模型，表现为

$$R = H \times E \tag{7-40}$$

式中，R 是洪涝灾情；H 是自然因子下洪涝发生概率；E 是社会经济因子。

7.6.4 常州市洪涝灾情短时预警模型结果分析

考虑到洪涝灾情在空间分布上的差异,在分析常州市洪涝灾情短时预警模型时,主要从常州市各区域视角和整体城市视角两个角度进行探讨,具体分析如下。

1. 水位预测分析

基于城市洪涝灾害水位预测模型,分别输入常州市金坛、武进、溧阳、天宁(含新北)、钟楼的水位和降雨信息,获得模型结果,如表 7-18 所示。

表 7-18　常州市分区域水位预测模型估计

指标	金坛	武进	溧阳	天宁 (含新北)	钟楼
Z_{t-1}	0.9601	0.9646	0.9550	0.9206	0.9525
	$<2\times10^{-16}$ ***	$<2\times10^{-16}$ ***	$<2\times10^{-16}$ ***	$<2\times10^{-16}$ ***	$<2\times10^{-16}$ ***
J_{t-1}	0.0010	0.0010	0.0010	0.0009	0.0004
	0.0889*	0.0006***	0.0344**	0.0079***	0.3245
C	0.1503	0.1267	0.1666	0.2963	0.1805
	0.0060***	0.0024***	0.0027***	6.04×10^{-5}***	0.0039 **
F 检验	$<2\times10^{-16}$ ***	$<2\times10^{-16}$ ***	$<2\times10^{-16}$ ***	$<2\times10^{-16}$ ***	$<2\times10^{-16}$ ***
Adj R^2	0.9428	0.9620	0.9382	0.8789	0.9198

注:***、**、* 分别表示在 1%、5%、10%的水平上显著。

从常州各区域视角出发,在常州市五大区域中,基于滞后一期的水位时点均值和降雨累计值所构建的水位预警模型表现出良好的拟合度,其中武进、金坛、溧阳和钟楼 R^2 均在 0.9 以上,天宁区受到新北区水文水情数据的影响,其洪涝灾害模型的 R^2 虽然略低于武进、金坛等,但也高于 0.87,表明基于历史水位和降雨信息,实现常州市各区域水位信息预警是有效可行的,同时模型总体回归系数均通过 F 检验。

在模型系数上,滞后一期的水位 Z_{t-1} 均通过显著性检验。其中,在金坛区内,1%的水位增加将对第二天水位增加产生 0.9601%的影响;武进区内,1%的水位增加将对第二天水位增加产生 0.9646% 的影响;即便是拟合程度较低的天宁区(含新北区) 内,1%的水位增加也将对第二天水位增加产生 0.9206%的影响,说明河道水位受历史水位影响较大。

在降雨系数上,各区域降雨量 J_{t-1} 的系数水位间均存在正相关关系,即降雨增加将带来水位的上升,其中,除钟楼区降雨系数没有通过显著性检验外,其他分别在 1%、5%和 10%的水平上通过显著性检验。即在金坛区,1mm 的降雨量增加将带来 0.0010m 水位的上升,因此一旦发生长时间的强降雨,很有可能带来水位持续上升,导致洪涝灾害的发生。

除历史水位和降雨信息外,对当日水位产生影响的其他变量均纳入误差项中。

城市洪涝灾害水位预测呈现出空间差异性，各区域水位预测模型分别表现出以下特征。

金坛区预估河道水位与历史河道水位和降雨量之间存在 0.9428 的拟合度，水位预测模型如式 (7-41) 所示，其中 1% 的河道水位增长中，有 0.9601% 由前一天历史河道水位带来，0.001% 由当日降雨量带来，0.1503% 由其他误差项带来。

$$Z_t = 0.9601Z_{t-1} + 0.001J_t + 0.1503 \tag{7-41}$$

武进区预估河道水位与历史河道水位和降雨量之间存在 0.9620 的拟合度，也是常州市各区域中水位预测模型拟合度最高的地区，表明水位预测模型在武进区可得到更好的应用。具体水位预测模型如式 (7-42) 所示，其中 1% 的河道水位增长中，有 0.9646% 由前一天历史河道水位带来，0.001% 由当日降雨量带来，0.1267% 由其他误差项带来。

$$Z_t = 0.9646Z_{t-1} + 0.001J_t + 0.1267 \tag{7-42}$$

溧阳市预估河道水位与历史河道水位和降雨量之间存在 0.9382 的拟合度，具体水位预测模型如式 (7-43) 所示，其中 1% 的河道水位增长中，有 0.955% 由前一天历史河道水位带来，0.001% 由当日降雨量带来，0.1666% 由其他误差项带来。

$$Z_t = 0.955Z_{t-1} + 0.001J_t + 0.1666 \tag{7-43}$$

天宁区 (含新北区) 预估河道水位与历史河道水位和降雨量之间存在 0.8789 的拟合度，鉴于天宁区包含新北区数据信息，整体水位预测模型拟合度低于其他地区，但与其他地区相比，降雨量对该地区的影响程度增大。具体水位预测模型如式 (7-44) 所示，其中 1% 的河道水位增长中，有 0.9206% 由前一天历史河道水位带来，0.0009% 由当日降雨量带来，0.2963% 由其他误差项带来。

$$Z_t = 0.9206Z_{t-1} + 0.0009J_t + 0.2963 \tag{7-44}$$

钟楼区预估河道水位与历史河道水位和降雨量之间存在 0.9198 的拟合度，具体水位预测模型如式 (7-45) 所示，其中 1% 的河道水位增长中，有 0.9525% 由前一天历史河道水位带来，0.0004% 由当日降雨量带来，0.1805% 由其他误差项带来。

$$Z_t = 0.9525Z_{t-1} + 0.0004J_t + 0.1805 \tag{7-45}$$

从常州市整体视角出发，城市洪涝灾害水位预测模型结果显示区域间城市洪涝灾害存在差异性。为了进一步考察市域洪涝灾害整体情况，本书基于常州市城市洪涝灾害进一步构建了面板回归模型，模型结果如表 7-19 所示。

表 7-19 常州市水位预测模型估计

指标	固定效应	随机效应	混合模型
Z_{t-1}	0.9558	0.9834	0.9564
	$<2\times10^{-16}$ ***	$<2\times10^{-16}$ ***	$<2.2\times10^{-16}$ ***
J_t	0.0010	0.0005	0.0010
	1.322×10^{-6} ***	0.0029 **	1.554×10^{-6} ***
C	—	0.0588	0.1597
		0.0001***	1.183×10^{-9} ***
Adj R^2	0.9397	0.9755	0.9405
Hausman 检验	—	—	6.012×10^{-6} ***

注：***、** 分别表示在 1%、5% 的水平上显著。

常州市城市洪涝灾害水位预测模型整体拟合度高，R^2 维持在 0.9 以上，因此基于历史水位和降雨量构建水位预测模型在整个城市尺度上是可行的。

历史水位和累计降雨量与水位呈显著正相关，即前一天历史水位和降雨量的增加将引起当日河道水位上涨，其中固定效应下，水位增加 1%，降雨量增加 1% 将分别带来 0.9558% 和 0.0010% 的水位上升，而随机效应下这种效果更为明显，水位和降雨量分别增加 1%，将带来 0.9834% 和 0.0005% 的水位上升。

根据 Hausman 检验，随机效应通过检验和常州市 2016 年 3 月 22 日至 2017 年 4 月 10 日的水文水情数据，获得城市洪涝灾害水位预测模型为 $Z_t=0.9834Z_{t-1}+0.0005J_t+0.0588$，基于此，可依据水位降雨数据定量化地完成水位预测，为进一步实现洪涝灾情预警提供数据基础。

2. 致灾概率分析

从常州市各区域视角出发，基于城市洪涝致灾概率模型，分别输入常州市金坛、武进、溧阳、天宁 (含新北)、钟楼的水位和降雨信息，获得洪涝致灾概率模型结果，即洪涝灾害发生概率结果，如表 7-20 和表 7-21 所示。

表 7-20 Logistic 回归下洪涝灾害发生概率正确率

地区	参数		观察值		正确百分比/%	整体正确率/%
			0	1		
金坛	预测值	0	318	5	98.5	93.8
		1	17	16	48.5	
武进	预测值	0	291	2	99.3	97.5
		1	7	56	88.9	
溧阳	预测值	0	347	1	99.7	99.4
		1	1	7	87.5	
天宁 (含新北)	预测值	0	280	6	97.9	95.2
		1	11	60	84.5	
钟楼	预测值	0	307	4	98.7	96.9
		1	7	39	84.8	

表 7-21　常州市分区域洪涝灾害发生概率模型估计

指标	金坛	武进	溧阳	天宁 (含新北)	钟楼
Z_{t-1}	2.2190	13.3320	4.1720	14.3210	9.6310
	0.0000***	0.0000***	0.0010***	0.0000***	0.0000***
J_t	0.0300	0.0100	0.0210	0.0140	0.0050
	0.0020***	0.5550	0.1070	0.2060	0.6490
C	−12.0590	−54.3760	−25.0320	−57.9300	−41.7560
	0.0000***	0.0000***	0.0000***	0.0000***	0.0000***
Cox & Snell R^2	0.2240	0.5160	0.1510	0.4900	0.4230
Nagelkerke R^2	0.4860	0.8500	0.7790	0.7770	0.7890
正确率/%	93.8	97.5	99.4	95.2	96.9

注：*** 表示在 1% 的水平上显著。

　　表 7-20 中观察值与预测值里，"1" 和 "0" 分别表示河道水位超过和没有超过警戒水位。基于 Logistic 回归下洪涝灾害发生概率正确率结果可知，Logistic 回归下常州市各区域洪涝灾害发生概率整体正确率较高，其中溧阳市更是高达 99.4%，说明按此回归结果进行洪涝灾害预警是可行的。同时，错误率主要集中在金坛区，观察值为 "不存在被淹风险"，而预测值为 "存在被淹风险" 的有 17 个，但从风险谨慎性角度而言，这类错判有利于推动风险防范意识的提高。

　　结合表 7-21 常州市分区域洪涝灾害发生概率模型的结果估计，可以获得金坛、武进等区域洪涝灾害发生概率模型：

$$金坛：p = \frac{1}{1 + e^{-(2.219Z_{t-1} + 0.03J_t - 12.059)}}$$

$$武进：p = \frac{1}{1 + e^{-(13.332Z_{t-1} + 0.01J_t - 54.376)}}$$

$$溧阳：p = \frac{1}{1 + e^{-(4.172Z_{t-1} + 0.021J_t - 25.032)}}$$

$$天宁 (含新北)：p = \frac{1}{1 + e^{-(14.321Z_{t-1} + 0.014J_t - 57.93)}}$$

$$钟楼：p = \frac{1}{1 + e^{-(9.631Z_{t-1} + 0.005J_t - 41.756)}}$$

　　基于区域洪涝灾害发生概率模型和 2016 年 3 月 22 日至 2017 年 4 月 10 日的水位和降雨数据，将日数据累计整合至月数据，进一步获得洪涝灾害发生概率值，如表 7-22 所示，可见洪涝灾害的发生主要集中在 6~10 月份。

表 7-22 2016~2017 年常州市分区域洪涝灾害发生概率

月份	金坛	武进	溧阳	天宁 (含新北)	钟楼
1	0.02017	0.00233	0.00006	0.01645	0.00435
2	0.00831	0.00002	0.00001	0.00007	0.00008
3	0.00937	0.00006	0.00001	0.00083	0.00023
4	0.04292	0.00830	0.00036	0.06504	0.01255
5	0.03959	0.04991	0.00022	0.05225	0.02232
6	0.27370	0.46057	0.07923	0.44159	0.28413
7	0.35809	0.85081	0.18260	0.90167	0.71878
8	0.02610	0.03634	0.00009	0.20238	0.02482
9	0.14366	0.20384	0.00871	0.20011	0.16488
10	0.19301	0.49333	0.00576	0.43971	0.31339
11	0.03275	0.05852	0.00018	0.09748	0.02808
12	0.01760	0.00052	0.00004	0.00356	0.00167

基于量化的洪涝灾害发生概率可知：从时间尺度上看，常州市洪涝灾害的发生主要集中在 6~7 月和 9~10 月份，其他月份发生概率较低，因此在该时间段内，政府相关部门如防汛办等及公众都应该做好防汛准备，提升灾害风险意识；从空间尺度上看，常州市洪涝灾害发生概率存在区域差异，不同地区灾害发生概率不同。但是受到地理环境因素等影响，相邻区域间洪涝灾害发生概率相近。5~10 月，常州市洪涝灾害发生概率以新北区和天宁区最高，钟楼区次之，武进区、金坛区较弱，溧阳市最低，但灾害发生概率均在 7 月份达到最高值。

为了进一步考察市域洪涝灾害整体情况，本书进一步构建了常州市城市洪涝灾害面板回归模型，模型结果如表 7-23 所示。

表 7-23 常州市洪涝灾害发生概率模型估计

指标	固定效应	随机效应	混合模型
Z_{t-1}	6.0365	6.0146	3.0230
	0.0000***	$< 2 \times 10^{-16}$***	0.0000***
J_t	0.0057	0.0058	0.0088
	0.2240	0.2150	0.0180***
C	—	−28.1861	−14.3024
	—	0.0000***	0.0000***
LR chi2(2)	690.13	−214.37	467.42
Prob > chi2	0.0000	0.0000	0.0000
Hausman 检验	—	−6.51	—

注：*** 表示在 1% 的水平上显著。

历史水位和累计降雨量与洪涝灾害发生概率呈显著正相关关系，即前一天历史水位和降雨量的增加将引起洪涝灾害发生概率的增加，其中固定效应下，水位增加 1%、降雨量增加 1% 将分别带来 6.0365% 和 0.0057% 的洪涝灾害发生概率的上升；而随机效应下，水位和降雨量分别增加 1%，将带来 6.0146% 和 0.0058% 的洪涝灾害发生概率的上升。

根据 Hausman 检验，可以看出 Hausman 检验值为负，随机效应未能满足要求，固定效应则通过检验[186]，因此根据 2016 年 3 月 22 日至 2017 年 4 月 10 日常州市水文水情数据，可获得城市洪涝致灾概率预测模型为

$$p = \frac{e^{6.0365Z_{t-1}+0.0057J_t}}{1 + e^{6.0365Z_{t-1}+0.0057J_t}}。$$

3. 洪涝灾情分析

根据专家打分确定权重，通过加权平均，最终可以获得自然因子叠加社会经济因子后的洪涝灾情图。与致灾因子的发生概率显示结果不同，洪涝灾情主要集中在武进区，其次为溧阳市、新北区和天宁区，而在金坛区和钟楼区，受社会经济因子影响带来的洪涝灾情危险性较小。自然因子和社会经济因子下灾情分布差异使得城市洪涝灾害发展更为复杂。

7.6.5　常州市洪涝灾情预警模型检验

为了检验常州市洪涝灾情短时预警模型在常州市水位预测、致灾概率预测和灾情预警上的实际应用效果，本小节主要选取 2017 年 6 月 5 日至 15 日部分河道站点水位和降雨数据，通过比对实际水位和预测水位之间的差异，计算致灾概率和绘制灾情预警图等，检验模型的可用性。

常州市汛期主要集中在夏季，在 2017 年 6 月 11 日左右常州市迎来了强降雨天气，因此本书主要采集了 2017 年 6 月 5 日至 15 日常州市水利局官网公布的河道站点数据作为模型测试样本。鉴于常州市水利局官网公布的河道水位和降雨站点数据有限，本书主要选取位于钟楼区的常州 (三) 站点、位于溧阳市的南渡站点、位于金坛区的金坛站点和位于武进区的坊前站点数据进行讨论，其河道水位和降雨量数据如表 7-24 所示。

基于构建的常州市分区域水位预测模型和致灾概率模型，输入 2017 年 6 月 5 日至 15 日钟楼、溧阳、金坛、武进等河道站点历史前一天水位信息和降雨信息，可获得水位预测值和致灾概率，如表 7-25 所示。

从时间角度而言，2017 年 6 月 5 日至 15 日，水位预测日均误差率低于 5%，说明水位预测模型整体有效，其中差异主要集中在 6 月 11 日和 12 日，因为受短时强降雨影响，水位增长幅度较大，水位预测值存在一定偏差。尽管在水位预测值上存在偏差，但综合考虑致灾概率预测值，如 2017 年 6 月 12 日钟楼区常州

表 7-24 2017 年 6 月 5 日至 15 日常州市部分站点河道水位和降雨量

日期	站点	区域	河道水位/m	降雨量/mm
2017 年 6 月 5 日	常州 (三)	钟楼区	3.58	0
	南渡	溧阳市	3.4	0
	金坛	金坛区	3.51	0
	坊前	武进区	3.36	0
2017 年 6 月 6 日	常州 (三)	钟楼区	3.75	25.5
	南渡	溧阳市	3.53	40
	金坛	金坛区	3.67	30
	坊前	武进区	3.5	29.5
2017 年 6 月 7 日	常州 (三)	钟楼区	3.72	0
	南渡	溧阳市	3.42	0.5
	金坛	金坛区	3.62	0
	坊前	武进区	3.51	0
2017 年 6 月 8 日	常州 (三)	钟楼区	3.71	0
	南渡	溧阳市	3.41	0
	金坛	金坛区	3.61	0
	坊前	武进区	3.47	0
2017 年 6 月 9 日	常州 (三)	钟楼区	3.61	0
	南渡	溧阳市	3.37	0
	金坛	金坛区	3.58	0
	坊前	武进区	3.45	0
2017 年 6 月 10 日	常州 (三)	钟楼区	3.66	37.5
	南渡	溧阳市	3.49	46
	金坛	金坛区	3.65	62
	坊前	武进区	3.53	63
2017 年 6 月 11 日	常州 (三)	钟楼区	5.25	198.5
	南渡	溧阳市	4.26	20.5
	金坛	金坛区	5.85	178.5
	坊前	武进区	3.99	73.5
2017 年 6 月 12 日	常州 (三)	钟楼区	4.26	0
	南渡	溧阳市	4.25	0
	金坛	金坛区	4.78	0
	坊前	武进区	4.05	0
2017 年 6 月 13 日	常州 (三)	钟楼区	3.97	0
	南渡	溧阳市	4.13	0
	金坛	金坛区	4.33	0
	坊前	武进区	4.01	0
2017 年 6 月 14 日	常州 (三)	钟楼区	3.87	1
	南渡	溧阳市	4.06	0.5
	金坛	金坛区	4.14	0.5
	坊前	武进区	3.93	3
2017 年 6 月 15 日	常州 (三)	钟楼区	3.76	0
	南渡	溧阳市	3.92	0
	金坛	金坛区	4.02	0
	坊前	武进区	3.84	0

表 7-25　2017 年 6 月 5 日至 15 日常州市部分站点水位和致灾概率预测结果

日期	站点	区域	预测水位/m	误差率/%	致灾概率
2017 年 6 月 5 日	常州 (三)	钟楼区	3.62	1.09	0.00
	南渡	溧阳市	3.36	1.29	0.00
	金坛	金坛区	3.55	1.11	0.01
	坊前	武进区	3.37	0.23	0.00
2017 年 6 月 6 日	常州 (三)	钟楼区	3.60	3.98	0.00
	南渡	溧阳市	3.45	2.16	0.00
	金坛	金坛区	3.55	3.26	0.03
	坊前	武进区	3.40	2.94	0.00
2017 年 6 月 7 日	常州 (三)	钟楼区	3.75	0.87	0.00
	南渡	溧阳市	3.54	3.46	0.00
	金坛	金坛区	3.67	1.49	0.02
	坊前	武进区	3.50	0.21	0.00
2017 年 6 月 8 日	常州 (三)	钟楼区	3.72	0.37	0.00
	南渡	溧阳市	3.43	0.67	0.00
	金坛	金坛区	3.63	0.44	0.02
	坊前	武进区	3.51	1.22	0.00
2017 年 6 月 9 日	常州 (三)	钟楼区	3.71	2.89	0.00
	南渡	溧阳市	3.42	1.58	0.00
	金坛	金坛区	3.62	1.01	0.02
	坊前	武进区	3.47	0.69	0.00
2017 年 6 月 10 日	常州 (三)	钟楼区	3.63	0.71	0.00
	南渡	溧阳市	3.43	1.69	0.00
	金坛	金坛区	3.65	0.01	0.09
	坊前	武进区	3.52	0.35	0.00
2017 年 6 月 11 日	常州 (三)	钟楼区	3.75	28.65	0.00
	南渡	溧阳市	3.52	17.37	0.00
	金坛	金坛区	3.83	34.48	0.80
	坊前	武进区	3.61	9.64	0.00
2017 年 6 月 12 日	常州 (三)	钟楼区	5.18	21.62	1.00
	南渡	溧阳市	4.23	0.36	0.00
	金坛	金坛区	5.77	20.65	0.72
	坊前	武进区	3.98	1.84	0.23
2017 年 6 月 13 日	常州 (三)	钟楼区	4.24	6.75	0.33
	南渡	溧阳市	4.23	2.31	0.00
	金坛	金坛区	4.74	9.46	0.19
	坊前	武进区	4.03	0.58	0.41
2017 年 6 月 14 日	常州 (三)	钟楼区	3.96	2.39	0.03
	南渡	溧阳市	4.11	1.26	0.00
	金坛	金坛区	4.31	4.06	0.08
	坊前	武进区	4.00	1.72	0.29
2017 年 6 月 15 日	常州 (三)	钟楼区	3.87	2.84	0.01
	南渡	溧阳市	4.04	3.16	0.00
	金坛	金坛区	4.13	2.61	0.05
	坊前	武进区	3.92	2.02	0.12

(三) 站点预测水位偏差率达 20％以上, 致灾概率预测值为 1.00, 可以发现致灾概率进一步佐证和补充了洪涝灾害发生情况, 增强了预警实时模型的可用性。

从空间角度而言, 常州市钟楼区、武进区、金坛区和溧阳市在洪涝灾情短时预警模型上预测精度存在差异。其中, 以水位预测误差率为例, 金坛区日均最高, 达 7.14％; 武进区最低, 为 1.95％; 钟楼区和溧阳市则分别为 6.56％和 3.21％。

鉴于数据有限性, 仅选择区域中一个站点以日数据为序列进行模型检验。

7.6.6 模型应用分析

为了进一步研究和预警 2018 年常州市汛期洪涝灾情, 本小节以 2018 年 3 月 31 日常州市水利局公布的站点水位和降雨数据为基准, 对 2018 年 4 月 1 日至 2018 年 9 月 30 日的水位预测和致灾概率进行预测, 其中降雨数据主要采用 2016 年历史数据模拟, 水位数据基于预测值变动, 如图 7-13～图 7-15 所示, 分别为 2018 年 4 月 1 日至 2018 年 9 月 30 日金坛区、钟楼区和武进区预测水位趋势。根据预测趋势图, 在 2018 年 7 月金坛区、钟楼区和武进区水位将呈现上涨—下降的波动趋势。为了进一步探讨水位上升是否会导致洪涝灾害的发生, 本书重点对区域内洪涝致灾概率进行预测, 如表 7-26 所示。

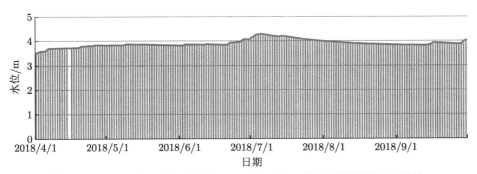

图 7-13　2018 年 4 月 1 日至 2018 年 9 月 30 日金坛区预测水位趋势

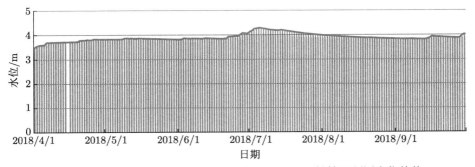

图 7-14　2018 年 4 月 1 日至 2018 年 9 月 30 日钟楼区预测水位趋势

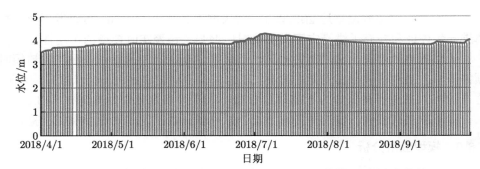

图 7-15　2018 年 4 月 1 日至 2018 年 9 月 30 日武进区预测水位趋势

表 7-26　2018 年 7 月常州市区域致灾概率预测

日期	金坛区致灾概率	钟楼区致灾概率	武进区致灾概率
2018 年 7 月 1 日	0.62	0.03	0.70
2018 年 7 月 2 日	0.78	0.04	0.85
2018 年 7 月 3 日	0.90	0.05	0.92
2018 年 7 月 4 日	0.93	0.05	0.93
2018 年 7 月 5 日	0.95	0.05	0.93
2018 年 7 月 6 日	0.94	0.04	0.93
2018 年 7 月 7 日	0.93	0.04	0.91
2018 年 7 月 8 日	0.92	0.04	0.88
2018 年 7 月 9 日	0.89	0.03	0.85
2018 年 7 月 10 日	0.87	0.03	0.81
2018 年 7 月 11 日	0.86	0.03	0.78
2018 年 7 月 12 日	0.83	0.03	0.74
2018 年 7 月 13 日	0.82	0.03	0.70
2018 年 7 月 14 日	0.85	0.03	0.69
2018 年 7 月 15 日	0.85	0.03	0.66
2018 年 7 月 16 日	0.82	0.03	0.61
2018 年 7 月 17 日	0.79	0.02	0.55
2018 年 7 月 18 日	0.75	0.02	0.49
2018 年 7 月 19 日	0.71	0.02	0.44
2018 年 7 月 20 日	0.66	0.02	0.38
2018 年 7 月 21 日	0.62	0.02	0.33
2018 年 7 月 22 日	0.58	0.02	0.29
2018 年 7 月 23 日	0.53	0.02	0.25
2018 年 7 月 24 日	0.49	0.02	0.21
2018 年 7 月 25 日	0.45	0.02	0.18
2018 年 7 月 26 日	0.41	0.02	0.16
2018 年 7 月 27 日	0.38	0.02	0.14
2018 年 7 月 28 日	0.35	0.01	0.12
2018 年 7 月 29 日	0.32	0.01	0.10
2018 年 7 月 30 日	0.29	0.01	0.09
2018 年 7 月 31 日	0.27	0.01	0.08

　　根据预测的 2018 年 7 月金坛区、钟楼区和武进区致灾概率可知，2018 年 7 月 1 日至 23 日，金坛区致灾概率维持在 0.50 以上，其中 2018 年 7 月 3 日至 8 日更是高达 0.90 以上，武进区致灾概率高于 0.50 的天数与金坛相比较少，但 0.90 以上的致灾概率与金坛区大致同期，而钟楼区 2018 年 7 月洪涝致灾概率偏低。因此，在 2018 年入汛前应重点针对金坛区做好防灾减灾工作，同时在制定洪涝应急计划时需要兼顾金坛区和武进区的灾情状况，合理配置应急资源。

7.7　本 章 小 结

　　本章首先从数据特征融合的角度论述突发事件决策需求关联再生的必要性，并基于此设计关联再生的框架，表示为从数据层到再生层的决策需求与多源数据之间的内外部关联。然后，基于推荐的关联理论及方法为四类突发事件构建决策需求关联再生的过程。以区域能源安全突发事件、高校群体性突发事件及煤矿瓦斯类事故事件三个案例将上述决策需求关联再生过程实例化，并提出基于情景相似度的突发事件决策关联应用，真正为决策者做出精细化决策提供有力支持。最后，基于回归模型、时间序列和 Logistic 回归概率思想，在选择水位和降雨指标的基础上，构建了水位预测模型、致灾概率模型和洪涝灾情预警模型，研究了常州市内分区域和常州市整体洪涝灾情预警情况，为突发事件的短时预警提供情报服务。

第 8 章　突发事件决策需求组织和管理案例解析

目前, 我国日益重视突发事件预警和快速响应, 在国家安全观总体指导下, 最大限度降低突发事件所导致的伤亡和损失, 理论上通过集成情报学、管理科学与工程、公共管理等多学科融合架构突发事件决策需求组织架构; 实践上通过日常监测预警、突发事件识别、组织、关联、再生和服务等过程实现突发事件预警和快速响应。为了进一步验证和优化突发事件决策需求组织和管理, 本章将从四大类突发事件分别解析已经发生突发事件的决策需求组织和管理, 为突发事件决策需求的实际应用提供借鉴和参考。

8.1　自然灾害突发事件案例解析

自然灾害类突发事件是指因为自然现象的发生从而对人类的生命财产带来危害的事件, 主要包括气象、生物、地震等灾害。对自然灾害突发事件的决策需求组织和管理是整个决策需求应用的重要部分, 以下将结合典型案例进行深入地解析。

8.1.1　典型自然灾害突发事件案例选择

2008 年 5 月 12 日 14 时 28 分, 四川省汶川地区发生了 8.0 级特大地震。此次地震强度高、波及范围广, 破坏力为中华人民共和国成立以来最强, 伤亡严重程度高于唐山大地震, 地震波及大半个中国及亚洲多个国家和地区, 超 10 万 km^2 的地区遭到此次汶川地震的严重破坏。此外, 其周边 10 个县 (市) 为此次地震的重灾区, 41 个县 (市、区) 为此次地震的较重灾区, 186 个县 (市、区) 为一般灾区。截至 2008 年 9 月 25 日 12 时, 已确认有 69227 人遇难, 374643 人受伤, 17923 人失踪。同时, 受灾地区的经济和文物也损失惨重。据统计截至 2008 年 9 月 4 日, 共造成直接经济损失 8452 亿元人民币, 其中四川占到总损失的 91.3%, 在财产的损失中, 房屋的损失最大, 与此同时四川省损失了约全省文物的五分之一。地震所诱发的余震、交通堵塞、大堰塞湖等对我国的生态环境、居民人身安全、土地资源、建筑物造成了严重的损害。

8.1.2　自然灾害突发事件案例分析

汶川地震发生后, 党中央和国务院高度重视, 胡锦涛总书记第一时间做出重要批示, 温家宝总理也迅速赶往灾区指导工作, 同时各灾区地方政府、党委等都迅速地做出了应急决策和行动, 其应急救援举措如表 8-1 所示。

表 8-1　2008 年汶川地震后我国相关部门的应急救援措施

相关部门	时间	具体举措
中华人民共和国国务院	5 月 12 日	成立了以温家宝为总指挥的国务院抗震救灾总指挥部,并设立由有关部门、军队、武警部队和地方党委、政府主要负责人参加的救援组、预报监测组、医疗卫生组、生活安置组、基础设施组、生产恢复组、治安组、宣传组等 8 个抗震救灾工作组
中国地震局	5 月 12 日 14 时 28 分至 38 分 5 月 12 日 14 时 28 分至 45 分	精确定位,将地震三要素迅速上报国务院,建议启动国家一级响应 派出首批由 33 人组成的国家地震现场应急工作队,以及由 183 人组成的国家地震灾害紧急救援队,共计 216 人,于 12 日晚间奔赴灾区实施现场应急工作和紧急救援。调动 26 个省地震现场工作队 780 人赴地震灾区开展震情监视与预报、灾害损失评估、建筑安全鉴定等现场工作,历时三个星期,覆盖 50km^2
国家减灾委员会	5 月 12 日 15 时 40 分 5 月 12 日 22 时 15 分	与民政部联合紧急启动国家应急救灾二级响应,组成救灾工作组赴灾区协调指导救灾工作 将响应等级及时提升为救灾一级响应
中国人民解放军总参谋部	5 月 12 日 15 时 50 分	启动应急预案,成都军区派出人员前往震中了解情况。总参谋部迅速指示成都军区、空军和武警部队协助地方政府查明灾情,准备随时投入抢险救灾工作
中华人民共和国民政部	5 月 12 日 16 时 5 月 12 日 21 时	从西安中央救灾物资储备库紧急调拨救灾帐篷 5000 顶 从合肥、郑州、武汉、南宁四个物资储备库紧急调拨救灾帐篷 45650 顶,准备空投棉大衣、棉被、食品等救灾物资
中华人民共和国卫生部	5 月 12 日	派出 10 余支卫生应急队伍赶赴灾区开展医疗救援工作,要求各地尽快了解灾区人员伤亡情况和医疗卫生应急救援方面的需求,并及时做出应急队伍等方面的援助安排
中华人民共和国财政部	5 月 12 日当晚 5 月 13 日上午 5 月 14 日	安排综合财力补助资金 5 亿元 会同民政部紧急下拨地震灾区自然灾害生活补助应急资金 1.6 亿元 中央财政再次紧急下拨抗震救灾资金 1.1 亿元
中华人民共和国交通运输部	5 月 12 日 5 月 14 日	立即研究启动应急预案,从 12 个省调集 1000 台大型机械,争分夺秒抢修毁损公路,确保物资畅通 连夜组织 55 架飞机,从 28 个省区市的 29 个机场起飞,运输救灾人员和物资。中午,组织了 20 多艘冲锋舟通过水路进入灾区抢险

续表

相关部门	时间	具体举措
中华人民共和国公安部	5 月 12 日	成立抗震救灾指挥部,连夜发出紧急通知,要求全力维护灾区治安秩序,严密防范、严厉打击各种违法犯罪活动;做好道路交通应急管理工作,保证进入灾区的主要道路畅通,全力预防和快速处置交通事故等
中华人民共和国商务部	5 月 12 日晚	成立抗震救灾应急领导小组,启动 24 小时应急值班机制,及时了解灾情和灾区市场供求情况,同时着手组织落实应急救灾物资货源
	5 月 13 日上午 11 时	紧急调集首批救灾物资,从上海向四川灾区紧急调运
中华人民共和国国土资源部	5 月 12 日下午	立即进行航空遥感飞行,得到灾区影像直送前指,并发出紧急通知,要求四川、重庆、山西、湖北、甘肃的国土资源部门立即行动,发挥部门技术优势,做好震后产生的次生地质灾害的调查防范工作
	5 月 13 日	启动特大地质灾害应急响应预案,成立地质灾害防治领导小组,迅速组织 1000 多名地质专家分赴各灾区
中国红十字会	5 月 12 日	启动自然灾害救助一级响应预案,从红十字会成都备灾救灾中心迅速调拨单帐篷 557 顶、棉被 2500 床等价值 78 万余元的救灾物资。此外,还派出救灾工作组紧急奔赴灾区,考察灾情

8.1.3　自然灾害突发事件体系要素分析与需求架构

以汶川地震为例,其突发事件决策需求管理体系主要包括事前感知、事中处理和事后管理。

事前感知:地震发生的时间、地点、强度等信息都属于地震预报范围,但是导致地震发生的因素较为复杂,目前人类还不具备精确预报地震的技术能力。国内也有成功预报地震的先例,1975 年辽宁海城的里氏 7.3 级地震,在发生前出现了频繁的前震,地震部门据此在震前数小时发布了临震预报,政府及时疏散了群众,采取了预防措施,避免了数万人的伤亡。相对地,在 1976 年唐山大地震前,由于震前存在不同的预报意见,没有形成官方预报。虽然地震难以准确预测,但震前通常会发生一些异常现象,如动植物异常、地光、地磁场异常等。对可能的震前异常现象进行充分的情报采集和处理,经过加工、转换、分析和评估等一系列过程,可为地震部门的地震预测提供决策服务,以最大可能地提高预测的准确性。由于地震的突发性及难预测性,震前的预防工作和逃生演练变得尤其重要。首先是房屋建筑的抗震预防。对于处于地震多发地区的有关部门,实时提供其所在或所管辖地区范围的房屋、建筑质量信息,以知识库、数据库的形式存储信息,并及时更新数据。通过分析和评估这些数据,向有关部门提交修缮、加固甚至拆除房屋的决策报告，以帮助准确、经济、高效地完成高危地区房屋建筑的抗震预防工作。同时，据此定期组织全体人员进行地震疏散逃生演练，有备无患。其次是有针对性的逃生演练。搜集以往发生的重大地震的各类信息，深度加工和组织，建立案例库，分析和评估这些案例后，针对各类复杂情况，给出最优的逃生方案，包括逃生的路线、紧急避难的场所等。有关部门应安排定期的地震逃生演练活动，根据规定的方案组织演练，达到防患于未然的效果。

事中处理：地震发生后，最重要的是搜救伤员、安置群众、预防余震。地震发生后的72小时，普遍被认为是"黄金72小时"，被困伤者在"黄金72小时"内的存活率极高。但是，在汶川地震发生后，由于破坏的道路、大型堰塞湖等给搜救工作的及时性带来了一定的困难。可以通过实时的情报采集、加工和分析，第一时间提供决策方案，选择道路抢修后运输救援物资还是直接使用飞机进行空投，避免人为指挥时判断失误导致救援时间被耽误。救援工作要根据具体受灾情况来安排有针对性的具体任务，以保证充分利用当前资源，并发挥出资源最大用途。震后除了人员搜救，救出伤员的治疗安顿、基础设施的抢修和维护、当地灾民的援助和安顿也十分重要。在伤员治疗方面，对搜救现场的人员信息和救助后方的医护信息实时采集和更新，并通过机器学习的算法和模型，迅速地给出最优解决方案，使伤员得到妥善安置，使当地医疗资源得到最大利用。值得注意的是，除了身体上的治疗，还需要关注伤者们的心理问题，及时进行针对性的心理疏导工作，从而缓解因为地震带来的焦虑和恐惧，可以事先准备好相应的材料和资源，有针对性地为伤员提供个性化的心理疏导方法，必要时采用药物治疗。地震发生后，在基础设施抢修和维护以及当地灾民的援助和安顿工作基础上，启动相应的决策预案。应急管理系统在第一时间检测当地基础设施的受损情况，分析并给出抢修和维护的方案，以便有关部门及时开展进行抢修和维护工作。对灾民的援助和安顿也应该有相应的预案，根据采集到的即时的灾民信息，分析出灾民需要的食品、药品、生活用品等资源，自动分配预案中预先留存好的物资。对于急需而没有库存的物资，第一时间从有关渠道获取，以便及时地发放给灾民。

事后管理：震后恢复重建需要做的工作任务重、持续时间长，主要包括废墟的清理工作、受灾人员的安置工作、塌陷房屋的重建工作等。在城建方面，采集废房、危房信息，并根据情报分析的结果，给出合理的维修、拆除、重建的方案。在人员安置方面，根据预案和采集到的房屋信息，为无家可归的灾民提供暂时的安顿场所，提供必要的生活用品、食品和药品，使灾民平稳地度过震后到重建的这段时期。

8.1.4 自然灾害突发事件数据采集

1. 汶川地震发生前的情报采集

地震预报是世界科学难题，主要表现在地震的孕育过程具有复杂性、震源深部的不可入性及强震事件的小概率性等方面，但是在充分和合理地应用现有实践经验与研究成果的前提下，可依据地震前兆信息、宏观异常信息等经验对某种类型的地震做出一定程度的预报。比如，在研究程度及临测基础较完善的前提下，有很大可能性与参考性对前兆异常较多的地震类型做出更深度的短临预报 (1975 年辽宁海城 7.3 级、1995 年云南孟连 7.3 级、1999 年辽宁岫岩 5.5 级地震等)。

在地震发生前，自然界通常会表现出动物、地下流体、地陷等宏观异常，据《银川小志》记载：“宁夏地震，每岁小动，民习以为常，大约春冬二季居多，如井水忽浑浊，炮声散长，群犬狂吠，即防此患。至若秋多雨水，冬时未有不震者。”可见，早在 18 世纪宏观异常现象就作为判断地震是否发生的重要经验之一，因此宏观异常现象可构成预测地震是否发生的重要信息源之一。

据中国地震信息网，2008 年 2 月至 5 月 12 日汶川 8.0 级特大地震发生前，全国范围内共出现了 44 起宏观异常，其中 33 起可信度较高，包括动物宏观异常14 起、地下流体宏观异常 15 起、地陷宏观异常 2 起、其他宏观异常 2 起。从宏观异常发生的地点来看，四川省内发生的宏观异常有 12 项，其中 3 项为震前预报，特别地，据华西都市报报道，“2008 年 5 月 10 日四川绵竹市西南镇檀木村出现大规模的蟾蜍迁徙，数十万蟾蜍浩浩荡荡地走上公路。”这些信息无疑可成为地震预警的重要情报。

1) 宏观异常信息采集

在地震发生前，面向地震的情报采集系统，应依据历史上国内外已经发生的地震及专家意见构建宏观异常信息底表，按照情报采集的实时性原则，采用广泛采集的方式于网络信息资源、社交媒体生成数据中采集宏观异常信息，呈报给地震监测部门。此外，对地壳运动较为活跃的地区开展重点监测，保证信息采集的实时性。

具体过程：集成移动互联、短信服务和网络爬虫等相关技术，采集论坛、微博、相关网页等信息源信息，并搭建宏观异常信息上报系统，可供公众参与，完成宏观异常信息的主动采集；从宏观异常、气象异常与热红外异常三大角度，搭建可运行于个人计算机、智能手机与手机短信等多种终端上的地震异常信息的自动筛选与评价系统，实现宏观异常信息的智能化处理。

2) 领域专家知识采集

2006 年底，中国地震局地震预测研究所的尹祥础课题组[187] 就预测：“四川在未来的 18 个月内 (从 2006 年 8 月起算) 可能发生 $M5\sim6$ 级地震”，表明其在汶川地震发生前就已经观察到该地震孕育的信息，用大时空观对地震发展过程进行监测。此类专家知识[187] 依赖于加卸载响应比方法开展地震预测研究，该方法具备坚实的理论基础，权威性较高，通常会以学术论文、研究报告为载体，因此面向地震的情报采集系统在情报采集的过程中要注重此类信息资源的采集。

具体过程：通过专家访谈、文献调研等方法确定国内外的领域专家名录；收集这些领域专家的学术论文、著作、研究报告等信息资源，构建领域专家知识库。

3) 地震前兆信息采集

中国地震信息网公布的《地震前兆异常落实工作指南》中明确指出：科学发展的现今阶段，一般把同地震孕育与发生过程有直接关系或间接关系的地下介质的物理化学异常变化，统称为地震前兆异常。我国目前已经开展了地壳形变前兆观测、地电地磁前兆观测及地下流体前兆观测，此类观测数据的动态变化与地震的孕育与发生联系紧密，为预测地震是否发生的最为直接、权威的数据源。此类观测数据通常由政府的相关监测部门掌握，因此属于政府内部信息资源的范畴。

此外，在地震类突发事件发生前，民众通常会将当地已出现的宏观异常情况向当地政府报告，经过当地政府核实后，此类信息源具备了较高的权威性，可构成预测地震是否发生的重要信息源之一。

具体过程：地震监测部门通过多终端监测地震前兆信息，并与宏观异常信息上报系统相结合，完成地震前兆信息的自动化采集与筛选，提高地震前兆信息采集与分析的时效性与丰富性。

4) 地震类突发事件案例库、知识库的构建

地震的发生为一种小概率事件，因此面向地震类突发事件的情报采集系统应以网络信息资源、政府内部信息资源、已发生的地震事件信息资源作为采集对象，以准确性、系统性、计划性、针对性为原则，广泛采集在地震发生前后的宏观异常现象、地震前兆信息、领域专家知识、地震应急处理策略，结合现代信息资源处理技术构建地震类突发事件的案例库和知识库，以便在地震来临时能够依据现有的案例库和知识库及时地开展应急响应工作。

2. 汶川地震应急响应阶段的情报采集

地震类突发事件具有发生时间短暂、发展迅猛、后果严重的特点。因此，对此类突发事件的情报进行及时、准确的采集有助于政府部门第一时间掌握地震所造成的严重后果，公开灾情、稳定社会和人心，实时监控灾情的发展方向，及时发布预警信息。

1) 网络信息采集

在汶川地震的报告过程中，民间组织自发地搜集、报道、分析和传播新闻及消息成为一种信息传播的重要手段。此类信息存在于论坛、博客、网络即时通信工具中，网民们自发搜集关于汶川地震的文字、图片、视频等信息，以转发、群发等方式传播地震的发生时间、严重程度、发展状况等。

2008 年 5 月 12 日 14 时 32 分，在汶川地震发生仅 4 分钟后，来自云南的新浪网友就发表了第一篇报道地震发生的文章《地震了!》；地震发生 5 分钟，腾讯网通过 QQ 弹窗的方式发出了第一条地震消息；随后的 1 小时内，网络上便有来

自四川及周边地区的网友所发表的近千篇描述地震情况的网络消息，而中央电视台第一次播报关于地震的消息为地震发生半小时后。此类数据表明[188]，相比于传统媒体，网络媒体内存在的网络信息资源具有反应迅速、来源渠道多、整合能力强、信息流动速度快等特点。因此，在地震发生的早期应该以网络信息资源作为地震类相关情报采集的主要对象。

面向地震的情报采集系统在发现网络中存在此类关于地震的消息后，应牢牢把握情报采集的准确性原则，形成参考消息，反馈给当地政府部门，第一时间核实信息并发布信息，避免不实信息造成恐慌。

明确地震发生的真实性后，面向地震的情报采集系统应该采取定题采集策略，实时采集汶川地震发生发展过程中的各个时间节点的典型特征，掌握网络中关于地震的网络舆情并及时分析，切实有效地引导面向突发事件应急决策的制定，指导地震救灾工作。

2) 政府内部信息资源采集

在汶川地震发生后的较短时间内，各地通过上报的方式将死亡人数、失踪人数、受灾状况、当地民情等信息汇总于政府内部，此类信息具有较强的权威性，构成政府公开消息的主要来源，对此类信息的采集有助于核实网络信息资源情报采集的准确性，便于构建较为完备、准确的政府公开信息。

3) 领域专家意见采集

地震的发展具有较强的复杂性，如在汶川地震发生后当地发生了多次余震、泥石流、山体滑坡及形成堰塞湖等其他继发的自然灾害。在此类自然灾害的处理过程中，面向地震类突发事件的情报采集系统应以领域专家的意见为指导意见，重点采集核心研究机构、核心科研工作者的研究报告，广泛、实时采集领域专家的权威建议，用于直接指导应急决策的制定。

3. 汶川地震发生后的信息采集

网络信息资源具有互动性强、传播迅速等特点，各网络媒体内存在的此类信息有助于政府部门实时把握舆情的发展方向，但互联网具有高度的虚拟性及隐秘性，汶川地震发生后网络内部同样存在着关于地震的谣言和与地震相关的不实信息等。比如，在汶川地震发生后的第 3 天，网络中出现了"铁公鸡"榜单，直接抨击一些跨国公司、国内知名企业、明星等，产生了"网络暴民"现象，造成了较为不好的影响。在此过程中，面向地震突发事件的情报采集系统应该及时关注网络信息的更新动态，实时把握舆情，及时公布准确、正向的信息，引导网络舆情的发展方向。

汶川地震的发生对当地人民群众的生命财产、社会财产及精神生活产生了严重的影响，地震发生后面临的首要问题便是灾后重建及心理疏导。在此过程中，情报采集系统要及时跟踪民生、了解民众的诉求，以便于政府工作的顺利开展。主要包括：关心地震伤亡情况、呼吁科学救灾、抨击地震中的"作秀"行为、质疑地震监测部门、质疑灾区建筑物的抗震能力、抵制红十字会、救灾物资分配等信息。

8.1.5　自然灾害突发事件决策需求识别

在获取到汶川地震突发事件的决策主体、领域知识和业务、动态、舆情等方面的相关数据后，首先，要对这些多源数据进行预处理，采用多源信息信任函数，剔除冗余和冲突的数据，形成多源信息和决策需求资源库；其次，规范化决策需求，采用多粒度模糊集，并依照分类算法对决策需求进行详细分类，形成突发事件决策需求的界定和分类；再次，构建信息信任度量化函数，借助 Dempster-Shafer理论，从形式融合建立突发事件有序化的多源数据和决策需求资源库关联，从特征级融合精细化组织决策需求，挖掘潜在隐形决策需求，从情景融合对决策需求进行跟踪和应对；最后，根据评价反馈来完善和优化决策需求的整体组织过程，促进清晰和精细化决策需求产生，有利于针对性的决策需求应对的情报产生，有效提高突发事件响应效率。

8.1.6　自然灾害突发事件需求关联和再生

自然灾害突发事件需求关联和再生参照 7.3 节突发事件决策需求关联再生过程，结合自然灾害突发事件特征，制定如下决策需求关联和再生过程。

(1) 地震突发事件历史数据库构建。调研、收集地震真实案例，每份案例包括案号、基本案情等信息，建立历史数据库，数据库中每一条记录代表一例地震突发事件。

(2) 地震突发事件数据预处理。首先，对历史数据库进行数据清洗、筛选，提取出影响地震的具体因素，包括案件类型、发生地点、发生日期、地震原因、周边环境、处置有效性、事件影响等；接着，通过分类、概化等方法，进一步处理提取的因素中不完整、冗余的数据；最后，对已处理的数据进行等级、区间划分，并符号化每一记录，形成地震突发事件事务数据库。

(3) 地震突发事件频繁项集生成。扫描事务数据库，计算所有含一个元素候选集出现的频率，将大于等于最小支持度的单个事务项称为频繁 1 项集。然后重新扫描数据库，将第一步生成的频繁 1 项集与自己连接产生候选 2 项集的集合，计算候选集的支持度，找出大于等于最小支持度的候选集称为频繁 2 项集。以此类推，进行多次循环，直到没有新的候选集产生，得到地震突发事件频繁项集。

(4) 地震突发事件强关联规则生成。在频繁项集产生之后，设置最小置信度阈值。对于每一个频繁项集，找到所有大于最小置信度的频繁项集非空子集 s，输出强关联规则，得到关联规则集。

(5) 地震突发事件决策需求知识再生。筛选关联规则集，提取有效的规则，并进行规则解读和分析，了解事件发生的特点、潜在规律及各因素之间的关联，实现突发事件决策需求知识再生，提高突发事件预警和响应效率。

8.2   事故灾害突发事件案例解析

事故灾害通常指由于人的过失抑或故意行为造成的财产损失和人员伤亡事件，企业各类安全事故、公共设施和设备事故、公共交通运输事故、环境污染和生态破坏等都属于事故灾害。

8.2.1   典型事故灾害突发事件案例选择

2016 年 10 月 31 日 11 时 33 分左右，重庆市永川区金山沟煤业有限责任公司(简称金山沟煤矿) 发生特别重大瓦斯爆炸事故，该煤矿当日下井人数 35 人，升井 2 人，井下 33 人遇难[189]。调查认定，重庆市永川区金山沟煤矿"10·31"特别重大瓦斯爆炸事故是一起生产安全责任事故。事故直接原因是违法组织生产，由于煤矿仍违规采用"巷道式采煤"这个国家已明令禁止的工艺做法，且煤矿的开采区域已经超出采矿许可证批准的矿界范围，属于违法超层越界开采，导致全风压通风系统不能形成，安全隐患增加；同时，由于不规范使用一台局部通风机，将其向多个作业地点供风，导致瓦斯大量积聚，加上风量不足遇违章"裸眼"，造成爆破产生的火焰引爆瓦斯煤尘参与了爆炸。此外，该矿井安全管理混乱，人员定位与矿井安全监测系统均不能正常运行，越界区的安全技术设施不到位也导致了此次事故的发生。此次突发事件后果严重，共造成 33 人死亡、1 人受伤，直接经济损失达 3682.22 万元。

8.2.2   事故灾害突发事件案例分析

事故发生后，党中央、国务院高度重视，国务院领导做出重要批示，始终要把人民生命安全放在第一位，用尽一切办法搜索救援被困人员，迅速拟定施救方案以防二次事故的发生，将事故原因快速详尽调查清楚，依法对此次事故中违法生产环节进行调查追责，及时透明地向社会公众发布事故处理进展状况。经国务院批准，紧急成立国务院重庆市永川区金山沟煤矿"10·31"特别重大瓦斯爆炸事故调查组，经过调查组现场勘查、调查取证及专家论证等环节，突发爆炸时间发生原因、经过等已经还原，调查组对本次事故的责任与性质进行了落实与认定，对事故责任人员和单位提出了合理的处理意见与建议，并指明通过事故暴露出的问题，吸取教训从而对接下来的工作提出改进措施和建议等。

重庆市永川区金山沟煤矿"10·31"特别重大瓦斯爆炸事故发生经过如下。

2016 年 10 月 31 日上午 7 点半,金山沟煤矿邹副矿长带领一众安全副矿长、工地作业组长、采煤队长等,召开地下挖掘矿产作业相关事项的会议。半个小时后,安全组长和生产组长对当天执勤的员工进行工作安排与部署。

事故当天在场的员工一共有 38 人,其中 33 人在超层越界开采的 K13 煤层区域作业,邹副矿长和某电工王某在主平硐巡查,运输工杨某和魏某负责平巷运输,绞车司机刘某在井口附近作业。

11 点 20 余分,正在进行运输的平巷采煤工作面开始落煤爆破,继而发生爆炸。根据现场监控记录,主平硐口的配电柜被强大的冲击力震倒。刘某当场飞出 5m 开外,幸而邹副矿长和王某安然无恙,并迅速将刘某送往附近医院,其余 30 余名井下工作人员全部被困。

事故应急救援情况,分为事故信息报告及响应、事故现场应急处置和事故善后处理三个阶段。

1. 事故信息报告及响应阶段

10 月 31 日 12 点,永川区煤炭工业管理局调度中心接到邹副矿长的煤矿爆炸事故报告,迅速将此次事故报告给区安委会、区人民政府等上级部门。

12 点 24 分到 41 分,永川区、重庆市人民政府陆续收到事故报告,并立即做出应急决策,启动相应应急措施,迅速召集相关部门和周边地区人民群众赶往事发现场进行救援工作。永川区委和区人民政府、重庆市人民政府迅速成立事故救援临时指挥部,派遣相关工作人员前往事故现场,并对救援抢险工作进行部署和安排,协调当地救援人员一同展开施救。

12 点 55 分接到事故报告后,安全监管总局、国家煤矿安监局主要负责人率工作组紧急前往事发现场进行调查、指挥协调救援工作及对事故的善后工作进行批示。

13 点 05 分,重庆市向国务院报告事故情况。13 时 39 分,重庆市人民政府正式地向国务院发出此次事故的书面报告。

15 时,重庆市人民政府成立现场应急处置指挥部,市长黄奇帆任总指挥,副市长、永川区委、区人民政府相关领导等任副指挥,指挥部下设抢险救援、医疗救治、善后处理等 8 个工作组。

2. 事故现场应急处置阶段

指挥部调集永荣矿业公司、中梁山矿业公司等的救援人员前往事发现场进行救援工作,多批次进行勘查。经过相关救援人员和抢险专家的不断努力,完成对事故现场各个数值指标的勘测和检验。

救援行动共计出动 5 支矿山救护队共 100 余人、公安干警和消防员 600 余人、电力系统从业人员 30 人、煤矿职工 60 人、救援设施 700 台 (件),通过人力和物资的整合调度全面保障了应急事故处理的及时性。

救援持续至 11 月 2 日凌晨，33 名遇难人员遗体全部运送至地面，此次抢险救灾工作到此结束。

3. 事故善后处理阶段

抢救工作结束后，指挥部对本次事故受灾人员及其家属进行了相关的善后工作，对每位遇难人员都成立了专门的善后工作组，以保证工作的完善性。除此以外，指挥部还组织了两次新闻发布会，确保在整个抢险救灾和事故处理善后的过程中各项工作进展可以及时、全面、透明地向公众告知。

调查组认为，市委区委、市区人民政府严格依照党中央、国务院领导的重要批示要求，对事故各方面的处理组织工作完成得十分到位，对协助救援的多方力量的协调和调度也做到了物尽其用，对救援现场和人员的保护工作同样采取了科学正确的措施，合理而有效地避免了次生事故及其带来的二次危机，对受灾人员的善后工作处理十分到位，信息公开透明，发布及时，并没有导致社会舆论的动荡。

8.2.3 事故灾害突发事件决策需求架构

1. 瓦斯爆炸突发事件决策需求管理体系

多决策层的瓦斯爆炸突发事件决策需求：瓦斯爆炸事故发生后，重庆市人民政府成立的现场应急处置指挥部人员为战略决策高层，主要任务为掌控应急现场总体情况、确立应急总体目标、划分应急区域、协同调配所有应急力量及调遣相应应急物资等。由指挥部下设的抢险救援、医疗救治、善后处理等 8 个工作组的负责人组成的战役指挥中层根据现场灾情的发展趋势、存在抑或是可能出现的险情及应急力量等相关状况，确定现场应急响应的主要方面、紧急任务分工、应急措施和组织实施。战术执行基层主要为参与救援的救护队、公安干警、消防队员和电力应急保障人员等，主要完成现场救援。

多阶段的瓦斯爆炸突发事件决策需求：在瓦斯爆炸突发事件发生之前，即事前阶段，强化突发事件识别和预警工作。事中阶段，成立现场应急处置指挥部，协同调配所有应急力量及调遣相应应急物资及设施进行救援工作。事后阶段，对此次事件造成的损失进行评估，由相关专家组成评估组，根据损失程度制定具体详细的灾后重建政策与计划，同时通过不断沟通与实践对受灾者开展进一步的抚慰与赔偿工作，最后是吸取此次事故的教训，采取相应且必要的制度与措施，以防止此类事故的再次发生，防患于未然。

多主体的瓦斯爆炸突发事件决策需求：在瓦斯爆炸事故中，进行应急救援的不同单位与部门都属于应急决策主体，不同主体性质不同，在瓦斯爆炸事故救援的过程中发挥着不同的作用，如南桐矿业公司救护队就属于事故救援单位，但这些主体都应承担起共同预防瓦斯事故发生和应急救援处置的责任。

2. 瓦斯爆炸突发事件决策需求架构

为了提高突发事件响应的效率，通过突发事件决策需求总体架构来凸现突发事件应急响应的靶向性，为突发事件预警和快速响应提供明确思路。

8.2.4 事故灾害突发事件数据采集

事故灾害突发事件数据采集参照第 4 章突发事件数据采集进行设计。对于煤矿瓦斯爆炸突发事件，在煤矿瓦斯爆炸事故发生后，事故破坏范围、井下人员分布、最佳救灾线路等信息难以及时获取的问题，孙振明等[190]设计了基于实时监测数据与计算流体力学 (CFD) 数值模拟的瓦斯爆炸应急辅助决策系统；依据瓦斯爆炸模拟及应急救援所需信息，研究了实时监测数据接入相关技术；制定了瓦斯爆炸事故自动模拟触发准则，自动调用 Fluent 软件对瓦斯爆炸进行数值模拟；设计了巷道当量长度计算公式，对最佳救援线路进行了分析；实现了三维可视化的应急救援辅助决策系统。

应急辅助决策系统主要由数据管理模块、自动化仿真模块、辅助决策模块三大部分组成。首先是数据管理模块，该模块负责所有实时监控数据的存取，并对相关数据进行储存与监测管理，其中数据包括接入瓦斯监测、人员定位等各类实时监测数据。然后是自动化仿真模块，该模块主要由瓦斯事故模拟触发器、自动化数值模拟两部分组成。最后是辅助决策模块，该模块实现了爆炸影响范围、井下人员分布、最佳救援线路分析等辅助决策相关功能，并在三维可视化平台基础上实现了可视化的表达。其中，基于数值仿真结果对不同强度冲击波影响范围进行划分从而得出爆炸影响范围；基于爆炸发生时井下人员定位数据进行分析和展示从而获得井下人员分布区域；采用巷道当量长度公式，对巷道进行测算处理，再利用改进的最短路径算法求解从地面到达救灾地点的最佳线路，从而分析得出最佳救援线路。

8.2.5 事故灾害突发事件决策需求识别

参照第 5 章突发事件决策需求的识别架构，结合事故灾害突发事件突发性特征，强化监测数据的识别，及时发现事故灾害突发事件的前兆。

8.2.6 事故灾害突发事件决策需求关联和再生

首先，将瓦斯爆炸突发事件相关多源数据资源、瓦斯爆炸突发事件涉及管理部门决策要求等信息进行规范化和粒度化表示；然后，充分参考瓦斯爆炸的特征和历史上发生的同类事件，从决策者视角构建瓦斯爆炸突发事件知识元模型，并提炼瓦斯爆炸各个信息资源之间的关联规则；最后，通过提炼的关联规则进行瓦斯爆炸突发事件决策分析。最后，可直接通过对有效规则的解读与分析，实现决策需求知识再生；也可通过辅助案例推理的方法，进一步对有效的关联规则进行因果关系对的学习。

8.3　社会安全突发事件案例解析

社会安全事件是指突然发生的、危及公共安全的紧急事件，会造成或可能会造成重大人员伤亡、财产损失、生态环境破坏和严重社会危害[191]。社会安全突发事件，一般包括重大刑事案件、重特大火灾事件、恐怖袭击事件、涉外突发事件、金融安全事件、规模较大的群体性事件、民族宗教突发群体事件、学校安全事件及其他社会影响严重的事件。

8.3.1　典型社会安全突发事件案例选择

2014 年 12 月 31 日 23 时 35 分，上海市黄浦区外滩陈毅广场东南角通往黄浦江观景平台的人行通道阶梯处发生拥挤踩踏事故，造成 36 人死亡、49 人受伤。这是一起对群众性活动预防准备不足、现场管理不力、应对处置不当而引发拥挤踩踏并造成重大伤亡和严重后果的公共安全责任事件[192]。

8.3.2　社会安全突发事件案例分析

根据调查报告，对事情发生经过、现场救援、应急处置及善后情况简单阐述如下[192]。

1) 事件发生经过

12 月 31 日 20 时起，外滩风景区人员流量呈快速增加趋势。

12 月 31 日 22 时 37 分，外滩陈毅广场有通行警戒带被冲破，大量市民游客不听民警劝导，涌上观景平台，造成人员聚集。

12 月 31 日 23 时 35 分，陈毅广场东南角北侧阶梯底部接连有人摔倒，造成叠压，踩踏事件发生。

2) 现场救援情况

12 月 31 日 23 时 35 分拥挤踩踏事件发生后，民警与市民游客曾多次尝试拉出摔倒人员，但均未成功。此后，在现场民警与热心市民的指挥下，阶梯上方人流开始后退，并有部分游客翻越扶手。之后，受伤人员被转移到开放地带抢救。

12 月 31 日 23 时 49 分起，多辆救护车先后抵达事发地点，第一时间开展现场救治和伤员转运。受伤市民游客就近被送到多所医院抢救。同时，开始收集伤亡人员信息并联系其所在单位和家属。

次日凌晨，事发地点的现场秩序基本恢复正常。

3) 事发后应急处置及善后情况

事件发生后，上海市领导赶赴现场对应急工作进行指挥，并前往医院看望受伤人员，安抚伤亡人员家属。政府调动所有优质医疗力量、尽一切可能救治伤员，并及时向社会公布事件信息。

2015 年 1 月 1 日上午，上海市委、市政府召开紧急会议，成立了由医疗小组、联合调查组、善后工作组、舆情工作组组成的踩踏事件工作组。

1 月 2 日，上海市开展对伤员的心理援助工作，同时对死伤市民游客的家属进行安抚。

1 月 4 日，上海市举行市政协十二届三十八次主席会议，会前举行了默哀仪式，悼念踩踏事件遇难者。

1 月 7 日，上海市委、市政府召开全市安全工作会议，强调排除安全隐患，做好安全管理工作。

根据调查报告，此次踩踏事件的发生主要有五个方面的原因：未做到及时评估活动变更可能带来的风险；未做好活动地点变更情况的发布与宣传；安保力量配置不足，预防准备工作不到位；未做到及时对景区人员流量快速增多情况的预警工作，未发布信息提醒市民游客；事件发生后，黄浦公安分局未采取有效措施控制事态发展，也未及时向市公安局、政府报告。

可以看出，这次踩踏事件的发生是由多个原因造成的，但是信息与决策需求在其中发挥着至关重要的作用。例如，如果人员流量、交通流量等信息能够及时上报，中高层决策者很有可能会根据这些信息做出合理决策，大大降低此次踩踏事件造成的损失，甚至防止事件发生；同时，如果事件发生后，各层级决策主体及各个参与部门能够根据决策需求体系及时获取到所需信息，也不会酿成如此严重的后果。所以，对社会安全突发事件的决策需求是突发事件预警和快速响应的基础和前提。

8.3.3 社会安全突发事件决策需求架构

1. 上海外滩踩踏事件决策需求管理体系

接下来对上海外滩踩踏事件多决策层、多阶段、多主体的决策需求进行具体分析。

1) 多决策层的上海外滩踩踏事件决策需求

第一层战略决策高层的应急决策主体为上海市针对此次事件成立的工作组的指挥人员，负责统筹应急工作、指导善后。第二层战役指挥中层应急决策工作由医疗小组、联合调查组、善后工作组、舆情工作组四个小组的指挥员承担，主要任务是救治伤员、开展事件调查、统筹伤员及死者家属接待工作、协调信息发布。第三层战术执行基层的应急决策主体为四个行动小组的成员，主要根据上级决策意图和事件的具体情况，完成伤员救治、事件原因调查、伤员及死者家属的接待与安抚、事件相关信息的发布等工作。同时，不同决策层之间的应急决策需求在实际情况下是有所交叉的。例如，应急协同不仅是高层战略决策的应急决策需要，也是战役指挥中层应急决策的需求，两个层级的主体都要进行应急力量的协同调配、紧急情况区域的划分等工作。

2) 多阶段的上海外滩踩踏事件决策需求

事前阶段处于潜伏状态，踩踏事件虽然尚未发生，但并非是不可预见的。在事前阶段，信息采集往往不具备较强的目的性，收集范围较广，数量较多。可以通过获取城市系统中的基础信息、业务信息等，发现安全隐患，预防社会安全突发事件的发生。在这次事件中，政府部门本可以通过人员的大规模聚集、大流量交通等现象，防止踩踏事件的发生。然而，面对人员流量的快速增长情况，黄浦公安分局指挥中心和黄浦公安分局都没有及时有效地完成工作要求，对事态发展控制不足，未采取有效措施，未及时发现并消除安全隐患。这是发生踩踏事件的主要原因。

事中阶段，信息需求以群体性为特征，应急决策关系到多个部门，各个部门在城市应急指挥中心的统一指挥协调下，共同开展救援行动。在此阶段，同一信息因为决策与救援需要，往往需要传送给多个部门。在踩踏事件发生后，需要警察疏散人群，需要医护人员救治伤员，也需要新闻办公室及时对外发布信息，因此各个部门之间的沟通和协调对突发事件的应急决策与处理极为重要。

事后阶段，突发事件信息体系相比事中阶段来说更加完善，包括突发事件产生的社会影响、突发事件起因和经济损失等，突发事件的信息被全方位揭露出来，因此此阶段的信息量会不断减少。踩踏事件发生后，上海市政府迅速成立了工作组，调查事故原因，对伤者提供心理援助，为死者家属提供抚慰金，体现了政府的人文关怀。2015 年 1 月 21 日，上海市政府对外公布了调查报告，阐述了事件情况，分析了事件发生原因，处理了有关责任人，稳定了公众情绪，降低了社会影响。

3) 多主体的上海外滩踩踏事件决策需求

在突发事件的应急决策中，不同层级的决策主体都需要发挥作用。由于各个决策主体的决策目标不同，其重要程度也有高低之分，所以决策主体的情报信息需求的内容、形式等也不尽相同。一般而言，高层决策主体 (应急中枢或核心决策主体) 对情报信息产品有着高度系统化的、高度集成化的要求，而中层和基层的决策主体对情报、信息的需求则比较细化。例如，上海外滩踩踏事件工作组的指挥人员需要的是事件的发展态势等高集成化的信息；而联合调查组需要的是事件发生的详细经过、现场救援情况等细化的信息。

在上海外滩踩踏事件中，现场进行应急处置与救援的各个单位和部门是应急决策的主体。例如，在事中阶段，公安部门承担着疏散人群、维护现场秩序的职责，而医护部门、医疗机构承担着伤员救治的工作。这些部门在应急处置救援活动的相同或不同阶段发挥着不同的作用，虽然承担的职责不同，但有着共同的应急决策目标，即协调进行应急救援活动。

2. 突发事件决策需求总体架构构建

根据突发事件决策需求总体架构图，可以看出决策需求比较侧重突发事件中事前预警、事中处理和事后总结各个阶段的信息采集、分析处理及反馈应用。就踩踏事件而言，首先，获取该事件的各层级决策主体、人员及交通流量情况、网络舆情数据等突发事件的多源数据；其次，通过预处理，形成多源信息资源库及决策需求资源库；再次，要对决策需求进行界定与分类，从形式融合、特征融合、情景融合三个方面对决策需求进行组织，形成复杂决策需求；最后，通过应用反馈来完善和优化决策需求的组织过程，促进清晰和精细化决策需求产生，提高决策合理性，有效提高踩踏事件的响应效率，减少事件带来的损失。

8.3.4　社会安全突发事件数据采集

1. 数据采集需求分析

针对上海外滩踩踏事件，需要采集的数据主要包括事件通报信息、事件应对与处理情况、网络舆情数据等几类。在事前阶段，需要采集的数据包括景区人员和交通流量情况、安保人员部署情况、人员聚集安全风险评估情况、警力增援情况等，用于分析并防止此次事件的发生。在事中阶段，需要采集事件发生地点信息、现场损坏情况、伤亡情况、可调用人力和物力情况等，以进行应急救援，最大限度减少事件所带来的损失。在事后阶段，需要采集事件经过、网络舆情数据、伤亡情况、事件调查结果、处理结果等数据，以安抚民众情绪，降低事件所带来的影响，尽快恢复社会秩序。

2. 数据源及采集工具的选择

根据之前对所需数据的分析，事件通报信息包括事件发生背景情况、事件发生过程，它与事件应对和处理情况信息主要来自于政府网站和新闻媒体；网络舆情数据主要来自于新闻媒体和社交网络。这些数据都属于公开数据，事件通报情况、事件应对和处理情况可直接在相关网站上进行采集；网络舆情数据可在特定的新闻网站及社交媒体上，使用面向主题的信息采集，根据关键词等词汇建立相应的爬虫主题模型，选取八爪鱼爬虫工具进行数据的爬取。

8.3.5　社会安全突发事件决策需求识别

要在踩踏事件决策需求采集和组织基础上，通过数据初加工，围绕踩踏事件特征，从多主体、多层次决策需求出发，借助需求分析理论和方法，明确踩踏事件决策需求识别的概念，在宏观上建立踩踏事件决策需求识别框架，在微观上设计突发事件决策需求采集、初步匹配和识别的过程，形成初步的决策需求，为突发事件决策需求深入分析和关联奠定基础。

8.3.6　社会安全突发事件决策需求组织过程

1. 突发事件决策需求组织过程的界定

针对踩踏事件，为达到高效应急处理的要求，需要将踩踏事件决策需求进行形式、特征、情景融合分析，从踩踏事件各个阶段和系统的视角探讨踩踏事件决策需求组织过程的界定与分类，根据应急现场进行决策需求分析。踩踏事件中，不同阶段应急决策的需求如表 8-2 所示。

通过分析突发应急决策流程，对应急信息进行分类、界定及描述。在应急处理的三个阶段，应急信息的需求是不相同的，信息的来源也是有所差别的，每个应急阶段的决策目标与决策主体也有变化。根据应急阶段划分，针对每个阶段应急信息需求、决策目标、决策主体的不同建立了踩踏事件应急信息的生命周期模型，如图 8-1 所示，用来明确应急处理各个阶段的决策需求，为踩踏事件的快速应急响应提供参考。

2. 突发事件决策需求组织框架

踩踏事件发生后，面临着救援力量多、灾害现场混乱等各类问题，容易导致灾害现场指挥混乱、部门或小组行动目标不明确等状况。因此，分析各阶段决策需求，针对决策者的层级高低及不同的决策目标向各层级决策者提供不同的情报信息内容是研究的重点。踩踏事件决策需求组织框架的构建需要以下一些步骤[192]。

表 8-2　踩踏事件多层决策需求内容列表

阶段	决策内容	说明
事前预警	应急目标监测	应急部门与各单位联合对可能形成踩踏事件的目标进行监测
	应急协同驱动	应急处理需要协同的其他力量，包括信息收集部门、支援调度部门、医疗救助部门等进行实时沟通
	应急保障准备	准备能够及时处理踩踏事件而组织的各种保障，包括分配现场救援力量、调配救急物资等
事中处理	应急战略传达	突发事件发生后，及时准确向现场传达主要救援战略部署
	应急力量部署	根据突发事件现场各方面情况确定应急行动，实施针对踩踏事件应急处置而采取的战术措施部署
	应急行动实施	各部门或小组根据不同的行动目标部署作战任务并快速开展救援行动
事后总结	应急总结分析	总结踩踏事件全过程原因调查、应急进程、事后总结的分析记录，为相似事件提供应急决策经验
	事件持续观察	突发事件发生后一段时间内的善后处理、舆情信息回应等

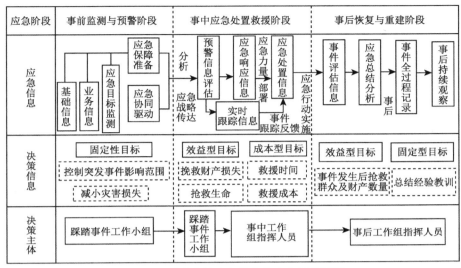

图 8-1 踩踏事件应急信息的生命周期模型

(1) 踩踏事件决策需求的界定和分类。因为踩踏事件需要及时处理与救援，以减少损失，所以明确决策需求的对象、特征、边界、类型和内容极为重要。需要借助数据融合的多粒度模糊集对决策需求进行规范与分类，使用基于设定的粒度阈值形成简单的踩踏事件决策需求体系，促进决策需求有序化。

(2) 基于多源数据形式融合的决策需求识别。需要获取该事件的各层级决策主体、人员及交通流量情况、网络舆情数据等突发事件的多源数据，通过去重、剔除等多种组合方式获取可靠的优质数据，针对踩踏事件的特征和应急决策要求，使用关键词关联度方法和 Dempster-Shafer 理论建立踩踏事件的多源信息资源库和决策需求资源库，形成较为基础的踩踏事件决策需求。

(3) 基于数据特征融合的决策需求关联和再生。在前一步基础之上，量化多源数据之间的关联度，分析和量化多源数据的冲突，融合决策主体的行为，结合领域知识设定关联阈值，挖掘隐性的决策需求，构建踩踏事件决策需求和多源信息资源库之间的语义关联网，形成复杂的踩踏事件决策需求体系，促进决策需求知识化。

(4) 基于情景融合的决策需求跟踪和应对。对获取的突发事件情景进行量化和规范，跟踪获取多源数据更新动态和决策需求动态，融入和更新踩踏事件决策需求和多源数据语义关联网，形成融合情景的决策需求，促进决策需求情景化。

(5) 突发事件决策需求组织的应用反馈。通过实例验证突发事件多源数据融合和决策需求应用效果，建立应用效果评价和反馈机制，不断完善和优化决策需求的组织过程，促进决策需求实践化。研究框架如图 6-3 所示。

踩踏事件是一起公共安全责任事件，造成了极其严重的后果和极其恶劣的社会影响，教训极其深刻。

在事前阶段，需要对人员及交通流量、安保人员数量等信息进行监测与预警，预防安全事件的发生。同时，医疗救援力量等信息要传递给多个部门，加强各部门的信息共享与沟通，以期能在踩踏事件发生时做到及时高效救援。

在事中阶段，需要在应急救援各部门中加强信息共享，提升应急救援效率，最大限度减少事件带来的损失。需要切实加强应急救援中各部门的协同救援能力，进一步加强应急处置能力。

在事后阶段，要对踩踏事件进行细致调查与深刻总结，杜绝同类事件再次发生。同时，要对伤员及死者家属进行情绪安抚，切实做好善后工作，及时对外发布事件情况与信息，使信息透明化，这样才能更好地降低事件的社会影响，提升政府公信力。另外，政府还需提高应急演练的市民参与度，提高应急演练水平，加强对市民的安全宣传教育，使全民增强安全意识，提高民众在突发事件发生时的应对能力。

8.3.7　社会安全突发事件决策需求关联和再生

针对上海外滩踩踏事件，结合 FP-growth 算法构建踩踏事件关联过程，步骤如下。

(1) 踩踏事件历史数据库建立。通过收集、整理已发生的踩踏事件历史信息，建立历史数据库。每条记录表示一例踩踏事件，其中包括事件名称、发生时间、发生地点、事件起因、伤亡情况、应对措施等数据。

(2) 踩踏事件数据预处理。通过合并、分类、筛选等方法，对不完整、不一致、冗余的踩踏事件数据进行处理，形成踩踏事件事务数据库。然后，根据数据库中事务特征属性进行数据区间、等级划分，并用符号命名，形成符号化踩踏事件事务数据库。

(3) 踩踏事件频繁项集生成。在符号化踩踏事件事务数据库中结合 FP-growth 算法生成所有频繁 k 项集。

(4) 踩踏事件强关联规则生成。在强关联规则生成时，根据决策需求设定最小置信度，形成关联规则集。

(5) 踩踏事件决策需求知识再生。踩踏事件关联规则挖掘的目的是通过获取和分析以事件影响因素为前提和事件后果为结论的有效关联规则集，发现踩踏事件各影响因素之间的关系，为不同层级的决策主体制定应急决策提供参考。

8.4　公共卫生突发事件案例解析

8.4.1　典型公共卫生突发事件案例选择

2019 年底，在湖北省武汉市陆续发现肺炎感染病例，感染者都属于同种病毒导致的病毒性肺部感染，且病情呈持续扩散的趋势。2020 年 2 月 8 日，国务院应对新型冠状病毒感染的肺炎疫情联防联控工作机制召开新闻发布会，将"新型冠状病毒感染的肺炎"暂时命名为"新型冠状病毒肺炎"，简称为"新冠肺炎"。2020年2月11日，世界卫生组织将被新型冠状病毒感染的肺炎命名为"COVID-19"。从2020年年初起，新型冠状病毒肺炎迅速在湖北省乃至全国蔓延开来。这次疫情是从1949年中华人民共和国成立至今70年间传播速度最快、波及范围最广、防控最为艰难、造成财产损失最严重的一次大型突发公共卫生事件。这无疑是对我国传染病防治体系和公共卫生系统的一次重大考验。此次疫情也是全球性的一大事件，到目前为止，除了南极洲以外的六大洲均已出现感染病例，出现新冠肺炎确诊者的国家和地区已超过200个。世界卫生组织于2020年3月11日确认其为"大流行病"。新型冠状肺炎的流行对城市治理的许多领域提出了严峻挑战，如城市的危机管理、公共卫生突发事件中医疗资源调动、后勤物资保障、防治疫情的科学有效响应，以及数据的实时上报与预警分析、灾害预防的控制等方面。本次疫情对各个城市的现代化治理系统和治理能力也进行了实际考验，不仅要求其能够解决常规化的治理需要，还需要其具备能够在面对突发"异常"时保持正常地处理和解决问题的能力[193]。

8.4.2 公共卫生突发事件案例分析

2020年由新型冠状病毒引起的世界范围内的传染病"给人民生命安全和身体健康带来巨大威胁，给全球公共卫生安全带来巨大挑战"，这不单单是某个国家，而是全人类共同抵抗病毒的一场战争[194]。关于危机生命周期，美国学者古斯 (Guth) 提出了"危机征兆期"(precrisis)、"危机发展期"(crisis)、"危机痊愈期"(postcrisis) 三个阶段[195]。在危机征兆期，预示着危机的讯息开始浮现，危机的潜在触发因素不断发展；在危机发展期，事态发展往往会超出预设的安全阈值，危机存在着扩散和爆发的可能性，而人们在此阶段开始采取应对策略；危机痊愈期是已经对危机进行有效的控制和调整，事态缓慢恢复平稳的时期。参考危机管理的理论和做法，疫情的预防和控制从根本上来看是政府通过统筹安排和宏观调控，对危机进行控制和管理，进而影响危机的各阶段进程，这体现了危机管理的动态性特征。根据疫情生命周期各阶段的特征及政府在应对突发公共卫生事件时采取干预措施的分段性特征，可以把武汉市应对新型冠状肺炎疫情的预防和控制过程分为三个阶段。

第一阶段是疫情防控初期 (2019年12月上旬至2020年1月22日)，此时疫情刚刚出现，感染者数量少，危机预警信号出现在不同的渠道，武汉地区通报了相关病例情况和已采取的医疗措施。因为它是新暴发的流行病，尚未进行严格的流行病防控工作，在早期的预防和控制中很难识别由病毒引起的流行病，并且诊断能力有限。在这个阶段，流行病的预防和控制主要基于公开报告的病例并组

织专家研究和评估 (表 8-3)。

表 8-3　武汉市新冠肺炎疫情防控初始阶段主要举措

时间	主体	内容
2019 年 12 月 8 日	武汉市卫健委	通报不明原因肺炎病例
2019 年 12 月 29 日	湖北省、武汉市卫健委	组织开展流行病学调查
2019 年 12 月 30 日	武汉市卫健委	发布《关于做好不明原因肺炎救治工作的紧急通知》
2019 年 12 月 31 日	国家卫健委专家组	组织开展流行病学调查
2020 年 1 月 7 日	中共中央政治局常委会会议	部署新冠肺炎防控工作，习近平总书记就新型冠状病毒肺炎疫情防控工作提出了要求
	中国疾控中心	成功分离首株新冠病毒毒株
2020 年 1 月 8 日	国家卫健委	确认新冠病毒为疫情病源
2020 年 1 月 16 日	中国疾控中心	启动一级应急响应
	习近平总书记	对新冠肺炎疫情做出重要指示
2020 年 1 月 20 日	国务院	新冠肺炎纳入法定传染病
	国家卫健委专家组	确认新冠病毒存在"人传人"
2020 年 1 月 22 日	湖北省人民政府	启动突发公共事件二级应急响应

第二阶段是流行病预防和控制的增长阶段 (2020 年 1 月 23 日至 2020 年 2 月 12 日)。在此阶段，武汉市新冠肺炎感染人数激增，疫情开始呈现出不可遏制的扩散趋势，逐渐威胁人民群众的身心健康和社会秩序的稳定。在预防和控制网络中，医疗资源大量使用。国务院下达疫情防控指示，武汉市全力建设火神山医院、雷神山医院和"方舱医院"，各省市和军事部门派出援助医疗队伍，为湖北省的医疗体系提供援助。在此阶段，党中央迅速形成应对和决策工作组，给予武汉市乃至全国新冠肺炎疫情防控工作指示，各地严格遵循党的集中统一领导，迅速坚决执行党中央、国务院及各地省委省政府的决策部署和要求。湖北省政府对流行病的防治工作有关措施主要依据党中央的决策指示。武汉市防疫指挥部的会议精神、通知和通告见表 8-4。

第三阶段是疫情防控阶段 (2020 年 2 月 13 日至今)。在此阶段，要求严格社区检疫，对可疑感染者进行全面筛查，制定检疫政策，实现"新冠肺炎患者的收治方法"。明确了初诊患者数，建立了规范的流行病预防控制体系，继续进行了关键环节和危险点的预防控制，有效控制了流行病的传播 (表 8-4)[196]。

8.4.3　公共卫生突发事件体系要素分析与需求架构

如图 8-2 所示，用于流行病管理和控制的公共卫生应急信息系统不仅涉及情报要素，还涉及使用情报的人员、机构和技术等要素。应用物理–事理–人理 (wuli-shili-renli, WSR)[197] 方法，从情报需求出发，共同完成对公共卫生突发事件的分析和系统化处理。

表 8-4 武汉市新冠肺炎疫情防控升级阶段主要政策效应分析

时间	指示/会议/通告	内容	政策效应
1 月 23 日	第 1、2 号通告	1 月 23 日 10 时起，武汉暂停运营城市公交、地铁、轮渡、长途客运；无特殊原因，市民不要离开武汉；暂时关闭机场、火车站等离汉通道	停运公共交通、关闭离汉通道等，标志着疫情防控全面升级
	第 3、4 号通告	做好社会各界捐赠武汉市抗击疫情的医用耗材、防护用品等接收调配工作，开通 24 小时电话接收社会各界捐赠	应急医疗物资紧缺，开通社会捐助途径，充分调动社会资源
	第 5、6 号通告	1 月 24 日 12 时起，全市网约出租车停止运营；巡游出租车实行单双号限行	继公共交通停运之后，出租车限行，进一步减少人员流动
1 月 24 日	第 7 号通告	全员排查发热患者。各社区负责全面排查所服务辖区发热患者(含已就医和未就医市民)，并送社区医疗中心对病情进行筛查、分类。分类安排发热患者。已确定或高度疑似新冠肺炎的患者由市卫健委送至指定治疗点治疗；疑似的发热患者留发热门诊观察；暂不能确定为疑似的患者送至指定地点隔离观察；确定非新冠肺炎患者居家观察	建立分级诊疗体系，社区医疗中心首诊；建立群防群控机制，以社区为基础进行防疫排查
	第 8、9 号通告	1 月 26 日 0 时始，除经许可的保供运输车、免费交通车、公务用车外，中心城区区域实行机动车禁行管理	全市范围内机动车禁行，控制城内传染源和病毒传播
1 月 25 日	中共中央政治局常委会会议	研究新冠肺炎疫情防控工作，决定成立中央应对疫情工作领导小组，党中央向湖北等疫情严重地区派出指导组	党中央提出全面动员、全面部署、全面加强疫情防控工作
1 月 27 日	习近平总书记做出重要指示	全面贯彻坚定信心、同舟共济、科学防治、精准施策的要求，各级党委科学判断形势、精准把握疫情	明确统一领导、统一指挥、统一行动的党中央决策部署
2 月 2 日	第 10 号通告	自发布之日起，对全市经发热门诊诊断有肺炎症状的发热患者、新冠肺炎患者密切接触者，由各区安排车辆分别送至区集中隔离观察点，进行医学观察、治疗或采取其他预防措施	针对前期医疗资源挤兑，确诊和疑似患者滞留等社会问题，集中隔离安置相关人员
2 月 3 日	中共中央政治局常委会会议	研究加强新型冠状病毒感染的肺炎疫情防控工作，强调疫情防控工作抓实、抓细、抓落地	明确疫情防控要坚持全国一盘棋
2 月 5 日	中央全面依法治国委员会第三次会议	通过《中央全面依法治国委员会关于依法防控新型冠状病毒感染肺炎疫情、切实保障人民群众生命健康安全的意见》	强调全面提高依法防控、依法治理能力，为疫情防控提供法治保障
2 月 10 日	第 11、12 号通告	发热患者严格按照就近就医原则，不得跨区就诊。全市范围内所有住宅小区实行封闭管理。对新冠肺炎确诊患者或疑似患者所在楼栋单元严格进行封控管理	患者就近就医，小区封闭管理，控制人员流动，彻底切断传染源
2 月 12 日	中共中央政治局常委会会议	疫情形势出现积极变化，防控工作取得积极成效。当前疫情防控工作到了最吃劲的关键阶段，要毫不放松做好疫情防控重点工作	明确突出重点、统筹兼顾、分类指导、分区施策的战略部署

续表

时间	指示/会议/通告	内容	政策效应
2 月 14 日	中央全面深化改革委员会第十二次会议	加强疫情防控工作，提高应对突发重大公共卫生事件的能力水平	提出完善重大疫情防控体制机制，健全国家公共卫生应急管理体系
2 月 16 日	第 13 号通告	严格公共场所关闭管理；实行零售药店购药登记制度；严格公共场所卫生管理；严格公共场所疫情处置	加强公共场所管理，切断传播链、降低感染率
2 月 17 日	第 14 号通告	全市住宅小区和村封闭管理卡口采取快递"无接触投递"方式	规范小区封闭管理和快递投送防控工作
2 月 20 日	第 15 号通告	全市实行"双测温两报告"制度，测量体温超过 37.3°C 的，社区（村）、管理责任单位应立即将发热人员信息上报，统一安排发热患者到定点医疗机构就诊，并根据诊断情况和有关规定分类处理	实行全覆盖排查，巩固疫情排查工作成果，消除疫情传播风险
2 月 21 日	中共中央政治局会议	继续毫不放松抓紧抓实抓细各项防控工作，结合各地实际和自身职能，有序恢复生产生活秩序	明确统筹做好疫情防控和经济社会发展工作
2 月 22 日	第 16 号通告	新冠肺炎治愈出院患者完成治疗后，应到指定场所统一实施为期 14 天免费的康复隔离和医学观察	针对部分治愈患者复阳问题，采取治愈患者集中隔离安置
2 月 24 日	第 17 号通告	发布《关于加强进出武汉市车辆和人员管理的通告》	—
	第 18 号通告	《关于加强进出武汉市车辆和人员管理的通告》未经指挥部研究和同意发布	宣布《通告》(第 17 号)无效
2 月 27 日	第 19 号通告	切实做好滞留在汉外地人员服务保障工作	防控政策进一步向保障民生延展，体现政策的人文关怀
3 月 4 日	中共中央政治局常委会会议	加快建立同疫情防控相适应的经济社会运行秩序，完善相关举措，巩固和拓展这一来之不易的良好势头，力争全国经济社会发展早日步入正常轨道	明确根据疫情分区分级推进复工复产
3 月 10 日	习近平总书记考察武汉疫情防控	毫不放松抓紧抓实抓细各项防控工作，"外防输入，内防复燃"，科学防治、精准施策	湖北和武汉疫情防控形势发生积极向好变化，取得阶段性重要成果
3 月 17 日	第 20 号通告	3 月 17 日 0 时起，对所有境外来汉 (返汉) 人员实施申报管理，统一接送至集中隔离点进行 14 天隔离观察	疫情防控从内防扩散、外防输出转向防控境外输入
3 月 23 日	武汉市委、市政府通知	印发《武汉市支持企业复工复产促进稳定发展若干政策措施》的通知，在严密做好疫情防控工作的同时，推进企业复工复产稳定发展	扎实做好"六稳"工作，从加大资金支持、降低企业成本、强化金融支持、提升服务水平等方面提出政策措施

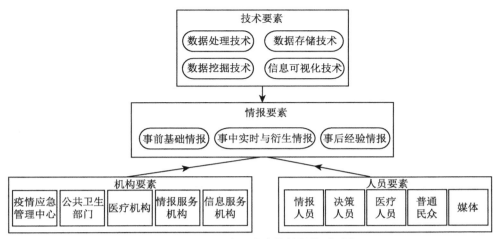

图 8-2 公共卫生突发事件情报体系要素

公共卫生突发事件信息系统的建设是一个复杂的系统工程，需要从顶层设计的总体角度进行规划[198]。因此，在公共卫生突发事件信息系统的研究中引入顶层设计概念，并从健康信息收集、健康信息处理、健康信息存储三个方面采用系统理论和方法，对健康信息进行分析，提供相应的信息服务。总体结构在如图 8-3 所示的层次上执行。

(1) 卫生情报采集。公共卫生突发事件时常伴有患者症状信息、网络舆情信息之类的信息，在疫情的潜伏期和暴发期，需要多源广泛地采集公众卫生情况信息，以确保其全面性和准确性。对情报信息源而言，及时性当属重中之重。作为公共卫生应急机构应对疫情判断和决策的数据来源和依据，公众健康卫生信息可以从以下三种途径获取：第一种途径是诸如公立医院的公共卫生部门的信息管理系统，从中可以搜集到患者病历数据、疾病监测数据等信息。第二种途径是人体感知系统，用于对人体健康状态的监测和记录。此类信息的来源主要包含域传感器网络、无线遥感网络系统、可穿戴设备等。人体感知系统的工作原理是通过对人体生理状态的感测和持续记录，将使用者的健康状况以可视化数据的形式呈现出来。无线遥感网络系统利用遥感技术，可在一定范围内对人体进行感测，并对收集到的人体状态信息进行记录和处理；可穿戴设备如智能手环等可对使用者生理信息进行测量和监控。第三种途径是公共媒体和社交网络，其中包含大量最新的涉及该流行病传播情况及应对措施的信息资源，可以从新闻广播、微博、论坛、张贴栏等多种渠道获取。健康信息收集是一个动态过程。在后续处理和分析过程中，流行病应急管理中心需要不断补充信息，为制定科学合理的应急决策提供信息支持。

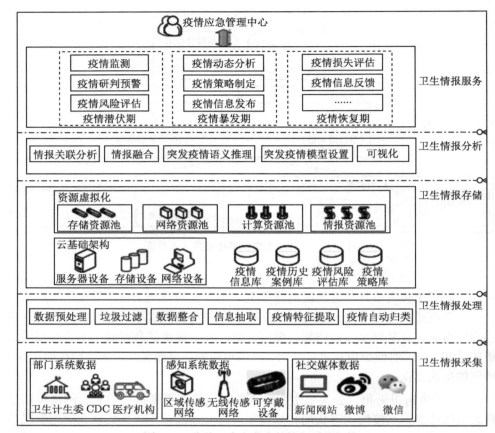

图 8-3　公共卫生突发事件情报系统架构

　　(2) 卫生情报处理。公共卫生情报的来源较为广泛，种类和形式也多种多样，因此需要采取相关技术手段对收集的数据和信息进行组织、整序等处理，以便提供给应急管理部门作为决策的依据。对公共卫生情报的处理一般运用以下两种不同方式：第一个是信息组织和序化。首先对收集到的多源化信息进行数据清洗的工作，剔除其中无用的信息或格式错误的信息，对疫情信息进行预处理，提高数据的可用性，并且将零散的数据有序化地组织，以便后续的利用。通过这一步操作，收集到的数据和信息的可靠性大大提高，作为信息资源为数据分析使用。第二个是信息挖掘的手段。信息挖掘技术是大数据处理技术中的常用方法，在公共卫生健康数据的分析中也能发挥重要作用。为了提供直观的决策判断，需要树立疫情相关信息提取收集模型，按照不同的情报需求，快速便捷地获取不同种类的信息。接着，可以根据疫情的分类、严重程度、破坏程度来提取流行病的特征，并利用决策者的相应模型和算法来自动识别及提取典型的传染病。通过与数据库中信息的比对分析，自动完成对传染病的归类判别，大大提高了研究和信息分类的效率。

(3) 卫生情报存储。健康信息的存储应考虑存储的内容是什么及怎样存储信息。可以用于疫情信息存储和使用的专业数据库包括疫情信息数据库、传染病历史病例数据库、传染病应对策略数据库、传染病风险评估数据库等，针对不同信息决策的主体及决策需要提供相应服务。疫情信息数据库是对目前已知的各种病因导致的传染病进行记录，包括诱因、传染病的基本情况及症状描述等，并根据医药学原理进行区分；传染病历史病例数据库由各种暴发病例组成，包括暴发的完整过程、演变、对结果的响应；传染病应对策略数据库则包含了各个时期和地区在应对疫情时采取的措施和策略，并将这些经验总结归纳为知识体系；传染病风险评估数据库主要用来对疫情的暴发规模及潜在暴发风险进行科学评估和预测。数据的存储本来就需要庞大的存储空间，疫情的健康数据具有多而杂的特点，因此运用传统的存储方式并不能达到很好的存储效果，需要借助云技术。云存储的主要优势有易于拓展、存储和管理利用的成本较小、安全性较好等。引入虚拟化技术，集成多种信息源的资源管理服务器设备，包括存储设备、网络设备、数据库等各种资源，形成了存储资源池、网络资源池、计算资源池和情报资源池。在这些资源池中，使用者可以轻易做到数据的选择和调整。存储资源池很好地完成了存储过程中对空间和连续性使用的要求，不受传统存储方式、存储介质的局限。网络资源池负责完成从物理层级到逻辑层级的映射和转化，为使用者提供对数据资源的访问和查询服务。计算资源池负责完成对疫情公共卫生数据的精确计算和高效使用。情报资源池本身就是一个动态变化的资源池，对于使用者可提供连续访问的服务，对已获得的信息进行融合。除此之外，随着疫情的生命周期流程，存储在紧急信息资源数据库中的信息的值可能会变得不完整，甚至失去准确性，从而影响决策判断的准确性，这就要求在对传染病数据库中的数据进行管理时也要考虑信息的时效性特征，以及时更新健康信息。

(4) 卫生情报分析。在突发公共卫生事件的应对中，公共卫生情报的产生来源于情报分析、情报挖掘的思想、技术及方法步骤，达到对收集到的多源信息进行分析和融合、对紧急情况的语义推理、紧急情况模型的设定和可视化等，从而为潜伏期、暴发期突发事件提供各种信息，在流行病的恢复期为公众提供健康信息服务等。情报的关联分析技术同样可以运用在情报分析过程中，融合在情报流程中，具体实现方法是通过对以传染病为主题的词语和短句进行语义关联，提取深层次的疫情信息资源，发掘出隐藏在万千信息中的潜在隐患及内在联系和规律。军事领域最早运用到应急管理中的情报融合方法和情报融合思想同样可以应用在流行病防治过程中，选择合适的融合技术和手段整合及利用基本的流行病数据信息、决策机构、应急救援方法等，以提高流行病应对决策的针对性和准确性；紧急语义推理包括基于案例的推理 (CBR)、基于规则的推理 (RBR) 和其他人工情报技术，用于汇总和挖掘信息，以提取对流行病应急决策有价值的信息；应急流行病模型的构建包括疫情风险评估模型、疫情演化动态模拟模型、疫情应对策略相似性模型等的构建，为不同情报需求的决策人员的分析和决策提供了良好的参考，同时针对疫情生命周期的不同阶段提供相对应的辅助决策支持。这种通过信息技术完成的疫情数据可视化处理将为决策人员提供极大的便利，节省大量的时间和精力。这种保障质量的、交互的、友好的数据可视化技术在提供管理决策相关问题处理上具有非常广泛的应用前景和深度。

(5) 卫生情报服务。公共卫生信息服务与流行病应急管理中心的协同运作，包含三个阶段的内容：第一是在流行病潜伏期形成并发出警示，实现对流行病的监测、流行病学研究与判断及流行病风险评估。流行病监测利用健康信息收集和处理的现有基础，使用遥感监测技术 (RS)、全球定位技术 (GPS)、地理信息系统 (GIS)、视觉分析技术等，来实际监测某些风险因素，再对收集到的信息进行整理和提炼；流行病学研究，从以往的流行性传染病的相关数据资料中提取有价值信息和作为本次分析的参考，再运用大数据分析的一些实用方法，如神经网络分析、数据挖掘和机器学习等技术进行深层次的数据挖掘和关联分析，以在疫情蔓延的初期就采取有效措施达到遏制效果；流行病风险评估使用数据挖掘思想 (如决策树 C4.5 算法、SVM 算法等) 计算并预测公共卫生突发事件的风险程度和潜在后果，并改善紧急事件预测机制。第二是根据流行病的流行趋势做出判断，完成对其的动态分析、决策和相关信息的公开。流行病动态分析是运用线下回归分析、预测等方法计算流行病的发展趋势，为决策者提供决策指导；流行病策略的制定是通过对疫情信息数据库中的知识和经验的总结及对当前环境的综合分析采取针对性的应对措施，制定指向性的决策方案；《突发公共卫生事件应急条例》第二十五条规定："信息发布应当及时、准确、全面。"根据规定可知，及时、有效、全面的信息发布和信息披露是十分重要的，相关部门可采用电视、广播、网络媒体等途径发布疫情现状，并给出合理控制疫情的宣传。第三是总结和调整流行病的恢复期，以实现对流行病损失的评估和疫情信息的反馈。流行病损失评估是指对整个疾病防控阶段用于治理疾病和疾病本身带来的生命财产损失进行统计和估值，诸如人员调动差旅费、沟通协调信息费、医疗物资费、疾病预防控制费等都属于流行病损失；疫情信息反馈是根据流行病发展过程和人们在疫情生命周期各个阶段的反应及结果，运用数学方法对其进行组织和分析，再针对分析成果完成汇总和评估，为将来对类似流行病的响应提供经验教训。

8.4.4 公共卫生突发事件数据采集

"控制和治愈"是处理和应对这种流行病的一般要求。从"治疗"到"控制"的转变将城市医疗卫生工作的重点从关注社会服务转移到了社会治理。一旦一个城市"失控",它将面临"失控"的风险,因此必须建立一个强大的大数据系统,并使用大数据系统预防、控制流行病事件的发展。必须努力形成"收集—分析—研究—判断—推论—验证—反馈"的闭环数据应用,并加强大数据在流行病防治中的实时应用,以提高数据准确性和有效性[199]。

在公共卫生突发事件预警和响应过程中,涉及大量相关数据是突发事件处理的基础。一些专业的大数据机构也参与其中。他们把在公安、金融、交通等多个领域已经形成的大数据技术优势和业务标准应用于防疫工作,发挥了巨大的作用。主要体现在以下三个方面。

首先,大幅度地提高了数据采集的速度。在紧急处理中,数据分析的目标对象组越大,越会降低单个数据源的可信度,并且对交叉验证的数据类型和数量的需求也就越大。依靠公共安全大数据平台,迅速建立跨平台、跨系统、跨数据库的流行病防控大数据系统。该操作已取得初步成果,并在建立闭环数据信息方面迈出了坚实的一步。

然后,数据分析的范围更加深远。大数据分析的工作原理一般是将业务逻辑转换为基于业务数据和实际业务问题的数学模型,为连续、实时的决策提供保障。因此,大数据技术非常重视基于数据的建模和机器计算的重要性。数据驱动的决策模型需要通过数据建模来支持业务的决策。

最后,数据操作的准确性是显而易见的。各个城市大数据建设的主要目的是推进实体的运营,支持业务流程中的每一环工作,实现数据驱动。数据操作是一个闭环过程,它通过数据的收集、分析和应用来指导一线工作,然后加强点对点、不间断、滚动的动态管理和及时的数据更新,以形成信息环,从而促进更多准确有效的信息的产生。上海、北京、江西等地为此都做出了有益的尝试。

8.4.5 公共卫生突发事件决策需求识别

依据危机管理知识的三阶段理论,流行病事件的发展阶段可以分为潜伏期、暴发期和恢复期。在不同阶段的疫情发展中,实时情报的内容、形式、数量、质量和获取方法有很大不同。对这三个阶段情报需求特征差异的研究和对比,使情报工作在公共卫生突发事件中发挥出针对性的作用。

(1) 疫情潜伏期。流行病的潜伏期是指公共卫生突发事件的潜伏状态,各种信息和危险的迹象不断产生,却不容易被察觉,也没有造成实质性的伤害或只产生极小的影响。在流行病的潜伏阶段,许多情报不容易被发现或发掘,因此对疫情情报搜集的目的性和针对性不是很强,然而搜集的范围却很宽泛。在此阶段信息需求的主体是基层和中层政府公共卫生部门。对于可能引起流行病的因素，有必要收集所有来源的情报 [200]，包括流行病监测数据、流行病风险评估信息及与流行病有关的舆论信息。流行病初生阶段的危机因素处于不稳定的变化时期。倘若能够在造成更大影响前就及时采取手段干预，可以达到有效防控局势的作用。因此，这一阶段的主要任务是提高警觉性，从采集的初期情报资源中提取并分析有用信息，作为预警系统建立的基础。

(2) 疫情暴发期。暴发期意味着发生了公共卫生突发事件，并继续蔓延。社会和公众已经发现流行病的出现并受到该传染病的危害，某些大型疫情甚至会破坏社会的正常秩序。在疫情暴发阶段，由突发事件造成的危害规模和扩散趋势在不断扩大。此阶段的情报需求特点是数量大、质量要求高、信息粒度细及更新迅速。此阶段信息需求的主体是流行病应急管理中心，它应当采取的策略是尽量迅速地采集全面且大量的与疫情相关的信息，包括疫情分布信息、感染人员信息、医疗人员和器械信息等，并对采集的信息进行有效分析和利用，将信息序列化以便提取情报。采集到的信息数量和质量直接影响情报的准确性和可靠性，进而影响应急决策的合理性和有效性。但是，随着流行病的暴发，许多真实性存疑的信息也接踵而至，导致提取到的情报可信度降低。因此，这一阶段应注意对情报的筛查和选择。另外，从动力学的角度来看，随着疫情状况的不断改变，情报也在不停变化和更新，相应的信息需求和应急指挥决策也是动态变化的。

(3) 疫情恢复期。疫情的恢复期是指在公共卫生突发事件的危害和影响得到缓解和消除之后，社会恢复正常和稳定的时期。在此阶段，由于疫情已经处于有效控制之下，解决问题时的情报需求相对平稳，情报的需求特征是信息量呈下降趋势。但是，这并不意味着不需要情报。相反，有必要对流行病的产生原因和流行过程中的所有环节进行全面彻底的检查，总结经验和教训。与暴发期相比，此阶段的情报信息更加全面，包括疫情出现原因、带来的损失及后续分析和总结提炼的经验。

8.4.6　公共卫生突发事件决策需求关联和再生

对紧急情况进行更客观的评估会产生更精确的决策需求，通过对事件中的要素施加影响来指导应急行动的方向，从而可以帮助多层次动态应急管理流程中的各级决策者和多主体最大限度地减少社会财产损失和人员伤亡。公共卫生突发事件的需求相关性和更新取决于情报的流动，情报贯穿于流行病预防、响应和恢复的所有环节，如图 8-4 所示。

疫情潜伏期：情报系统的重要作用是监测事件的演化动态和提供预警，不断改进和完善突发事件监测机制、预警机制，并建立应急预案机制。在疫情萌发的初期，流行病应急管理中心监视并分析收集到的疫情信息，使用大数据分析等相

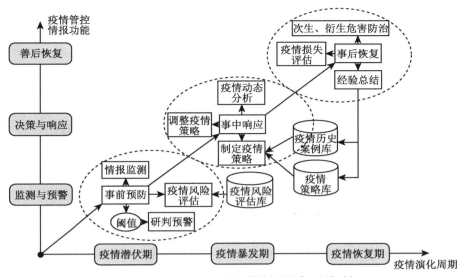

图 8-4 公共卫生突发事件情报体系运行机制

关技术，提前预判和设立安全阈值指数，根据对疫情情报的提取、分析和判断准确而尽早预警。除此之外，还需要相关部门确立和发布流行病预警信息，并根据预警级别及时提供不同的应对策略，评估暴发风险可能性的大小。

疫情暴发期：情报系统的重点是决策和响应。建立公共卫生突发事件应急决策机制、信息共享与协调机制，对公共卫生突发事件进行全面协调的应对，最大限度地减少公共卫生突发事件的危害。在应急决策方面，疫情应急管理中心信息部门通过不断获取的实时信息分析疫情的演变趋势；同时，从构建的流行病历史案例库中搜寻病例源头，并结合收集的情报、流行病策略数据库、流行病策略相似度模型等，制定流行病策略，不断根据流行病的变化调整策略，给疫情的管理和控制提供决策支持。在应急协调方面，流行病应急管理中心作为协调的中心，负责联动和动员政府公共卫生机构、当地医疗机构、信息服务机构、情报资源服务机构等，利用多方组织的能力共同完成对疫情的控制和防范工作。

疫情恢复期：情报系统的重点是恢复，建立流行病损失评估机制和流行病信息反馈机制。首先，流行病应急管理中心的管理者需要运用专家评估法等方法对疫情导致的人力、物力、资源损失进行估值和计算，完成评估报告，向上级进行报告。除此之外，对整个应对过程中的数据和行为进行全面记录和概括，形成知识和经验，以扩充流行病历史案例知识库和流行病策略数据库，在未来遇到类似流行病暴发事件中能够高效地将现有数据和知识转化为情报，并作为行动指引发挥作用。另外，相关应急管理机构应当发挥作用，以防止公共卫生突发事件造成继发性和衍生性危害。例如，此阶段的普通民众易受到不实言论的影响，从而产生衍生性的危害。因此，普通民众的信息素质和心理建设也应该得到关注，媒体与普通民众之间的沟通交流方式也有待改进。

8.5　本 章 小 结

　　本章在自然灾害、事故灾害、社会安全、公共卫生四类突发事件中选取了有代表性的突发事件案例，分析其需求架构、数据采集过程，解析突发事件决策需求识别、组织、关联、再生和服务过程，为突发事件决策需求组织和管理的实际应用提供参考。

参 考 文 献

[1] 范维澄, 翁文国, 张志. 国家公共安全和应急管理科技支撑体系建设的思考和建议 [J]. 中国应急管理, 2008, (4): 22-24.

[2] 范维澄, 刘奕. 城市公共安全与应急管理的思考 [J]. 城市管理与科技, 2008, 10(5): 32-34.

[3] 崔维, 刘士竹. 事故灾难类突发事件风险管理研究——以 "11·22" 中石化东黄输油管道泄漏爆炸特大事故为例 [J]. 中国应急管理, 2014, (6): 16-21.

[4] 吴浩云, 金科. 太湖流域水灾害应急对策研究 [J]. 中国水利, 2012, (13): 40-43.

[5] 邵荃, 翁文国, 何长虹, 等. 突发事件模型库中模型的层次网络表示方法 [J]. 清华大学学报 (自然科学版), 2009, 49(5): 625-628.

[6] Georgiadou P S, Papazoglou I A, Kiranoudis C T, et al. Multi-objective evolutionary emergency response optimization for major accidents[J]. Journal of Hazardous Materials, 2010, 178(1-3): 792-803.

[7] Akter T, Simonovic S P. Aggregation of fuzzy views of a large number of stakeholders for multi-objective flood management decision-making[J]. Journal of Environmental Management, 2005, 77(2): 133-143.

[8] 袁莉, 杨巧云. 重特大灾害应急决策的快速响应情报体系协同联动机制研究 [J]. 四川大学学报 (哲学社会科学版), 2014, (3): 116-124.

[9] 李红艳. 突发水灾害事件应急管理参与主体的界定及其互动关系 [J]. 水利水电科技进展, 2013, 33(4): 31-35.

[10] 张乐, 王慧敏, 佟金萍. 突发水灾害应急合作的行为博弈模型研究 [J]. 中国管理科学, 2014, 22(4): 92-97.

[11] Chiou Y C, Lai Y H. An integrated multi-objective model to determine the optimal rescue path and traffic controlled arcs for disaster relief operations under uncertainty environments[J]. Journal of Advanced Transportation, 2008, 42(4): 493-519.

[12] Sheu J B. Dynamic relief-demand management for emergency logistics operations under large-scale disasters[J]. Transportation Research Part E: Logistics and Transportation Review, 2010, 46(1): 1-17.

[13] Liu Y, Fan Z P, Chen F D. A risk decision method for emergency response based on cumulative prospect theory[C]. Proceedings of the 2011 4th International Joint Conference on Computational Sciences and Optimization, Kunming, 2011: 618-622.

[14] 苏新宁, 朱晓峰. 面向突发事件应急决策的快速响应情报体系构建 [J]. 情报学报, 2014, 33(12): 1264-1276.

[15] 宫宏光, 汤珊红. 面向决策需求建立基于过程的情报研究知识化支持系统 [J]. 情报理论与实践, 2012, 35(2): 1-4.

[16] 刘细文, 马费成. 技术竞争情报服务的理论框架构建 [J]. 图书情报工作, 2014, 58(13): 5-10.

[17] 叶光辉, 李纲. 多阶段多决策主体应急情报需求及其作用机理分析——以城市应急管理为背景 [J]. 情报杂志, 2015, 34(6): 27-32.

[18] 陈峰. 论面向高端用户提供情报服务的四个层次 [J]. 情报杂志, 2016, 35(10): 13-17.

[19] 黄辉, 杨佳祺, 吴翰, 等. 基于系统动力学的震后救援药品动态需求研究 [J]. 灾害学, 2016, 31(4): 171-175.

[20] 刘咏梅, 吴宏伟. 基于政府决策信息需求的新型智库运行机制研究 [J]. 智库理论与实践, 2016, 1(5): 36-41.

[21] 王曰芬. 大数据环境下社会舆情及其演化分析研究 [J]. 情报资料工作, 2016, (3): 5.

[22] 魏扣, 郝琦, 张斌. 面向政府决策的档案知识库构建需求分析 [J]. 档案学研究, 2016, (5): 32-35.

[23] 姚乐野, 范炜. 突发事件应急管理中的情报本征机理研究 [J]. 图书情报工作, 2014, 58(23): 6-11.

[24] 李纲, 李阳. 关于智慧城市与城市应急决策情报体系 [J]. 图书情报工作, 2015, 59(4): 76-82.

[25] 李纲, 李阳. 情报视角下的突发事件应急决策研究 [J]. 情报理论与实践, 2015, 38(8): 61-65, 26.

[26] 杨乙丹. 群体性事件的链式演化与断链防控治理 [J]. 甘肃社会科学, 2013, (5): 244-248.

[27] Bayrak T. Identifying requirements for a disaster-monitoring system[J]. Disaster Prevention and Management, 2009, 18(2): 86-99.

[28] Hofinger G, Zinke R, Strohschneider S. Role-specific psychological requirements in preparing public transportation staff for disaster response[J]. Disaster Prevention and Management, 2011, 20(4): 398-412.

[29] Mathew D. Information technology and public health management of disasters—A model for South Asian countries[J]. Prehospital and Disaster Medicine, 2005, 20(1): 54-60.

[30] 袁文玉. 基于卡尔曼滤波的自平衡车数据融合应用 [J]. 电子技术与软件工程, 2019, (12): 181-183.

[31] 田鸽, 韩磊, 赵永华. 多源数据融合的实景三维建模在土地整治中的应用 [J]. 生态学杂志, 2019, 38(7): 2236-2242.

[32] 初洪龙, 马玉强. 基于信任度的多传感器数据融合在农业物联网的应用 [J]. 农业网络信息, 2017, (12): 130-132.

[33] 任娟. 多指标面板数据融合聚类分析 [J]. 数理统计与管理, 2013, 32(1): 57-67.

[34] 曹树金, 马翠嫦. 信息聚合概念的构成与聚合模式研究 [J]. 中国图书馆学报, 2016, 42(3): 4-19.

[35] 辛越峰, 刘健松, 童春. 基于粒化与合成思想的设计问题解决模式 [J]. 科技与创新, 2016, (16): 23-25.

[36] 张家年, 卓翔芝. 融合情报流程: 我国智库组织结构和运行机制的研究 [J]. 情报杂志, 2016, 35(3): 42-48.

[37] 张义, 陈虞君, 杜博文, 等. 智慧城市多模式数据融合模型 [J]. 北京航空航天大学学报, 2016, 42(12): 2683-2690.

[38] Sorber L, van Barel M, de Lathauwer L. Structured data fusion[J]. IEEE Journal of Selected Topics in Signal Processing, 2015, 9(4): 586-600.

[39] Farasat A, Gross G, Nagi R, et al. Social network analysis with data fusion[J]. IEEE Transactions on Computational Social Systems, 2016, 3(2): 88-99.

[40] Balazs J A, Velásquez J D. Opinion mining and information fusion: A survey[J]. Information Fusion, 2016, 27: 95-110.

[41] The National Terror Alert Response Center[EB/OL]. http://www.nationalterroralert. com/. 2008.

[42] National Response Framework[EB/OL]. http://en.wikipedia.org/wiki/National_ Response_Framework. 2008.

[43] World Health Organization. 灾害准备计划 [EB/OL]. http://www.euro.who.int/emergencies. 2008.

[44] GMES (Global Monitoring for Environment and Security)[EB/OL]. http://www.gmes. info/. 2008.

[45] 陆学艺, 朱庆芳, 吴寒光. 社会指标体系 [M]. 北京: 中国社会科学出版社, 2001.

[46] 中华人民共和国中央人民政府. 国家突发公共事件总体应急预案 [EB/OL]. http://www. gov.cn/yjgl/2005-08/07/content_21048.htm. 2005.

[47] 国务院办公厅. 国务院办公厅关于印发国家综合防灾减灾规划 (2016—2020 年) 的通知 [EB/OL].http://www.gov.cn/zhengce/content/2017-01/13/content_5159459.htm. 2017.

[48] 吴建华. 基于信息管理的公共危机预警研究 [J]. 档案学通讯, 2009, (3): 56-60.

[49] 张维平. 突发公共事件和预警机制 [J]. 消防科学与技术, 2006, 25(3): 376-381.

[50] 辛立艳. 面向政府危机决策的信息管理机制研究 [D]. 长春: 吉林大学, 2014.

[51] 范维澄, 刘奕. 城市公共安全体系架构分析 [J]. 城市管理与科技, 2009, 11(5): 38-41.

[52] 宋英华, 王容天. 基于危机周期的突发事件全面应急管理机制研究 [J]. 华中农业大学学报 (社会科学版), 2010, (4): 104-107.

[53] 李纲, 叶光辉. 网络视角下的应急情报体系 "智慧" 建设主题探讨 [J]. 情报理论与实践, 2014, 37(8): 51-55.

[54] 钟开斌. 中国突发事件调查制度的问题与对策——基于 "战略-结构-运作" 分析框架的研究 [J]. 中国软科学, 2015, (7): 59-67.

[55] 佘廉, 黄超. 我国突发事件案例库建设评价分析 [J]. 电子科技大学学报 (社科版), 2015, 17(6): 24-31.

[56] Nieland C, Mushtaq S. The effectiveness and need for flash flood warning systems in a regional inland city Australia[J]. Natural Hazards, 2016, 80(1): 153-171.

[57] Liu D F, Pang L, Xie B T, et al. Typhoon disaster zoning and prevention criteria—A double layer nested multi-objective probability model and its application[J]. Science in China Series E: Technological Sciences, 2008, 51(7): 1038-1048.

[58] 程卫帅, 黄薇, 刘丹. 中美水利突发公共事件应急管理机制比较分析 [J]. 人民长江, 2009, 40(8): 13-16.

[59] 张效武, 施宏江. 突发水公共安全事件的内涵及其应对 [J]. 中国水利, 2010, (6): 56-58.

[60] 卢文刚. 城市内涝灾害管理的问题及对策: 以广州市为例 [J]. 中国行政管理, 2014, (1): 106-108.

[61] 佟金萍, 黄晶, 陈军飞. 洪灾应急管理中的府际合作模式研究 [J]. 河海大学学报 (哲学社会科学版), 2015, 17(4): 69-74, 92.

[62] 吴倩, 谈伟, 盖文妹. 基于动态贝叶斯网络的民航突发事件情景分析研究 [J]. 中国安全生产科学技术, 2016, 12(3): 169-174.

[63] 张锦, 蔡琦, 张帆, 等. 基于贝叶斯风险决策理论的码头核应急决策模型 [J]. 辐射防护, 2010, 30(3): 155-159.

[64] 陈媛, 徐洁, 乔廷春. 基于 FLEX 的 RIA 技术在环境应急处置风险决策支持系统中的应用 [J]. 环境科技, 2010, 23(6): 54-57.

[65] 靖可, 赵希男, 王艳梅. 基于区间偏好信息的不确定性应急局部群决策模型 [J]. 运筹与管理, 2010, 19(2): 97-103.

[66] Almeida L A, Tralhao L, Santos L, et al. A multi-objective approach to locate emergency shelters and identify evacuation routes in urban areas[J]. Geographical Analysis, 2009, 41(1): 9-29.

[67] 李晓明, 孙林岩, 汪应洛. 基于知识管理的软件需求管理研究 [J]. 研究与发展管理, 2005, (2): 28-32, 39.

[68] 徐绪堪, 赵毅, 王京, 等. 城市水灾害突发事件情报分析框架构建 [J]. 情报杂志, 2015, 34(8): 21-25.

[69] 雷志梅, 王延章, 裘江南, 等. 突发事件应急信息的多维度需求分析 [J]. 情报科学, 2014, 32(12): 133-137.

[70] 徐绪堪, 吴慧中, 张吉成, 等. 基于多源数据融合的突发事件决策需求研究 [J]. 情报理论与实践, 2017, 40(11): 40-44, 51.

[71] 蔡凌. 危险化学品突发环境事件应急处置方法及决策支持系统构建研究 [D]. 天津: 天津大学, 2017.

[72] 操玉杰, 李纲, 毛进, 等. 大数据环境下面向决策全流程的应急信息融合研究 [J]. 图书情报知识, 2018, (5): 95-104.

[73] 夏登友, 武旭鹏. 基于决策需求的非常规突发事件应急方案生成方法 [J]. 消防科学与技术, 2016, 35(2): 268-272.

[74] 李军涛, 郭德勇, 邸学勤. 煤矿瓦斯事故应急决策方法研究 [J]. 煤矿安全, 2012, 43(12): 225-228.

[75] 张美莲, 佘廉. 国外突发事件应急响应研究综述 [J]. 国外社会科学, 2015, (1): 100-112.

[76] 胡楚丽, 陈能成, 关庆锋, 等. 面向智慧城市应急响应的异构传感器集成共享方法 [J]. 计算机研究与发展, 2014, 51(2): 260-277.

[77] 徐绪堪, 钟宇翀, 魏建香, 等. 基于组织-流程-信息的突发事件情报分析框架构建 [J]. 情报理论与实践, 2015, 38(4): 70-73.

[78] 高昊. 主流媒体和社交媒体在突发事件中的话语互动研究 [D]. 海口: 海南师范大学, 2017.

[79] De Bra P, Houben G J, Kornatzky Y, et al. Information retrieval in distributed hypertexts[C]. Proceedings of Computer-Assisted Information Retrieval (Recherche

d'Information et ses Applications) - RIAO 1994, 4th International Conference, NY, USA, 1994: 481-493.

[80] 孔涛, 曹丙章, 邱荷花. 基于 MapReduce 的视频爬虫系统研究 [J]. 华中科技大学学报 (自然科学版), 2015, 43(5): 129-132.

[81] 五岳之巅. 开源爬虫软件汇总 [EB/OL]. http://blog.chinaunix.net/uid-22414998-id-3774291.html. 2005.

[82] 张婷婷, 刘凯, 王伟军. 科研人员 Web 数据自动抓取模式及其开源解决方案 [J]. 信息资源管理学报, 2015, 5(2): 21-27.

[83] Divya A S, Ratna A. Overview on web crawlers[J]. International Journal of Engineering Technology Science and Research, 2014, 2(4): 18-24.

[84] Chakrabarti S, van den Berg M, Dom B. Focused crawling: A new approach to topic-specificweb resource discovery[C]. Computer Networks - The International Journal of Computer and Telecommunications Networking, 1999, 31: 1623-1640.

[85] 田雪筠. 网络竞争情报主题采集技术研究 [J]. 图书与情报, 2014, (5): 132-137.

[86] Miller R C, Bharat K. SPHINX: A framework for creating personal, site-specific web crawlers[J]. Computer Networks and ISDN Systems, 1998, 30(1-7): 119-130.

[87] Kamba T, Bharat K, Albers M C. The Krakatoa Chronicle - An interactive, personalized, newspaper on the Web[C]. Proceedings of the 4th International World Wide Web Conference, 1993: 159-170.

[88] Rasmussen C E, Williams C K I. Gaussian Processes for Machine Learning[M]. Cambridge, MA: MIT Press, 2004.

[89] 周群. 基于多源数据融合的科技决策支撑方法研究 [D]. 淄博: 山东理工大学, 2018.

[90] 罗伯特·希斯. 危机管理 [M]. 王成, 宋炳辉, 金瑛, 译. 北京: 中信出版社, 2001: 30-31.

[91] 沙勇忠, 李文娟. 公共危机信息管理 EPMFS 分析框架 [J]. 图书与情报, 2012, (6): 8-10.

[92] 郭路生, 刘春年, 魏诗瑶, 等. 基于领域分析和本体的应急决策情报需求识别研究 [J]. 情报杂志, 2019, 38(1): 48-53.

[93] Chang Y W. The influence of Taylor's paper, question-negotiation and information-seeking in libraries[J]. Information Processing and Management, 2013, 49(5): 983-994.

[94] 邓胜利. Web 2.0 环境下数字信息需求研究//胡昌平. 信息资源管理研究进展 [M]. 武汉: 武汉大学出版社, 2010: 292-295.

[95] Wilson T D. Theory in information behaviour research[D]. Smashword, 2013.

[96] 叶光辉, 李纲. 多阶段决策主体应急情报需求及其作用机理分析 [J]. 情报杂志, 2015, 34(6): 27-32.

[97] 沙勇忠, 徐瑞霞. 基于 AT 的应急信息需求分析: 框架及实证研究 [J]. 信息资源管理学报, 2011, (2): 32-48.

[98] 郭路生, 刘春年, 胡佳琪. 基于 ZACHMAN 架构思想的应急信息需求多维度多视角分析 [J]. 情报理论与实践, 2017, 40(11): 73-79.

[99] Houhamdi Z, Athamena B. Ontology-based knowledge management[J]. International Journal of Engineering and Technology, 2015, 7(1): 51-62.

[100] Yang L L, Prasanna R, King M. GDIA: Eliciting information requirements in emergency first response[J]. Requirements Engineer, 2015, 20(4): 345-362.

[101] 徐绪堪, 房道伟, 蒋勋, 等. 知识组织中知识粒度化表示和规范化研究 [J]. 图书情报知识, 2014, (6): 101-106, 90.

[102] Tan K C, Xie M, Shen X X. Development of innovative products using Kano's model and quality function deployment[J]. International Journal of Innovation Management, 1999, 3(3): 271-286.

[103] 李书巧, 段琳瑛. 城乡结合部公共服务需求精准识别的路径探析——基于魅力质量理论和 Kano 模型 [J]. 广东行政学院学报, 2019, 31(6): 29-34.

[104] Kano N, Seraku N, Takahashi F, et al. Attractive quality and must-be quality[J]. The Journal of Japanese Society for Quality Control, 1984, 14(2): 147-156.

[105] Rothwell A. Research in progress—Is grounded theory what management needs[J]. Journal of European Industrial Training, 1980: 166-167.

[106] 赵文军, 刘耀, 李超良. 高校图书馆移动阅读服务需求分类及满意度提升研究 [J]. 图书情报工作, 2019, 63(24): 86-96.

[107] 施衍如. 基于 Kano 模型的少儿图书馆服务质量影响因素分类研究 [J]. 图书馆, 2019, (10): 106-111.

[108] 韩玮, 陈樱花, 陈安. 基于 KANO 模型的突发公共卫生事件信息公开的公众需求研究 [J]. 情报理论与实践, 2020, 43(5): 9-16.

[109] 魏丹. 基于公众需求的政府信息公开研究——以京宁两地为例 [D]. 南京: 南京农业大学, 2011.

[110] 侯冰, 张乐川. 社区居家养老服务需求层次及其优先满足序列——以上海市斜土路街道为例 [J]. 城市问题, 2017, (12): 4-11.

[111] Berger C, Blauth R, Boger D, et al. Kano's methods for understanding customer-defined quality[J]. Center for Quality Management Journal, 1993, 2(4): 3-36.

[112] 蔡俊. 突发公共卫生事件中信息公开研究 [D]. 上海: 上海交通大学, 2014.

[113] 陈晓婷. 读者需求视角下的高校图书馆阅读推广活动评价关键因素研究——以广东海洋大学图书馆为例 [J]. 大学图书情报学刊, 2019, 37(6): 75-80.

[114] Gundogdu D, Incel O D, Salah A A, et al. Countrywide arrhythmia: Emergency event detection using mobile phone data[J]. EPJ Data Science, 2016, 5(1): 25.

[115] 徐爱慧, 陈虹, 王巍. 美国突发事件搜救队伍分类分级及其对我国救援队伍建设的启示 [J]. 灾害学, 2018, 33(1): 168-174.

[116] Raber E, Hirabayashi J M, Mancieri S P, et al. Chemical and biological agent incident response and decision process for civilian and public sector facilities[J]. Risk Analysis, 2002, 22(2): 195-202.

[117] Schurr N, Marecki J, Tambe M, et al. The Future of Disaster Response: Humans Working with Multiagent Teams using DEFACTO[R/OL]. AAAI Spring Symposium on Homeland Security, 2005: 9-16.

[118] Ju Y B, Wang A H. Emergency alternative evaluation under group decision makers: A method of incorporating DS/AHP with extended TOPSIS[J]. Expert Systems with

Applications, 2012, 39(1): 1315-1323.

[119] 徐绪堪, 房道伟, 蒋亚东. 基于知识单元的知识组织过程研究 [J]. 情报理论与实践, 2014, 37(10): 50-53.

[120] Rendle S. Factorization Machines with libFM[J]. ACM Transactions on Intelligent Systems and Technology, 2012, 3(3): 1-22.

[121] 郝日虹. 我国首个 "突发事件基础数据处理标准" 发布 [N]. 中国社会科学报, 2014-05-28A01.

[122] 张建云, 王国庆, 杨扬, 等. 气候变化对中国水安全的影响研究 [J]. 气候变化研究进展, 2008, 4(5): 290-295.

[123] 巩前胜. "情景–应对" 型应急决策中情景识别关键技术研究 [D]. 西安: 西安科技大学, 2018.

[124] 张艳琼, 陈祖琴, 苏新宁. 基于云模型的突发事件分级模型研究 [J]. 情报学报, 2015, 34(1): 76-84.

[125] 郝彦彬, 谷建华, 关文天, 等. 基于总体距离最小的多用户偏好信息融合算法的研究 [J]. 计算机工程与应用, 2005, 41(16): 29-31, 54.

[126] Yu L, Lai K. A distance-based group decision-making methodology for multi-person multi-criteria emergency decision support[J]. Decision Support Systems, 2011, 51(2): 307-315.

[127] 管清云, 陈雪龙, 王延章. 基于距离熵的应急决策层信息融合方法 [J]. 系统工程理论与实践, 2015, 35(1): 216-227.

[128] 刘海英, 张池平. 基于多传感器信息融合技术 [J]. 佳木斯大学学报 (自然科学版), 2004, 22(1): 28-33.

[129] Tingsanchali T. Urban flood disaster management[J]. Procedia Engineering, 2012, 32: 25-37.

[130] 方琦. 我国城市水灾害防御体系研究 [J]. 城市道桥与防洪, 2012, (11): 69-72, 27.

[131] 龙献忠, 安喜倩. 善治视野下城市型水灾害防治中的公民参与 [J]. 湖南科技大学学报 (社会科学版), 2013, 16(5): 120-123.

[132] 徐绪堪, 蒋勋, 苏新宁. 突发事件驱动的应急情报分析框架构建 [J]. 情报学报, 2017, 36(10): 981-988.

[133] 谢丹, 朱伟. 基于情景的城市突发暴雨灾害应急管理对策研究 [J]. 安全, 2014, 35(7): 22-24.

[134] Zhang S H, Pan B Z. A urban storm-inundation simulation method based on GIS[J]. Journal of Hydrology, 2014, 517: 260-268.

[135] 张振国, 温家洪. 基于情景模拟的城市社区暴雨内涝灾害危险性评价 [J]. 中国人口资源与环境, 2014, 24(5): 478-482.

[136] Chang F J, Chen P N, Lu Y R, et al. Real-time multi-step-ahead water level forecasting by recurrent neural networks for urban flood control[J]. Journal of Hydrology, 2014, 517: 836-846.

[137] 陈德清, 陈子丹. 建设防汛信息系统 减轻洪涝灾害损失 [J]. 中国减灾, 2013, 212(9): 24-25.

[138] 徐希涛, 高磊, 江浩, 等. 基于 WebGIS 的防汛决策支持系统研究 [J]. 水电自动化与大坝监测, 2013, 37(2): 70-72.

[139] 曹欢. 长三角地区水灾害应急管理信息系统建设研究 [J]. 人民长江, 2010, 41(1): 101-104.

[140] 徐绪堪, 李一铭. 基于情景相似度的突发事件多粒度响应模型研究 [J]. 情报科学, 2021, 39(2): 18-23, 43.

[141] 张海涛, 刘雅姝, 周红磊, 等. 情报智慧赋能: 重大突发事件的智能协同决策 [J]. 情报科学, 2020, 38(9): 3-8.

[142] 徐绪堪, 苏新宁, 冯兰萍. 面向知识服务的知识组织过程研究 [J]. 情报资料工作, 2015, 1: 6-13.

[143] 蒋勋, 苏新宁, 刘喜文. 突发事件驱动的应急决策知识库结构研究 [J]. 情报资料工作, 2015, 36(1): 25-29.

[144] 徐绪堪, 楼昱清, 于成成. 基于 D-S 理论的突发事件多源数据可信度评估研究 [J]. 情报理论与实践, 2019, 42(8): 67-72.

[145] 李锋, 王慧敏. 突发洪水灾害事件关联度模型 [J]. 系统工程, 2017, 35(7): 47-52.

[146] 王晓, 庄亚明. 基于案例推理的非常规突发事件资源需求预测 [J]. 华东经济管理, 2011, 25(1): 115-117.

[147] 王曰芬, 邢梦婷. 面向政府决策需求的社会舆情信息语义组织研究 [J]. 现代图书情报技术, 2016, (Z1): 21-31.

[148] 唐亮, 杜军平. 关联规则挖掘在旅游突发事件预测中的研究 [J]. 北京工商大学学报 (自然科学版), 2008, 26(1): 59-62.

[149] 贾萌, 邵荃, 张金石. 基于 FP-Growth 算法的民航鸟击事件关联性分析 [J]. 安全与环境学报, 2016, 16(1): 115-119.

[150] 徐宝祥, 叶培华. 知识表示的方法研究 [J]. 情报科学, 2007, 25(5): 690-694.

[151] 王延章. 模型管理的知识及其表示方法 [J]. 系统工程学报, 2011, 26(6): 850-856.

[152] 仲秋雁, 路光, 王宁. 基于知识元模型和系统动力学模型的突发事件仿真方法 [J]. 情报科学, 2014, 32(10): 15-19.

[153] Chen X L, Xiao W H. Knowledge unit network model for evolution analysis of unconventional emergency and its application[J]. Journal of Dalian University of Technology, 2013, 53(4): 615-624.

[154] 陈雪龙, 董恩超, 王延章, 等. 非常规突发事件应急管理的知识元模型 [J]. 情报杂志, 2011, 30(12): 22-26, 17.

[155] 高国伟, 王亚杰, 李永先. 我国知识元研究综述 [J]. 情报科学, 2016, 34(2): 161-165.

[156] 徐绪堪, 郑昌兴, 蒋勋. 基于粒度原理的知识组织模型构建 [J]. 图书与情报, 2013, (6): 8-12, 56.

[157] 杨小延. 基于关联规则的微博话题动态检测与演化分析 [D]. 哈尔滨: 哈尔滨工业大学, 2017.

[158] 孙达明, 张斌, 张书波, 等. 基于用户行为的数据关联关系获取方法 [J]. 东北大学学报 (自然科学版), 2013, 34(12): 1707-1711.

[159] 周志威. 融合领域知识的关联规则知识发现研究 [D]. 郑州: 郑州大学, 2019.

[160] 邱明月. 基于 Apriori 关联规则的草原火灾预警及对策研究 [J]. 科技经济导刊, 2019, 27(26): 106-108.

[161] 田友. 旅游突发事件关联规则挖掘算法研究 [D]. 北京: 北京邮电大学, 2009.

[162] 马蓉蓉, 杨国柱, 胡月明, 等. 基于 FP-growth 算法的高寒草地退化因素关联度分析 [J]. 青海大学学报, 2019, 37(1): 9-17.

[163] 王光源. 基于知识元和模糊认知图的应急案例推理研究 [D]. 大连: 大连理工大学, 2015.

[164] 李磊, 孟学雷, 韦强, 等. 基于案例推理的铁路行车事故应急决策方法研究 [J]. 铁道学报, 2014, 36(11): 1-6.

[165] 张国军, 李浩, 凌云翔. 基于案例推理的地震应急救援决策方法 [J]. 火力与指挥控制, 2019, 44(4): 60-64.

[166] 张聆晔, 吕靖, 李晶, 等. 应对东南亚海域海盗袭击的应急方案选择 [J]. 大连海事大学学报, 2018, 44(1): 65-71.

[167] 董银杏, 王怀秀, 王亚慧. 基于案例推理的燃气突发事件应急决策方法研究 [J]. 现代电子技术, 2019, 42(21): 157-162.

[168] 徐绪堪, 薛梦瑶, 钱进. 基于知识元语义描述模型的红色文化数字资源知识抽取研究 [J]. 科技情报研究, 2022, 4(1): 23-33.

[169] 刘佳琪. 基于知识元的应急案例表示与相似度算法研究 [D]. 大连: 大连理工大学, 2018.

[170] 李国旗, 刘思婧, 朱炜. 高速铁路突发事件–资源关联测度方法 [J]. 灾害学, 2016, 31(4): 166-170.

[171] 陈璟浩, 李纲. 突发社会安全事件网络舆情演化的生存分析——基于 70 起重大社会安全事件的分析 [J]. 情报杂志, 2016, 35(4): 70-74.

[172] 巩前胜. 基于动态贝叶斯网络的突发事件情景推演模型研究 [J]. 西安石油大学学报 (自然科学版), 2018, 33(2): 119-126.

[173] 王愚. 基于突发事件的政务微博与政务微信对比分析——以 "12·31" 上海踩踏事件为例 [D]. 南昌: 江西师范大学, 2015.

[174] 胡健, 蒲东, 孙金花. 基于多维关联规则的区域能源安全外生警源隐含特征分析 [J]. 计算机应用研究, 2019, 36(12): 3614-3618.

[175] 姬浩, 苏兵, 吕美. 基于 FP-growth 算法的高校群体性突发事件关联规则分析 [J]. 中国安全科学学报, 2012, 22(12): 144-151.

[176] 王宁, 郭玮, 黄红雨, 等. 基于知识元的应急管理案例情景化表示及存储模式研究 [J]. 系统工程理论与实践, 2015, 35(11): 2939-2949.

[177] 仲秋雁, 郭艳敏, 王宁, 等. 基于知识元的非常规突发事件情景模型研究 [J]. 情报科学, 2012, 30(1): 115-120.

[178] 李锋, 王慧敏. 基于知识元的非常规突发洪水应急情景分析与表达研究 [J]. 软科学, 2016, 30(4): 140-144.

[179] Jing Q, Yi L, Wang G, et al. A cross-reasoning method for scenario awareness and decision-making support in earthquake emergency response[C]. Proceedings of International Conference on Web-age Information Management, 2014.

[180] Alvear D, Abreu O, Cuesta A, et al. Decision support system for emergency management: Road tunnels[J]. Tunnelling and Underground Space Technology Incorporating

Trenchless Technology Research, 2013, 34(1): 13-21.

[181] Prakash M, Rothauge K, Cleary P W. Modelling the impact of dam failure scenarios on flood inundation using SPH[J]. Applied Mathematical Modelling, 2014, 38(23): 5515-5534.

[182] 宋英华, 刘含笑, 蒋新宇, 等. 基于知识元与贝叶斯网络的食品安全事故情景推演研究 [J]. 情报学报, 2018, 37(7): 712-720.

[183] 杨峰, 张月琴, 姚乐野. 基于情景相似度的突发事件情报感知实现方法 [J]. 情报学报, 2019, 38(5): 525-533.

[184] 陈雪龙, 卢丹, 代鹏. 基于粒计算的非常规突发事件情景层次模型 [J]. 中国管理科学, 2017, 25(1): 129-138.

[185] 魏永忠, 吴绍忠. 浅谈我国社会安全与稳定预警等级模型的建立 [J]. 公安研究, 2007, (1): 32-38.

[186] 连玉君, 王闻达, 叶汝财. Hausman 检验统计量有效性的 Monte Carlo 模拟分析 [J]. 数理统计与管理, 2014, 33(5): 830-841.

[187] 尹祥础, 张浪平. 汶川地震的启示——大地震前兆的大时空观初探 [J]. 科研信息化技术与应用, 2008, (2): 9-13.

[188] 金进, 洪瑾, 郭抗抗. 网络媒体在危机报道中的优势和问题研究 [J]. 北京理工大学学报 (社会科学版), 2009, 11(3): 104-108.

[189] 中华人民共和国应急管理部. 重庆市永川区金山沟煤业有限责任公司 "10·31" 特别重大瓦斯爆炸事故调查报告 [EB/OL]. https://www.mem.gov.cn/gk/sgcc/tbzdsgdcbg/2017/201709/P020190415541206023805.pdf.

[190] 孙振明, 毛善君, 吴春雷. 基于监测数据与 CFD 的瓦斯爆炸应急辅助决策系统 [J]. 煤矿安全, 2016, 47(3): 83-86.

[191] 张雪锋. 铁路施工企业突发事件应急能力评价与提升研究 [D]. 长沙: 中南大学, 2010.

[192] 上海市人民政府. "12·31" 外滩陈毅广场拥挤踩踏事件调查报告 [EB/OL]. https://www.shanghai.gov.cn/nw12344/20200814/0001-12344_41290.html. 2015.

[193] 卿菁. 特大城市疫情防控机制: 经验、困境与重构——以武汉市新冠肺炎疫情防控为例 [J]. 湖北大学学报 (哲学社会科学版), 2020, 47(3): 21-32.

[194] 习近平. 携手抗疫. 共克时艰——在二十国集团领导人特别峰会上的发言 [J]. 中国工运, 2020, (5): 27-28.

[195] Guth D W. Organizational crisis experience and public relations roles[J]. Public Relations Review, 1995, 21(2): 123-136.

[196] 曾子明, 黄城鸯. 面向疫情管控的公共卫生突发事件情报体系研究 [J]. 情报杂志, 2017, 36(10): 79-84.

[197] 顾基发. 物理事理人理系统方法论的实践 [J]. 管理学报, 2011, 8(3): 317-322, 355.

[198] 袁莉, 姚乐野. 基于 EA 的快速响应情报体系顶层设计研究 [J]. 图书情报工作, 2016, 60(23): 16-22.

[199] 陈伟. 疫情防控实践中的大数据体系建设 [J]. 人民论坛, 2020, (8): 52-53.

[200] 李纲, 李阳. 情报视角下的突发事件监测与识别研究 [J]. 图书情报工作, 2014, 58(24): 66-72.

附录一 常州市水雨情数据交换规范

1. 站上数据库表结构及说明

测站编码按照澡港河南枢纽 (zgh)、南运河枢纽 (nyh)、大运河东枢纽 (dyhd)、采菱港枢纽 (clg)、串新河枢纽 (cxh) 编码，泵站机组、闸门编码按照测站编码 + 序号 (可以参照机组上的标签) 编码，但需保证一个枢纽内部不出现重复 (附表 1.1~ 附表 1.7)。

附表 1.1 T__B__Pump 水泵机组基本属性表

序号	字段名	字段描述	数据类型	是否可空	主键	外键	索引号	字段说明
1	F_ID	ID	int	N	N		1	自增长，N 表示否，Y 表示是
2	F_StationCode	测站编码	nvarchar(8)	N		Y		测站表的测站编码
3	F_Code	机组编码	nvarchar(100)	N				按照每个站标签编码为测站编码 + 机组序号，如串新河枢纽按照 cxh1、cxh2、cxh3、cxh4 等
4	F_Order	机组序号	nvarchar(10)					按照测站编码 + 标签编码
5	F_Caption	机组名称	nvarchar(100)					根据每个站标签编码填写 1 号机组、2 号机组、3 号机组、4 号机组等
6	F_PumpType	机组类型	nvarchar(40)					填写类型字符串 (如轴流泵、潜水泵等)
7	F_PumpDir	引排方向	nvarchar(10)					取值可能为 0，1，2 0-引水；1-排水；2-双向
8	F_Power	机组功率	decimal(18,3)					机组额定功率
9	F_Flow	机组流量	decimal(18,3)					设备铭牌上标称的参数
10	F_MaintenceState	维保状态	nvarchar(100)					取值可能为 0，1，2 0-正常；1-检修；2-故障损坏
11	F_Memo	备注	nvarchar(400)					可以不填

附表 1.2　T_B_Gate 节制闸基本属性表

序号	字段名	字段描述	数据类型	是否可空	主键	外键	索引号	字段说明
1	F_ID	ID	int	N	Y		1	自增长
2	F_StationCode	测站编码	nvarchar(8)	N		Y		测站表的测站编码
3	F_Code	闸门编码	nvarchar(100)	N				按照测站编码＋标签序号填写
4	F_Caption	闸门名称	nvarchar(100)					按照标签填写 1 号闸、2 号闸、3 号闸等
5	F_Order	闸门序号	nvarchar(10)					按照测站编码＋标签序号填写
6	F_GateType	闸门类型	nvarchar(100)					按门叶的外观形状分为平面闸门、弧形闸门、人字闸门、拱形闸门、球形闸门和圆筒闸门等
7	F_MaintenanceState	维保状态	nvarchar(100)					0-正常；1-检修；2-故障损坏
8	F_Memo	备注	nvarchar(400)					根据需要，可以不填

附表 1.3　T_B_WarnDict 设备报警目录表

序号	字段名	字段描述	数据类型	是否可空	主键	外键	索引号	字段说明
1	F_ID	ID	int	N	Y		1	自增长，N 表示否，Y 表示是
2	F_StationCode	测站编码	nvarchar(8)	N		Y	2	测站表的测站编码
3	F_Code	报警编码	nvarchar(100)	N				各站自行编码，保证站内编码不重复即可
4	F_Caption	报警名称	nvarchar(100)	N				用文本表示报警内容
5	F_Memo	备注	nvarchar(400)					根据需要，可以不填

附表 1.4　ST_PUMP_R 泵站运行工况表

序号	字段名	字段描述	数据类型	是否可空	主键	外键	索引号	字段说明
1	F_ID	ID	int	N	Y		1	自增长
2	STCD	测站编码	nvarchar(8)	N		Y	2	测站表的测站编码
3	TM	时间	datetime				3	
4	PPUPZ	外河水位	decimal(7,3)					指长江侧河道的水位
5	PPDWZ	内河水位	decimal(7,3)					指长江外侧河道的水位
6	OMCN	开机台数	int					指机组开启的次数
7	OMPWR	开机功率	int					
8	PMPQ	抽水流量	decimal(7,3)					抽取水的流量
9	PPUPWPTN	外河水势	nvarchar(1)					用 1，2，3 表示，1：落；2：涨；3：平
10	PPDWWPTN	内河水势	nvarchar(1)					同外河水势
11	PDCHCD	引排特征码	nvarchar(1)					1：引水；2：排水

附表 1.5 T_B_PumpRun 机组运行工况表

序号	字段名	字段描述	数据类型	是否可空	主键	外键	索引号	字段说明
1	F_ID	ID	int	N	Y	Y	1	自增长
2	F_StationCode	测站编码	varchar(8)	N		Y	2	测站表的测站编码
3	F_PumpCode	机组编码	varchar(100)				3	同水泵机组
4	F_Time	记录时间	datetime				4	
5	F_RunState	机组运行状态	nvarchar(100)					1：启动；2：停止；3：报警
6	F_Dir	引排方向	nvarchar(100)					1：引水；2：排水
7	F_Va	电机电压 Va	int					表示电机的电压值
8	F_Vb	电机电压 Vb	int					表示电机的电压值
9	F_Vc	电机电压 Vc	int					表示电机的电压值
10	F_Ia	电机电流 Ia	decimal(18,2)					表示电机的电流值
11	F_Ib	电机电流 Ib	decimal(18,2)					表示电机的电流值
12	F_Ic	电机电流 Ic	decimal(18,2)					表示电机的电流值
13	F_Power	实时功率	decimal(18,2)					
14	F_Flow	实时流量	decimal(18,2)					NONE
15	F_Temp	电机轴温度	decimal(18,1)					

附表 1.6 T_B_GateRun 节制闸运行工况表

序号	字段名	字段描述	数据类型	是否可空	主键	外键	索引号	字段说明
1	F_ID	ID	int	N	Y	Y	1	自增长
2	F_GateID	测站编码	varchar(8)	N		Y	2	测站表的测站编码
3	F_GateCode	节制闸编码	varchar(100)	N			3	同节制闸
4	F_Time	记录时间	datetime				4	
5	F_RunState	闸门运行状态	nvarchar(100)					1：上升；2：停止；3：下降；4：报警
6	F_Va	电机电压 Va	int					表示电机的电压值
7	F_Vb	电机电压 Vb	int					表示电机的电压值
8	F_Vc	电机电压 Vc	int					表示电机的电压值
9	F_Ia	电机电流 Ia	decimal(18,2)					表示电机的电流值
10	F_Ib	电机电流 Ib	decimal(18,2)					表示电机的电流值
11	F_Ic	电机电流 Ic	decimal(18,2)					表示电机的电流值
12	F_Level	闸门开度	decimal(18,3)					表示闸门开度值

附表 1.7 T_B_WarnLog 报警记录表

序号	字段名	字段描述	数据类型	是否可空	主键	外键	索引号	字段说明
1	F_ID	ID	Int	N	Y	Y	1	自增长
2	F_StationCode	测站编码	varchar(8)	N		Y	2	测站表的测站编码
3	F_WarnCode	报警编码	varchar(100)	N			3	自行编码
4	F_WarnTime	报警时间	datetime				4	报警开始时间
5	F_FreeTime	解除时间	datetime					报警解除时间
6	F_WarnState	报警状态	nvarchar(100)					0：解除；1：报警

2. 数据上报要求及说明

如果站点中没有以下数据表中的数据项，则该数据项统一写"NONE"。

2.1 基础信息

要求提供以下基础信息，如附表 1.8～附表 1.10 所示。

附表 1.8　水泵机组基础信息表

机组编号	机组序号	机组名称	机组类型	引排方向	机组功率	机组流量	维保状态	备注说明
						NONE		
						NONE		
						NONE		

附表 1.9　节制闸门基础信息表

闸门编号	闸门序号	闸门名称	闸门类型	维保状态	备注说明

附表 1.10　站内报警目录表

报警编号	报警名称	备注说明

2.2 实时数据

2.2.1 泵站运行工况

泵站运行工况数据直接上报至 ST_PUMP_R 泵站运行工况表，结构见附表 1.4，要求如下：

(1) 每 5 分钟上报一条记录；

(2) 所有泵站机组、节制闸动作切换 (状态变化) 时，上报一条记录。

2.2.2 水泵机组运行记录

水泵机组运行记录数据直接上报至 T_B_PumpRun 机组运行工况表，要求如下：

(1) 机组未动作 (状态切换、启动、停止) 时，每 1 小时上报一条记录；

(2) 机组动作 (开、关机) 时，立即上报一条记录。

2.2.3 节制闸运行记录

节制闸运行记录数据直接上报至 T_B_GateRun 节制闸运行工况表，要求如下：

(1) 机组未动作 (状态切换、启动、停止) 时，每 1 小时上报一条记录；

(2) 机组动作 (开、关机) 时，立即上报一条记录。

2.2.4 报警记录

机组、闸门报警记录数据直接上报至 T_B_WarnLog 报警记录表，要求如下：

(1) 当检测到设备报警时，上报一条记录，其中报警状态置为 1；

(2) 连续检测到同一报警信号时且状态未发生改变时，不再新上报记录；

(3) 当检测到报警解除时，更新该报警记录的报警状态为 0，同时记录报警解除时间。

附录二　利用 Python 采集信息方法

以 Python 3 为例进行介绍。

1. 环境搭建

Python 3 可应用于多平台包括 Windows、Linux 和 Mac OS X。只需要在 Python 的官网下载相对应系统的安装文件进行安装即可。

Python 的官方网址：https://www.python.org。

以 Windows 操作系统为例，点击网页菜单 Downloads，即可下载最新版本的 Python(附图 2.1)。

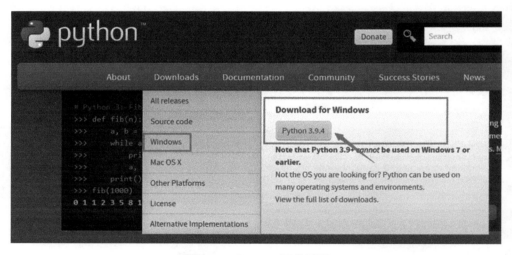

附图 2.1　Python 下载页面

安装时，需要勾选 Add Python to PATH 这一选项 (附图 2.2)。

附图 2.2　Python 安装页面

安装完毕，调出 CMD，输入 Python(附图 2.3)。或者在开始菜单，找到程序
IDLE(Python 3.9 64-bit) 并点击打开 (附图 2.4)。

附图 2.3　打开 Python 方式一

附图 2.4　打开 Python 方式二

至此，Python 运行环境搭建完毕。

2. 数据采集

数据采集的基本流程如下：

(1) 获取目标统一资源定位符 (uniform resource locator, URL)；

(2) 解析 URL，获取数据；

(3) 存储数据。

我们使用 Request 库来获取 URL 请求。以采集"日本核污水"的微博数据为例进行操作。

载入需要用到的库：

```
import requests
import base64
from bs4 import BeautifulSoup
from urllib.parse import urlencode
from pyquery import PyQuery as pq
```

如果某个库缺失，使用 pip install 命令进行安装即可。

创建登录：

微博需要登录才能进行关键词的搜索，因此在采集数据的时候，需要在登录用户中进行。在采集之前，需要创建微博账号的登录。

```
class Login(object):
    session = requests.session()
    user_name = "微博用户名"  #双引号里面输入有效的微博用户名
    pass_word = "微博用户名对应的密码"  #双引号里输入对应用户名的
        登录密码
```

采集数据：

```
def get_data_session(datetime, page):
    time.sleep(1)
    datetime_temp = datetime + onehour
    url = f"https://s.weibo.com/weibo/?q=日本%20核污水&typeall
        =1&suball=1&timescope=custom:
    {datetime.strftime('%Y-%m-%d-%H')}:
    {datetime_temp.strftime('%Y-%m-%d-%H')}
    &Refer=SWeibo_box&page={page}"  #"q="后面就是搜索的关键词，可
        以调整搜索关键词来优化搜索结果

def get_data(date, page):
    print(f"正在采集第{page}页")
    response = get_data_res(date, page)
```

```
data = list()
if response:
try:
    soup = BeautifulSoup(response.text, "html.parser")
    infos = soup.find_all('div', "content")
    records = soup.find_all("div", "card-act")
    for info, record in zip(infos[0:], records[0:]):
    times = "".join(info.find('p', 'from').text)
    data.append("".join(times.split()[0]))
    data.append("".join(times.split()[1]))
    user = info.find('a', "name")
    data.append("".join(user.text))
    content = info.find('p', "txt")
        data.append("".join(content.text.strip().replace(' \
            u200b', '')))
        recs = record.find_all('li')
        forward = re.findall(r'转发 (.+)',recs[1].text,re.S)
        if len(forward) == 0:
            data.append("".join('0'))
        else:
            data.append("".join(forward))
            remark = re.findall(r'评论 (.+)', recs[2].text,
                re.S)
        if len(remark) == 0:
            data.append("".join('0'))
        else:
            data.append("".join(remark))
            like = recs[3].text.split()
        if len(like) == 0:
            data.append("".join('0'))
        else:
            data.append("".join(like))
        except Exception as e:
            print(f"第{page}页爬取失败")
            print(e)
    print(f"第{page}页爬取成功")
    return data
        (1)    存储数据
def save_data_to_csv(data):
    print(f"正在存储数据")
```

```
    try:
        data = np.array(data).reshape(-1, 7)
        result_weibo = pd.DataFrame(data)
        result_weibo.to_csv(data_file_name, mode='a', index=
            False, encoding='gb18030', header=False)
    except Exception as e:
        print(e)
    print(f"存储数据完成")

date_start = datetime(2021,4,10,0)#采集的微博文章的开始时间
date_end = datetime(2021,4,12,22)#采集的微博文章的结束时间
onehour = timedelta(hours=1)
date_temp = date_start + onehour

data_file_name = "./wbdata.csv"  #存储的文件名
column = pd.DataFrame({}, columns=['日期','时间','用户',
    '内容','转发','评论','点赞']) #表头字段(栏目)名
column.to_csv(data_file_name,index=False,encoding='gb18030')
for i in range(1, get_page(date_start) + 1):
        save_data_to_csv(get_data(date_start, i))
while (date_end > date_start):
    print(f"开始爬取{date_start.strftime('%Y-%m-%d-%H')}的数
        据")
    for i in range(1, get_page(date_start) + 1):
        save_data_to_csv(get_data(date_start, i))
    date_start = date_start + onehour
```

采集到的数据会保存成为一个名为"wbdata.csv"的文件。

附录三　调查问卷设计规范

在进行问卷调查之前，必须要明确调查的目的，调查的目的决定了问卷的内容和形式。如果调查的目的只是了解被调查对象的一般情况，则问卷设计就应该主要围绕着被调查者各个方面的基本事实来进行；如果其目的是要做出解释和说明，问卷设计就要紧紧围绕研究假设和关键变量来进行，问卷设计将严格受到研究假设的制约。

调查的目的是整个问卷设计和调查的基线，需要充分了解和分析目前国内外学者相关的研究现状，在对调查目的有一个统一和清晰的认识基础上，通过通俗易懂的问卷形式获取调查数据。

1. 调查问卷设计的基本原则

调查问卷是调查研究中用来收集资料的主要形式，是一份预先精心设计好的用来测量人的行为、态度和特征的问题表格。研究者需要的变量特征和各种测量生态因子可通过问卷中的问题反映出来。

调查问卷设计的功能是能正确反映调查目的和具体问题，应突出重点，能使被调查者乐意合作，协助达到调查目的；能正确记录和反映被调查者回答的事实，提供正确的情报；统一的问卷还应便于资料的统计和整理。

一份高质量的调查问卷，能够准确把握调查的主题，使提出的问题既相互独立，又相互联系；既简单明了，又内容完整，形成一个可以和其他资料相互佐证的开放体系。因此，需要精心设计和反复筛选问题。这需要问卷设计者具有多方面的基础知识，从调查方法的角度看，有两种知识是基本的，即有关测量尺度理论的知识和建立假设、提出操作定义的知识。前者关系到问卷项目结构的完整性和严密性，后者是选择具体的提问角度和方式的基础，关系到收集到信息的质和量。

进行问卷调查的首要任务就是对调查的目标有一个明确的认识，在认清现实的基础上，提出调查的假设并进一步对概念进行操作化则是设计调查问卷的首要工作。所以明确调查的目标，充分考虑数据处理和分析，为了尽可能获取真实和有效的调查数据，设计调查问卷显得尤其重要。为了确保设计的问卷的质量，在问卷设计时需要注意以下几个方面的基本原则。

1) 明确调查目的和内容，问卷设计以调查目的和内容为基础

在问卷设计中，最重要的一点就是必须明确调查目的和内容，这不仅是问卷设计的前提，也是它的基础。为什么要做调查，且调查需要了解什么？市场调查的

总体目的是为决策部门提供参考依据，目的可能是制定长远性的战略性规划，也可能是制定某阶段或针对某问题的具体政策或策略，无论是哪种情况，在进行问卷设计的时候都必须对调查目的有一个清楚的认知，并且在调查计划书中进行具体的细化和文本化，以作为问卷设计的指导。调查的内容可以是涉及民众的意见、观念、习惯、行为和态度的任何问题，即可以是抽象的观念，如人们的理想、信念、价值观和人生观等，也可以是具体的习惯或行为，如人们使用信息系统的习惯等，但是应该避免的是在调查内容上有使被调查人难以回答，或者是需要被调查人长久回忆而导致模糊不清的问题。

2) 明确调查对象，询问语句的措辞和语气要合理

问卷题目设计必须有针对性，对于不同层次的人群，应该在题目的选择上有的放矢，必须充分考虑受调人群的文化水平、年龄层次和协调合作可能性，除了在题目的难度和题目性质的选择上应该考虑上述因素，在语句的措辞和语气方面，一般应注意：问题要提得清楚具体，要明确问题的界限与范围，避免用引导性问题或带有暗示性的问题，避免提出使人尴尬的问题，对调查的目的要有真实的说明。

3) 使问卷调查的结果便于整理和分析

为了更好地进行调查工作，除了在正确清楚的目的指导下进行严格规范的操作，还必须在问卷设计的时候就充分考虑后续的数据统计和分析工作，具体来说包括题目的设计必须是容易录入的，并且是可以进行具体的数据分析的，即使是主观性的题目在进行文本规范的时候也要具有很强的总结性，这样才能使整个环节更好地衔接起来。

4) 问卷中题目质量和数量要合理化、逻辑化、规范化

问卷中问题的形式主要包括开放式和封闭式两种主要形式，问题的数量和质量同样是保证一份问卷调查是否成功的关键的因素。问卷中每个题目应该与调查的目的紧密相关，在实际调查过程中，由于时间和配合度的关系，人们往往不愿意接受一份繁杂冗长的问卷，即使勉强接受，也不可能认真完成，这样就不能保证问卷答案的真实性，同时在问题设计的时候也要注意逻辑性，不能产生矛盾的现象，并且应该尽量避免假设性问题，保证调查的真实性。为了使受调人员能够更容易回答问题，可以对相关类别的题目进行列表，使受调人员一目了然，在填写的时候自然就会比较愉快地进行配合。另外，应该避免主观性的题目，尽量将其换成客观题目的形式，如果确实有必要的话，应该将主观性题目放在最后面，让有时间和能配合的受调人员进行一定的文字说明。

5) 明确阻碍问卷调查的各种因素

问卷调查需要被调查者的密切合作，因此，在设计问卷时，必须对那些在问卷调查过程中可能出现的阻碍因素有清楚的认识。主观上的阻碍，即由被调查者心理上和思想上对问卷产生的各种不良反应所形成的障碍；客观上的障碍，即由

被调查者自身的能力、条件等方面的限制所形成的障碍，比如阅读能力、记忆能力、计算能力对被调查者顺利回答所形成的阻碍。如果不设身处地为被调查者考虑，那么一些被调查者就会由于种种主观和客观原因而放弃答卷，从而减少了问卷的回收率，影响调查质量。

2. 问卷设计基本步骤

如何通过问卷调查活动获取准确、全面而又有价值和符合要求的资料，关键在于能否设计出一份高质量的调查问卷。而问卷设计工作是一项烦琐、复杂且通常又要在短期内完成的系统工程。问卷调查如果要达到高质量、高水准，就需要在进行问卷调查之前认真、细致地加以策划。问卷设计是由一系列相关工作过程所构成的，为使问卷具有科学性和可行性，通常依照一定的原则、按照一定的程序进行。问卷设计一般需要经过准备阶段、初步设计、试调查和修改、定稿印刷四个步骤，每一步都有相应的工作内容和要求，来保证问卷设计工作有秩序地进行，减少盲目性。

1) 准备阶段

调查的项目往往只是一个大致的范围，需要调研人员明确调研的主题及设计调研方法等。在问卷设计的准备阶段要着重解决的问题如附表 3.1。

附表 3.1　准备阶段任务及要求

序号	任务	详细要求
1	确定调查主题的范围和调查项目	将所需问卷资料逐一列出，分析哪些是主要资料，哪些是次要资料，哪些是调查的必备资料，哪些是可要可不要的资料，并分析哪些资料需要通过问卷来取得、需要向谁调查等，对必要资料加以收集
2	分析调查对象的各种特征	分析了解各被调查对象的社会阶层、行为规范、社会环境等社会特征，文化程度、知识水平、理解能力等文化特征，需求动机、行为等心理特征，以此作为拟定问卷的基础
3	充分征求有关各类人员的意见	为了了解问卷中应该包含的问题，力求使问卷切合实际，能够充分满足各方面分析研究的需要。在拟定问卷以前，调研人员往往首先着手于比较容易的第二手资料的收集。因此，问卷设计必须在掌握第二手资料的基础上，明确所需书面形式得到的资料内容。而对于已掌握的第二手资料，除非需要进行证实，通常不必再出现在问卷之中，以保证整份问卷的严谨和篇幅的紧凑

2) 初步设计

在准备工作基础上，设计者就可按照设计原则设计问卷初稿。主要是确定问卷结构、拟定并编排问答题。在初步设计中的主要任务和要求见附表 3.2。

3) 试调查和修改

初步设计出来的问卷通常存在一些问题，所以需在小范围内进行试验性调查，以便弄清问卷在初稿中存在的问题，了解被调查者是否乐意回答和是否能够回答

附表 3.2　初步设计阶段任务及要求

序号	任务	详细要求
1	明确提问的具体方式	标明每项资料需要采用何种方式提问，尽量详尽地列出各种问题
2	对各个问题进行分析和推敲	对问题进行检查、筛选、编排，设计每个项目，对提出的每个问题，都要充分考虑是否有必要、能否得到合理的答案

所有的问题、哪些语句不清、选择项是否重复或遗漏、问题的顺序是否符合逻辑、回答的时间是否过长等。如果发现问题，应做必要的修改，使问卷更加完善。一般问卷修改过程是一个多次反复的过程，需要相关领域专家或者学者对问卷进行评价，并充分考虑其对问卷提出的修改意见。

4) 定稿印刷

将修改以后并且得到各方认可的问卷作为最终文本打印、复制，制成正式问卷。问卷设计基本流程如附图 3.1 所示。

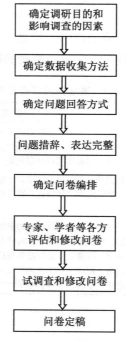

附图 3.1　问卷设计基本流程

一个成功的问卷设计应该达到两个目标：一是设法取得被调查者合作；二是能将所要调查的问题明确地传达给被调查者，并取得真实、准确的答案。但在实际调查中，由于被调查者的个性不同，他们的教育水准、理解能力、道德标准、宗教信仰、生活习惯、职业和家庭背景等都有较大差异，加上调查员本身的专业知识与技能高低不同，可能会给调查带来困难，并影响调查的结果。因此，设计问卷的技巧就是要在满足调查目标的前提下，千方百计地为应答者考虑，从问卷的提问方式、答案设计、题目编排等方面做好工作，提高问卷设计的质量，保证调查的效果。

3. 问卷的信度和效度

问卷设计完成后，研究者通常会存有以下一些疑问：该问卷是否能准确反映所要研究现象的属性？相同性质的多份问卷，被调查者的回答是否会一致？如果重新再做一次调查，被调查者的回答是否还会相同？当调查的时间、地点、调查者发生改变时，调查的结果将会受到什么样的影响？这就需要评价量表的信度和效度。

对于一次问卷调查来讲，调查误差的产生是不可避免的。无论问卷设计得多么精良，调查组织得多么严密，调查结果只能无限接近事实的本来面目，但永远不可能与事实完全吻合。调查结果的误差有随机误差和系统误差之分：随机误差是无法避免的，也是难以控制的；系统误差主要是由于测量设备或测量工具不完善而引发的，因此，问卷设计对于控制系统误差起着至关重要的作用，无论是题目设置、问卷编排还是印刷装订都应当精益求精。

1) 问卷的信度

信度 (reliability) 即可靠性，是指采用同一方法对同一对象进行调查时，问卷调查结果的稳定性和一致性，即测量工具 (问卷或量表) 能否稳定地测量所测的事物或变量。一致性高的问卷是指同一群人接受性质相同、题型相同、目的相同的各种问卷测量后，各测量结果之间显示出正相关。稳定性高的测量工具则是指一群人在不同时间、地点接受同一测量时，结果的差异很小。如果研究单位的属性不变，测量结果也不变，则这种测量是可信的；否则，就是不可信的。

在问卷调查中，所需测量的属性往往比较复杂，其信度问题也就更加复杂。下述许多因素，如被调查者的年龄、职业、教育程度，以及问卷的内容、措辞、问题形式等都会影响答案的一致性。一般通过使用同一量表进行不同测量，分析各测量结果之间联系的方法来评价信度。如果联系密切，各测量结果具有一致性，则认为量表是可信的。评价信度的方法主要有重复检验法、交错法和折半法。

2) 问卷的效度

效度 (validity) 是指问卷正确测量研究者所要测量的变量的程度。问卷或其他测量工具如果缺乏有效性，对调研人员来说，它们基本上就毫无意义，因为它们不能测量所要测量的东西。效度有两个基本要求：一是测量手段确实是在测量所要测量对象的属性，而非其他属性；二是测量手段能准确测量该属性。当某一测量手段符合上述要求，它就是有效的。

效度评价是十分复杂和困难的，我们可以从不同的方面来检查问卷的效度，包括表面效度、准则效度和架构效度。效度是问卷调查研究中最重要的特征，问卷调查的目的就是要获得高效度的测量与结论，效度越高表示该问卷测验的结果所能代表要测验的行为的真实度越高，越能够达到问卷测验目的，该问卷才正确而有效。

4. 调查问卷开发

在充分理解研究目的的基础上，考虑影响结果的主要因素，测量的变量主要通过利克特量表展现。利克特量表要求受测者对每一个与态度有关的陈述语句表明他同意或不同意的程度。整个测量采用七级利克特量表，对每个回答给一个分数，如从非常同意到非常不同意的有利项目分别为 1、2、3、4、5、6、7 分，对不利项目的分数就为 7、6、5、4、3、2、1。初步设计的调查问卷可请相关研究领域专家对调查问卷进行评审，提出修改意见和建议，同时注意问题措辞和编排，对修改后的问卷进行试调查，问卷的信度和效度都应达到要求，根据试调查的结果，对调查问卷中题目进行反复斟酌和修改，并形成完善版的调查问卷。

附录四 中华人民共和国突发事件应对法 (节选)

第三十七条 国务院建立全国统一的突发事件信息系统。

县级以上地方各级人民政府应当建立或者确定本地区统一的突发事件信息系统，汇集、储存、分析、传输有关突发事件的信息，并与上级人民政府及其有关部门、下级人民政府及其有关部门、专业机构和监测网点的突发事件信息系统实现互联互通，加强跨部门、跨地区的信息交流与情报合作。

第三十八条 县级以上人民政府及其有关部门、专业机构应当通过多种途径收集突发事件信息。

县级人民政府应当在居民委员会、村民委员会和有关单位建立专职或者兼职信息报告员制度。获悉突发事件信息的公民、法人或者其他组织，应当立即向所在地人民政府、有关主管部门或者指定的专业机构报告。

第三十九条 地方各级人民政府应当按照国家有关规定向上级人民政府报送突发事件信息。县级以上人民政府有关主管部门应当向本级人民政府相关部门通报突发事件信息。专业机构、监测网点和信息报告员应当及时向所在地人民政府及其有关主管部门报告突发事件信息。

有关单位和人员报送、报告突发事件信息，应当做到及时、客观、真实，不得迟报、谎报、瞒报、漏报。

第四十条 县级以上地方各级人民政府应当及时汇总分析突发事件隐患和预警信息，必要时组织相关部门、专业技术人员、专家学者进行会商，对发生突发事件的可能性及其可能造成的影响进行评估；认为可能发生重大或者特别重大突发事件的，应当立即向上级人民政府报告，并向上级人民政府有关部门、当地驻军和可能受到危害的毗邻或者相关地区的人民政府通报。

第四十一条 国家建立健全突发事件监测制度。

县级以上人民政府及其有关部门应当根据自然灾害、事故灾难和公共卫生事件的种类和特点，建立健全基础信息数据库，完善监测网络，划分监测区域，确定监测点，明确监测项目，提供必要的设备、设施，配备专职或者兼职人员，对可能发生的突发事件进行监测。

第四十二条 国家建立健全突发事件预警制度。

可以预警的自然灾害、事故灾难和公共卫生事件的预警级别，按照突发事件发生的紧急程度、发展态势和可能造成的危害程度分为一级、二级、三级和四级，分别用红色、橙色、黄色和蓝色标示，一级为最高级别。

预警级别的划分标准由国务院或者国务院确定的部门制定。

第四十三条　可以预警的自然灾害、事故灾难或者公共卫生事件即将发生或者发生的可能性增大时，县级以上地方各级人民政府应当根据有关法律、行政法规和国务院规定的权限和程序，发布相应级别的警报，决定并宣布有关地区进入预警期，同时向上一级人民政府报告，必要时可以越级上报，并向当地驻军和可能受到危害的毗邻或者相关地区的人民政府通报。

第四十四条　发布三级、四级警报，宣布进入预警期后，县级以上地方各级人民政府应当根据即将发生的突发事件的特点和可能造成的危害，采取下列措施：

(一) 启动应急预案；

(二) 责令有关部门、专业机构、监测网点和负有特定职责的人员及时收集、报告有关信息，向社会公布反映突发事件信息的渠道，加强对突发事件发生、发展情况的监测、预报和预警工作；

(三) 组织有关部门和机构、专业技术人员、有关专家学者，随时对突发事件信息进行分析评估，预测发生突发事件可能性的大小、影响范围和强度以及可能发生的突发事件的级别；

(四) 定时向社会发布与公众有关的突发事件预测信息和分析评估结果，并对相关信息的报道工作进行管理；

(五) 及时按照有关规定向社会发布可能受到突发事件危害的警告，宣传避免、减轻危害的常识，公布咨询电话。

第四十五条　发布一级、二级警报，宣布进入预警期后，县级以上地方各级人民政府除采取本法第四十四条规定的措施外，还应当针对即将发生的突发事件的特点和可能造成的危害，采取下列一项或者多项措施：

(一) 责令应急救援队伍、负有特定职责的人员进入待命状态，并动员后备人员做好参加应急救援和处置工作的准备；

(二) 调集应急救援所需物资、设备、工具，准备应急设施和避难场所，并确保其处于良好状态、随时可以投入正常使用；

(三) 加强对重点单位、重要部位和重要基础设施的安全保卫，维护社会治安秩序；

(四) 采取必要措施，确保交通、通信、供水、排水、供电、供气、供热等公共设施的安全和正常运行；

(五) 及时向社会发布有关采取特定措施避免或者减轻危害的建议、劝告；

(六) 转移、疏散或者撤离易受突发事件危害的人员并予以妥善安置，转移重要财产；

(七) 关闭或者限制使用易受突发事件危害的场所, 控制或者限制容易导致危害扩大的公共场所的活动;

(八) 法律、法规、规章规定的其他必要的防范性、保护性措施。

第四十六条　对即将发生或者已经发生的社会安全事件, 县级以上地方各级人民政府及其有关主管部门应当按照规定向上一级人民政府及其有关主管部门报告, 必要时可以越级上报。

第四十七条　发布突发事件警报的人民政府应当根据事态的发展, 按照有关规定适时调整预警级别并重新发布。

有事实证明不可能发生突发事件或者危险已经解除的, 发布警报的人民政府应当立即宣布解除警报, 终止预警期, 并解除已经采取的有关措施。

附录五 突发事件应急预案管理办法 (节选)

第八条 总体应急预案主要规定突发事件应对的基本原则、组织体系、运行机制，以及应急保障的总体安排等，明确相关各方的职责和任务。

针对突发事件应对的专项和部门应急预案，不同层级的预案内容各有所侧重。国家层面专项和部门应急预案侧重明确突发事件的应对原则、组织指挥机制、预警分级和事件分级标准、信息报告要求、分级响应及响应行动、应急保障措施等，重点规范国家层面应对行动，同时体现政策性和指导性；省级专项和部门应急预案侧重明确突发事件的组织指挥机制、信息报告要求、分级响应及响应行动、队伍物资保障及调动程序、市县级政府职责等，重点规范省级层面应对行动，同时体现指导性；市县级专项和部门应急预案侧重明确突发事件的组织指挥机制、风险评估、监测预警、信息报告、应急处置措施、队伍物资保障及调动程序等内容，重点规范市 (地) 级和县级层面应对行动，体现应急处置的主体职能；乡镇街道专项和部门应急预案侧重明确突发事件的预警信息传播、组织先期处置和自救互救、信息收集报告、人员临时安置等内容，重点规范乡镇层面应对行动，体现先期处置特点。

针对重要基础设施、生命线工程等重要目标物保护的专项和部门应急预案，侧重明确风险隐患及防范措施、监测预警、信息报告、应急处置和紧急恢复等内容。

针对重大活动保障制定的专项和部门应急预案，侧重明确活动安全风险隐患及防范措施、监测预警、信息报告、应急处置、人员疏散撤离组织和路线等内容。

针对为突发事件应对工作提供队伍、物资、装备、资金等资源保障的专项和部门应急预案，侧重明确组织指挥机制、资源布局、不同种类和级别突发事件发生后的资源调用程序等内容。

联合应急预案侧重明确相邻、相近地方人民政府及其部门间信息通报、处置措施衔接、应急资源共享等应急联动机制。

第九条 单位和基层组织应急预案由机关、企业、事业单位、社会团体和居委会、村委会等法人和基层组织制定，侧重明确应急响应责任人、风险隐患监测、信息报告、预警响应、应急处置、人员疏散撤离组织和路线、可调用或可请求援助的应急资源情况及如何实施等，体现自救互救、信息报告和先期处置特点。

大型企业集团可根据相关标准规范和实际工作需要，参照国际惯例，建立本集团应急预案体系。

第十条　政府及其部门、有关单位和基层组织可根据应急预案，并针对突发事件现场处置工作灵活制定现场工作方案，侧重明确现场组织指挥机制、应急队伍分工、不同情况下的应对措施、应急装备保障和自我保障等内容。

第十一条　政府及其部门、有关单位和基层组织可结合本地区、本部门和本单位具体情况，编制应急预案操作手册，内容一般包括风险隐患分析、处置工作程序、响应措施、应急队伍和装备物资情况，以及相关单位联络人员和电话等。

第十二条　对预案应急响应是否分级、如何分级、如何界定分级响应措施等，由预案制定单位根据本地区、本部门和本单位的实际情况确定。

第十三条　各级人民政府应当针对本行政区域多发易发突发事件、主要风险等，制定本级政府及其部门应急预案编制规划，并根据实际情况变化适时修订完善。

单位和基层组织可根据应对突发事件需要，制定本单位、本基层组织应急预案编制计划。

第十四条　应急预案编制部门和单位应组成预案编制工作小组，吸收预案涉及主要部门和单位业务相关人员、有关专家及有现场处置经验的人员参加。编制工作小组组长由应急预案编制部门或单位有关负责人担任。

第十五条　编制应急预案应当在开展风险评估和应急资源调查的基础上进行。

(一) 风险评估。针对突发事件特点，识别事件的危害因素，分析事件可能产生的直接后果以及次生、衍生后果，评估各种后果的危害程度，提出控制风险、治理隐患的措施。

(二) 应急资源调查。全面调查本地区、本单位第一时间可调用的应急队伍、装备、物资、场所等应急资源状况和合作区域内可请求援助的应急资源状况，必要时对本地居民应急资源情况进行调查，为制定应急响应措施提供依据。

第十六条　政府及其部门应急预案编制过程中应当广泛听取有关部门、单位和专家的意见，与相关的预案作好衔接。涉及其他单位职责的，应当书面征求相关单位意见。必要时，向社会公开征求意见。

单位和基层组织应急预案编制过程中，应根据法律、行政法规要求或实际需要，征求相关公民、法人或其他组织的意见。

附录六 中华人民共和国防汛条例 (节选)

第六条 国务院设立国家防汛总指挥部,负责组织领导全国的防汛抗洪工作,其办事机构设在国务院水行政主管部门。

长江和黄河,可以设立由有关省、自治区、直辖市人民政府和该江河的流域管理机构 (以下简称流域机构) 负责人等组成的防汛指挥机构,负责指挥所辖范围的防汛抗洪工作,其办事机构设在流域机构。长江和黄河的重大防汛抗洪事项须经国家防汛总指挥部批准后执行。

国务院水行政主管部门所属的淮河、海河、珠江、松花江、辽河、太湖等流域机构,设立防汛办事机构,负责协调本流域的防汛日常工作。

第七条 有防汛任务的县级以上地方人民政府设立防汛指挥部,由有关部门、当地驻军、人民武装部负责人组成,由各级人民政府首长担任指挥。各级人民政府防汛指挥部在上级人民政府防汛指挥部和同级人民政府的领导下,执行上级防汛指令,制定各项防汛抗洪措施,统一指挥本地区的防汛抗洪工作。

各级人民政府防汛指挥部办事机构设在同级水行政主管部门;城市市区的防汛指挥部办事机构也可以设在城建主管部门,负责管理所辖范围的防汛日常工作。

第八条 石油、电力、邮电、铁路、公路、航运、工矿以及商业、物资等有防汛任务的部门和单位,汛期应当设立防汛机构,在有管辖权的人民政府防汛指挥部统一领导下,负责做好本行业和本单位的防汛工作。

第九条 河道管理机构、水利水电工程管理单位和江河沿岸在建工程的建设单位,必须加强对所辖水工程设施的管理维护,保证其安全正常运行,组织和参加防汛抗洪工作。

第十条 有防汛任务的地方人民政府应当组织以民兵为骨干的群众性防汛队伍,并责成有关部门将防汛队伍组成人员登记造册,明确各自的任务和责任。

河道管理机构和其他防洪工程管理单位可以结合平时的管理任务,组织本单位的防汛抢险队伍,作为紧急抢险的骨干力量。